WEB SITE DESIGN

Pressestimmen David Siegel: „Web Site Design"

Wer nur sein Vereinsblättchen „ins Internet stellen" möchte, sollte sich das Geld sparen. Wer mit der Nominierung für die „Cool Site of the Year" liebäugelt, hat das Buch eh schon. Alle dazwischen sollten keinen Moment länger zögern. **– Berliner Morgenpost**

Das Buch zeigt nicht mehr, wie man Frames macht oder Tables generiert, sondern wann, ob und wie man diese Tools einsetzt. Allein die Aufzählung der „sieben Todsünden" lohnt den Kauf. **– PC-Welt**

Dieses Buch gibt zahlreiche Tips und Anleitungen für wichtige Aspekte des Web-Designs: Struktur einer Site, Einsatz von Metaphern und Themen, Info-Sites, Sites der dritten Generation, Layoutkontrolle, Adobe-Photoshop-Tricks usw. **– Novum**

Siegel schafft Bewußtsein für gute Gestaltung. Selbst der Design-Laie kommt auf seine Kosten: Von den Profi-Tips für gute Webseitengestaltung werden nämlich nicht nur Spezialisten profitieren. **– Nürnberger Nachrichten**

„Dies ist das erste echte Web-Design-Buch", so lautet der erste Satz des Klappentextes. Ein hoher Anspruch, dem dieses außergewöhnliche Werk tatsächlich gerecht wird. In einem einförmigen Angebot von mehreren Dutzend HTML-Referenzen und Software-Handbüchern ist David Siegels Buch eine erfrischende Abwechslung. **– c't – Magazin für Computertechnik**

Alle Tips sind von praktischer Natur, gut nachvollziehbar und ausgezeichnet beschrieben. **– Westfalen-Blatt**

WEB SITE DESIGN

Killer Web Sites der 3. Generation

David Siegel

Übersetzung aus dem Amerikanischen:
Frank Baeseler, Nik Schwarten

Die Deutsche Bibliothek – CIP-Einheitsaufnahme

Siegel, David:
Web-Site-Design: Killer-Web-Sites der 3. Generation / David Siegel.
Übers. aus dem Amerikan.: Frank Baeseler. - 2., überarb. und
aktualisierte Aufl. - München : Markt und Technik Verlag, 2000
(FOCUS online)
Einheitssacht.: Creating killer web sites <dt.>
ISBN 3-8272-5331-4

Liebe Leserinnen und Leser,

David Siegel schrieb dieses grundlegende Buch bereits 1997. Es hat seitdem nichts an Gültigkeit verloren. Es ist DER berühmte Klassiker zum Thema Web Site Design.
Einige Software-Versionsangaben und statistische Daten, die im Buch genannt werden, beziehen sich ebenfalls auf das Jahr 1997. Sie haben aber keinerlei Einfluß auf die Aktualität des gesamten Buches.

Der Verlag

10   9   8   7   6   5

02   01   00

ISBN 3-8272-5331-4

© 1998 by Markt&Technik ein Imprint der Pearson Education Deutschland GmbH
Martin-Kollar-Straße 10–12, D-81829 München/Germany
Alle Rechte vorbehalten
Einbandgestaltung: NOWAK werbeagentur, Pfaffenhofen a.d. Ilm
Lektorat: Jörg Wieter, jwieter@mut.de
Herstellung: Cornelia Karl
Übersetzung: Frank Baeseler, Frank.Baeseler@t-online.de; Nik Schwarten, gns96@t-online.de
Satz: NOWAK werbeagentur, Pfaffenhofen a.d. Ilm · http://www.nowak.de
Druck: Media-Print, Paderborn
Dieses Produkt wurde mit Adobe PageMaker erstellt
und auf chlorfrei gebleichtem Papier gedruckt
Printed in Germany

Überblick

Einleitung ix

1 Form contra Funktion 2

2 Sites der 3. Generation 11

3 Bilder vorbereiten 33

4 Seitenlayout 63

5 Schriften darstellen 95

6 Überarbeitung einer Seite 117

7 Eine private Site 137

8 Ein Schaufenster 151

9 Eine Fotogalerie 179

10 Kreative Designlösungen 207

11 Eine Einführung in CSS 235

12 Strategien für den Übergang 257

13 Ausblick 277

Anhänge 287

Stichwortverzeichnis 298

Danksagung

Die zweite Ausgabe dieses Buchs wurde von Doug Millison initiiert und bearbeitet. Seine Professionalität und positive Ausstrahlung waren Motivation für das gesamte Team. Doug war für die Koordination und Materialsammlung zuständig, hat Konzepte entwickelt sowie meine Rohentwürfe überarbeitet und immer die vielen Details im Blick gehabt. Doug arbeitete eng mit Todd Fahrner, dem Designtechniker von Verso, dem Produktionsmanager David Cullinan und dem Designer Purvi Shah zusammen. Todd, David und Purvi durchkämmten die erste Ausgabe nach Updates und neuen Informationen für die zweite Auflage. Außerdem informierten sie uns ständig über die aktuellen Features der 4.0-Browser. Joe Silva stellte das Buch zusammen und erinnerte das Team ständig daran, daß er ein Kapitel erst dann layouten kann, wenn es von den Lektoren freigegeben wird. Amy Wilkins hat verschiedene Dinge geschrieben, das Kapitel *Kreative Designlösungen* aktualisiert und jedes Kapitel durchgesehen und korrigiert – zweimal! David Cullinan war für die Produktion verantwortlich, immer mit seinem Organisationstalent und seiner Kompetenz das Team zusammenhaltend und die Wogen glättend. Jennifer Wolf und Geoff Gladden übernahmen die Produktion der Abbildungen und suchten nach neuen Sites, die im Buch enthalten sein sollten. Michael Milano erstellte die herrlichen Illustrationen für die Trennseiten zwischen den einzelnen Kapiteln. Dank auch für die unermüdliche Hingabe von Hayden Books, besonders an Herausgeber John Pierce und die Lektorin Beth Millett.

Die zweite Ausgabe wäre – natürlich – nicht geschrieben worden, wenn nicht die erste Ausgabe ein so großartiger Erfolg gewesen wäre. Dieser Erfolg ist das Verdienst des damals verantwortlichen Teams. Obwohl das Buch in der Ichform geschrieben ist, hat nahezu jeder im Studio Verso seinen Teil beigetragen. Auch stammt die Gestaltung größtenteils von Verso. Und die Abbildungen kommen alle von Studio Verso. Zum Schluß geht mein Dank an den Designer und Mentor Gino Lee, der ständig die für die erste Ausgabe zuständige Gruppe beflügelte und auf Kurs hielt. Es ist ein Privileg, Teil des Webs sein zu dürfen – mit diesen bemerkenswerten Leuten in dieser bemerkenswerten Zeit.

Verantwortlicher Lektor für die zweite amerikanische Ausgabe	*Doug Millison*
Lektoren	*Louise Galindo, Amy Wilkins*
Autoren	*Todd Fahrner, Doug Millison, Amy Wilkins*
Korrektoren	*Henry McGilton, John Giannandrea*
Sonderbeitrag	*Todd Fahrner*
Abbildungen	*David D. Cullinan, Todd Fahrner, Robert Frank, Geoff Gladden, Matthew Johnson, Jennifer H. Wolf*
Illustrationen der Trennseiten	*Michel Milano*
Produktionskoordinator	*David D. Cullinan*
Produktion	*Todd Fahrner, Matthew Johnson, David Siegel, Ilsa Van Hook*
Beiträge	*Ray Guilette, Hussein Kanji*
Layout/Gestaltung	*Todd Fahrner, Gino Lee, Joe Silva*
Umschlaggestaltung	*David Siegel*
Book Site-Team	*David D. Cullinan, Brian Dame, Robert Frank, Matthew Johnson, Hussein Kanji, Gino Lee, Joe Silva*

Die in diesem Buch verwendeten Hauptschriften sind FFScala, Meta und Matrix Script.

Vorwort zur 2. Ausgabe

1996 habe ich ein kleines Buch mit dem Titel *Web Site Design – Killer Web Sites der 3. Generation* geschrieben. Die Arbeit daran hat mir und den Mitarbeitern in Studio Verso viel Spaß gemacht. Damals waren wir gerade mal sieben Leute und wir setzten alles daran, das Web zu ändern. Wir wollten nicht die am besten aussehenden Web-Sites für unsere Kunden bauen. Nein – wir wollten die Hand ausstrecken und alle Web-Designer auf unsere Seite ziehen. Gemeinsam wollten wir das Web schöner gestalten. Andererseits wollten wir – als Designer – alles gern selber unter Kontrolle haben. Viele aus unserem Team sind in der Buchgestaltung groß geworden – Buchläden ziehen uns magisch an und wir geben allesamt bestimmt zu viel Geld für Design-Bücher aus.

Ich glaube, daß mein Vater am meisten vom Erfolg des Buches überrascht war (sein Sohn war schließlich Designer und Computer-Freak, aber Autor?). Und ich war ebenso überrascht. Als das Buch bei Amazon.com den 8. Platz unter den meistverkauften Titeln einnahm, dachte ich schon, irgendwie die Spitze erreicht zu haben. Dann kamen die E-Mails aus der ganzen Welt. Selbst als mein Buch bei Amazon.com 1996 der meistverkaufte Titel wurde und selbst nachdem es in zehn Sprachen übersetzt wurde, waren die E-Mails für uns alle noch immer am wichtigsten. Sie kommen noch immer täglich herein – und ich finde, daß die beste Antwort darauf die vorliegende 2. Ausgabe meines Buchs ist.

Ich kann ganz voller Stolz behaupten, daß Sie eine komplette Überarbeitung in den Händen halten, die aber auf demselben, festen Fundament gebaut ist. Bei dieser 2. Ausgabe wollte ich sicherstellen, daß *Web Site Design – Killer Web Sites der 3. Generation* auch für die Leser sein Geld wert ist, die bereits die 1. Ausgabe besitzen. Wir haben jedes der bisherigen Kapitel überarbeitet – und sind dabei die meisten unserer 2-Pixel-GIFs losgeworden. Das vorliegende Buch steht für einen neuen Ansatz bei der Gestaltung von Web-Sites, wir setzen dort fort, wo die 1. Ausgabe aufgehört hat. Es gibt über 100 neue Seiten und 150 neue Abbildungen. Und das neue Kapitel über Formatvorlagen ist wirklich so realitätsnah, wie Sie es woanders kaum finden werden. Gerade in den Kapiteln mit den Beispielen werden Sie sehen, wie stark sich unser Ansatz geändert hat.

Da ein Buch keine Web-Site ist, hinkt es in der Zeit hinterher, während alles andere vorwärts strebt. Es gibt eben noch immer etwas, das von Bestand ist, in einer von Menschen lesbaren Form vorliegt und das Sie öffnen können, selbst wenn Ihr Provider vom Netz gegangen ist.

Das ist es. Es wird keine nächste Ausgabe dieses Buchs mehr geben. Ich hoffe, das vorliegende Buch ist Ihnen Ihre Zeit wert. Teilen Sie mir Ihre Meinung mit – ich erwarte Sie im Web.

David Siegel
San Francisco, Kalifornien

Dieses Buch ist den Surfern in der ganzen Welt gewidmet, die regelmäßig meine Web-Sites besuchen. Laßt die Karten und Briefe weiterhin kommen!

Einleitung

Die Buch-Site:
http://www.killersites.com

Täglich erscheint neue Software auf
dem Web. Jede diesem Buch beigefügte
CD-ROM wäre bereits vor der Pressung
hoffnungslos veraltet.

Meine Firma, Studio Verso, unterhält
eine Site, http://www.killersites.com,
die als eine ständig aktualisierte Be-
gleitreferenz zu diesem Buch gedacht
ist. Dort finden Sie alle Dateien, die Sie
benötigen, um die einzelnen Kapitel auf
Ihrem eigenen Computer nachvollzie-
hen zu können, sowie Hinweise auf
Bücher und Software, die für die Erstellung von Sites der dritten Generation
hilfreich sind.

Sie finden in der Site auch drei Kapitel
aus der ersten Ausgabe dieses Buchs:
„A Hot List" (Eine Hotlist), „A PDF
Primer" (Eine Einführung in PDF) und
„A Catalog in PDF" (Ein Katalog in PDF).
Diese Site wird im Buch in der Regel
einfach „Buch-Site" genannt. Wir
hoffen, daß sie Ihnen von Nutzen ist!

Über dieses Buch und
seinen Inhalt

Dies ist kein Einführungsbuch zu
HTML. Zusätzlich zu einem guten Buch
über die Grundlagen würde ich die
folgenden Bücher über Gestaltungsprinzipien empfehlen:

The Form of the Book von
Jan Tschichold, hrsg. von Robert
Bringhurst (Hartley & Marks,
Vancouver, BC, 1991)

The Visual Display of Quantitative
Information on Edward R. Tufte
(Graphics Press, Cheshire, CT, 1990)

Deutschsprachige Bücher zum Thema
finden Sie u.a. auf der Markt&Technik-
Site: http://www.mut.de

WIR GESTALTEN UNSERE WEB SITES nicht mehr so, wie unsere Eltern das taten. Das typische, menügesteuerte, bildchenreiche „Willkommen auf meiner Homepage"-Modell wird schnell von dem ersetzt, was ich *Architektur der dritten Generation* nenne. Obwohl sich Sites der dritten Generation stark auf die heutige Browser-Technologie stützen, macht die Technik *an sich* nicht den Unterschied aus. Er liegt vielmehr in der Gestaltung und Erstellung von Sites der dritten Generation.

Das jetzt in der zweiten Ausgabe vorliegende Buch unterstreicht nochmals die Bedeutung der Architektur der dritten Generation, verzichtet dabei aber auf die letzten Browser-Features und technischen Gimmiks.

Ich habe dieses Buch in drei Teile untergliedert. Teil I deckt die Grundlagen der Erstellung von Sites der dritten Generation ab, von Theorie und Struktur bis zur Durchführung und den Werkzeugen. Teil II enthält Fallstudien, die Sie durch die Gestaltung und Konstruktion von vier Sites der dritten Generation führen, die von „einfach" bis „fortgeschritten" reichen.

Aus Platzgründen sind in diesem Buch drei Kapitel der ersten Ausgabe nicht enthalten. Sie finden diese Kapitel im PDF-Format auf der Buch-Site.

Dieser Teil schließt mit einem Kapitel ab, das einige Gestaltungslösungen „aus dem richtigen Leben" auf dem Web präsentiert. Teil II enthält eine faszinierende Geländefahrt durch die Landschaft der Style Sheets – mit Fallgruben, Felsspitzen und gefährlichen Browser-Implementationen hinter jeder Ecke. Anschließend stelle ich einige Gestaltungsstrategien für die ständig aktua-

lisierte Browserentwicklung (Versionen 3.0 bis 4.0 und 5.0) vor. Zu guter Letzt diskutiere ich Themen, die über das heute bekannte HTML hinausgehen, und ich präsentiere einen Ausblick auf die Zukunft des Online-Designs.

Obwohl mehr als nur ein Überblick, ist dieses Buch alles andere als vollständig. Ich habe versucht, Grafikdesign, soweit es auf das Web angewendet wird, abzudecken, und das beinhaltet notwendigerweise eine ganze Menge technischer Details. Es gibt viel zu wissen und zu lernen über Informationsdesign und formale Gestaltung, Internationalisierung und Bedieneroberflächen. Ich berühre diese Bereiche nur kurz. Es sind wesentliche Bereiche, die aber zu groß sind, als daß eine Person sie in ein einzelnes Buch packen könnte.

Irgendwo muß man beginnen. Die Tage des gedankenlosen Papierverbrauchs sind vorbei. Das Web ist da – es wird bestehen bleiben. Ich hoffe, daß dieses Buch Designern hilft, die Umstellung zu vollziehen. In ihrem Essay *Electronic Typography* schrieb Jessica Helfand – eine brillante Gestalterin, die ihr Modem zu einem Gestaltungswerkzeug umfunktionierte:

„Hier ist der größte Beitrag des letzten Jahrzehnts zu Kommunikationstechnologie, ein globales Netzwerk, das um die 50 Millionen Menschen verbindet, und nirgendwo sind Designer – geschweige denn Kommunikationsdesigner – in Sicht."

Mit der Freiheit des Web entstehen auch neue Verantwortlichkeiten: Es bedarf eines neuen Denkens, um das Web optisch ansprechender zu machen, während es gleichzeitig immer interessanter wird.

Teil 1

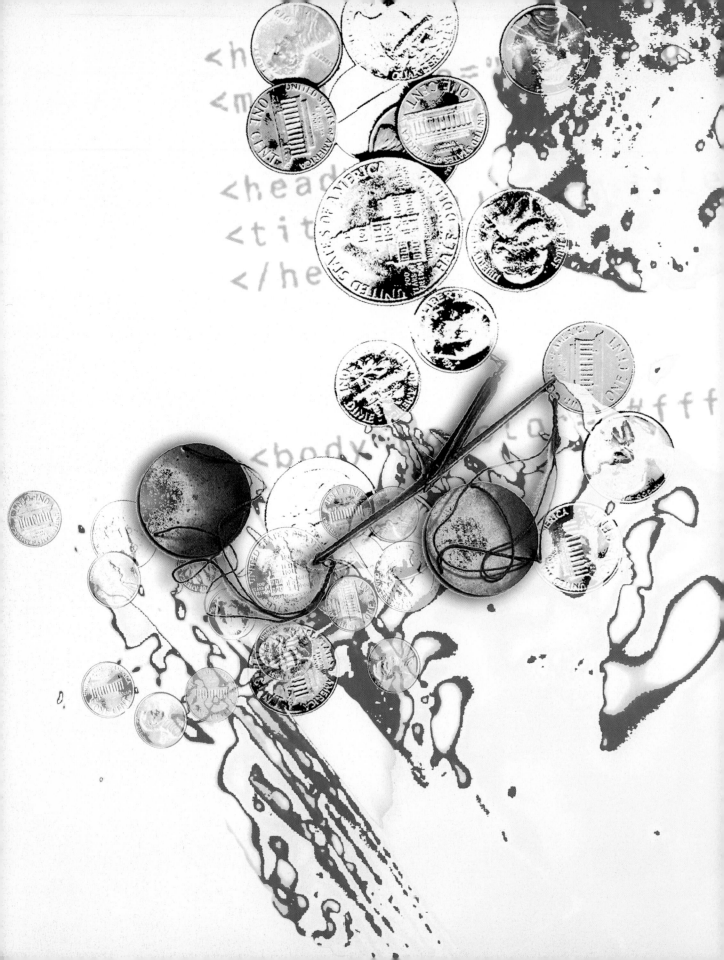

KAPITEL 1

Form contra Funktion

Meine Web-Site. Eine Spielwiese für neue Layouts und neue Erfahrungen mit HTML. Die Site hat sich seit 1995 kaum verändert, hat aber einer ganzen Designer-Generation gezeigt, wie enge Gestaltungsgrenzen überwunden werden können.

1994 kam ich zum ersten Mal mit dem Web in Berührung und Anfang 1995 baute ich meine erste Web-Site. Als ich dann ein und dieselbe Web-Seite auf zwei verschiedenen Browsern sah, stieg ein Gefühl von Panik in mir auf. Warum müssen Seiten so verschieden aussehen? Ich wußte, daß Farbräume und Auflösung systembedingt sind, aber diese Programme zeigten die Seiten wirklich völlig unterschiedlich an. Und wie kann ich als Grafik-Designer meine Web-Seiten gestalten, wenn ich nicht weiß, wie diese aussehen werden? Sollte ich es einer Software überlassen, meine Arbeit beliebig neu zu interpretieren?

Das war genau das, was die sogenannten Framer des Web im Hinterkopf hatten. Sie sahen die Browser-Unterschiede als durchaus nützlich an. Da jedes Dokument mit *strukturellen Tags* (Überschriften, Absätze, Hervorhebungen usw.) ausgezeichnet ist, gingen die Framer davon aus, daß der Anwender die Darstellung von Dokumenten kontrolliert bzw. steuert. HTML (HyperText Markup Language) überläßt dem Besucher die Entscheidung, wie der Browser die Seite darstellt.

Das Ganze ist so, als würde man einem Künstler erzählen wollen, wie er seinen Pinsel zu halten hat! Ich wollte mehr Kontrolle. Entweder würde ich zurück ins Druck-Design gehen oder aber im Web bleiben und neue Wege finden.

Mein HTML-Buch landete im Papierkorb und ich fing wieder ganz von vorn an. Ich überlegte mir diverse Tricks, um das strukturelle Auszeichnen zu umgehen und Seiten so gestalten zu können, wie ich es wollte. Ich begann, mit Hilfe von Bildern Seiten in zwei Dimensionen zu layouten und nicht nur in einer. Als Tabellenlayout möglich wurde, füllte ich sie spaltenweise mit Text. Ich reduzierte die Farben, reduzierte die Dateigrößen und –

raten Sie mal – die Leute kamen in meine Site. Es waren so viele, daß mein Zugriffszähler zusammenbrach.

Ich schrieb ein Buch – die erste Ausgabe dieses Buchs – und es wurde gekauft. Viele Leser haben die von mir beschriebenen Tricks und Techniken übernommen und mir wurde unterstellt, ich hätte damit das Web zerstört. Doch ich war nur einer unter vielen, die mehr Kontrolle über das Seitenlayout haben wollten, einfach um meinen Kunden attraktivere Sites anbieten zu können. Web-Entwickler springen sofort auf neue Entdeckungen an und gemeinsam steuerten wir das Web in eine Richtung, die anders als die der „Framers" aussah.

Wenn einmal das große Buch über die Geschichte des Web geschrieben wird, möchte ich als jemand gesehen werden, der hart für die absolute Positionierung und die präzise Kontrolle von Seitenelementen gekämpft hat. Es kann noch einige weitere Bücher und Browser-Versionen dauern, bis ich behaupten kann, dieses Ziel erreicht zu haben.

Natürlich gab es keine direkte Konfrontation zwischen den Designern und „Strukturisten". Stattdessen entwickelten wir gemeinsam Standards, die den Designern eine bessere Kontrolle und dem Anwender flexiblere Suchmaschinen für den „Konsum" von Informationen ermöglichen.

Entwicklung der Browser

Ursprünglich sollte die Hypertext-Auszeichnungssprache (HTML: **H**yper**T**ext **M**arkup **L**anguage) die Struktur eines Dokuments zeigen, und zwar ohne größere Berücksichtigung der Bedeutung und Präsentation des Dokuments. Deshalb haben wir einen Absatz oder einen Einzug nicht

nur durch eine Zeilenumschaltung gekennzeichnet, sondern auch durch einen simplen `<P>`-Tag. Der Browser (der *Anwender-Agent*) mußte über die Darstellung dieses Absatzes entscheiden.

`<P>`
Absätze sollten mit diesem speziellen Tag gekennzeichnet werden. Der `<P>`-Tag sollte ein *Container* sein, d.h., der Tag markiert Anfang und Ende eines bestimmten Formats (wie an diesem Absatz dargestellt). Der Closing-Tag wurde von den Browsern nicht unterstützt, und die meisten Browser erzeugten eine Leerzeile zwischen den einzelnen Absätzen. Deshalb begann man, den `<P>`-Tag als *Separator* und nicht mehr als *Container* einzusetzen.
`</P>`

Überschriften wurden von `<H>`-Tags eingeschlossen: `<H1>` bis `<H6>`. Mit dem `<EM>`-Tag und dem Gegenstück `</EM>` konnte man etwas hervorheben. Ich glaube, die meisten Browser haben den Inhalt dieses Tags kursiv dargestellt, während der Tag `<STRONG>` meist als Ergebnis die fette Auszeichnung erbrachte. Diese Tags werden als *strukturelle* Tags bezeichnet. Das frühe HTML umfaßte auch einige *visuelle* Tags (auch als *prozedurale Tags* bezeichnet), wie `<B>` für **Fett** und `<I>` für *Kursiv*. Es war also nie klar, ob man nun strukturelle oder visuelle Tags verwenden sollte.

Mit der Netscape-1.1.-Erweiterung begannen die Leute damit, ihre Sites mit häßlichen (aber „coolen") Hintergrundbildern zu versehen.

Die vielleicht wichtigste Erweiterung war der Tag `<Table>`, mit dem man endlich wohlgeordnet Informationen in tabellarischer Form veröffentlichen konnte. Natürlich gestalteten die Web-Designer

Verbraucher im Web

Mitte 1997 gab es in den USA über 31 Millionen PCs mit einer regelmäßigen Internet-Verbindung (lt. Marktforschungsinstitut Computer Intelligence). Das entspricht einer Steigerung von 108% gegenüber dem Vorjahr. FIND/SVP schätzte für April 1997 in den USA insgesamt 40 bis 45 Millionen erwachsene Nutzer des Internets (in Deutschland 4,1 Millionen; d.Ü). Und daß allein in den USA etwa 25 Millionen Leute mindestens wöchentlich das Internet nutzen.

Die meisten Leute surfen während ihrer Mittagspause im Netz, was bedeutet, daß sie Unterhaltung suchen. Sie haben 640 x 480 Bildschirme, immer öfter auch schon 800 x 600 – das wird bald der neue Zugangsstandard sein. Leider wird es in der nächsten Zeit noch nicht möglich sein, auf Verbrauchersystemen mehr als 256 Farben gleichzeitig darstellen zu können.

Während viele Designer am liebsten ausschließlich für Power-User mit großer Bandbreite gestalten würden, wählt sich laut e-stats (www.eland.com/e-stats) die Mehrheit der Web-User (immerhin 70%) noch immer mit 14.4- oder 28.8kbps-Modems in das Netz ein. 70% der Surfer sehen das Web im Netscape-Navigator-Browser, doch zeigen die Marktforschungsergebnisse, daß der Internet Explorer zu Lasten von Netscape ständig Marktanteile hinzugewinnt und daß sich dieser Trend fortsetzt. Abschließend ein weiteres, erwähnenswertes Untersuchungsergebnis: FIND/SVP hat herausgefunden, daß Frauen 42% der Surfer ausmachen – der geringe Prozentanteil aus den letzten Jahren hat sich demnach erheblich vergrößert.

sofort Tabellen, in die sie dann umgehend spaltenweise Text hineinfließen ließen – alles andere als das, wozu Tabellen ursprünglich gedacht waren. Indem wir Text in Tabellen packten, erhielten wir plötzlich Ränder und eine kürzere Zeilenlänge, was eine bessere typographische Layoutkontrolle ermöglichte. Jeder veröffentlichte von nun an Text in Tabellenform, selbst diejenigen, die für die Gestaltung der Netscape-Web-Site verantwortlich waren. Das war naiv und spaßig zugleich und die Designer hofften, daß man vielleicht einmal mit richtiger Typographie im Web gestalten könnte.

Netscape unternahm einen eigenen, auf Tags basierenden Anlauf, um HTML zu erweitern. Mit jeder neuen Version des Browsers wurden auch neue Tags veröffentlicht, womit die Leute wieder ein neues Spielzeug hatten und die strukturellen Tags noch mehr mit optischen vermischt wurden. Die Freigabe des Netscape-2.0-Browsers ging noch einige Schritte weiter, indem verschiedene Web-Seiten mit Hilfe von Frames (Rahmen) gleichzeitig dargestellt werden konnten. Jeder mit einem nicht-framefähigen Browser konnte von nun an nicht mehr sehen, wie der Autor tatsächlich seine Web-Seite gestaltet hatte. Egal, ob gut oder schlecht, wurden diese neuen Tags sehr schnell übernommen. Und Netscape erfreute sich einer virtuellen Monopolstellung im Browser-Markt.

Der Einstieg von Microsoft

Der einzige Browser, der mit Netscape mithalten konnte, war der Microsoft Internet Explorer – aber erst, nachdem Microsoft eine lange Durststrecke hinter sich hatte. Microsoft begann nämlich mit W3C und den entsprechenden Kommitees zusammenzuarbeiten, um offene Standards zu entwickeln und frei zur Verfügung zu stellen. Natürlich erhoffte man sich, so mit Netscape zumindest gleichziehen zu können.

Mit der Zeit wurde der Microsoft Internet Explorer zu einem großen Erfolg. Man hatte Frames implementiert, mehr Möglichkeiten der Schriftwahl hinzugefügt und den Browser robuster und kompakter als den Netscape Navigator gemacht. Während Microsoft hart daran gearbeitet hat, der W3C-Spezifikation für Style Sheets (Formatvorlagen) zu entsprechen, war die Implementation des Browsers mehr eine Bestätigung des Konzepts als ein Werkzeug für Web-Entwickler. Andererseits besaß der Netscape Navigator mehr Marketing-Unterstützung als Leistungs-Features.

Der große Entscheidungskampf begann mit Einführung der 4.0-Browser. Netscape wußte, daß Microsoft den Internet Explorer 4.0 als Schnittstelle für Windows benutzen wollte, d.h., der User sollte mit dem Browser auch alle Dateien auf dem Desktop einsehen und verwenden können. Netscape antwortete daher mit einer Ansammlung von Groupware und E-Mail-Tools, mit denen Mitarbeiter in Unternehmen besser in Intranets und bei gemeinsamen Projekten zusammenarbeiten konnten. Beide 4.0-Browser haben Style Sheets implementiert – allerdings werden wir in Kapitel 11, „Einführung in CSS", sehen, daß diese Implementationen alles andere als ideal sind. Im letzten Kapitel werde ich noch auf die 5.0-Browser und die Zukunft von HTML eingehen – hier beginnt das Licht am Ende des Tunnels gerade zu glühen.

Der virtuelle Schmelztiegel

Das Web ist eine „Bouillabaisse" aus Informationsanbietern und Verbrauchern. Zum einen gibt es die „Strukturisten".

Für sie ist eine Web-Seite perfekt ausgezeichnet und sie verwenden sogar Programme, mit denen Sie die Auszeichnung Ihrer Seite überprüfen können – und das ist für diese Leute wichtig. Tatsächlich ist die standardmäßige HTML-Auszeichnung gut für die Suchmaschinen, für visuell unbedarfte Verbraucher und diejenigen, die mit ausgeschalteten Bildern surfen. Deren Idealvorstellung besteht in noch mehr Struktur, die noch mehr Informationen über den Inhalt einer Web-Seite liefert (Extra-Informationen, die den Inhalt beschreiben, werden als *Metadaten* bezeichnet – siehe auch Kapitel 13), damit die Suchmaschinen noch mehr aus den jeweiligen Sites herausholen.

Strukturisten wollen, daß auf Web-Inhalte mit jedem Browser zugegriffen werden kann. Typographische Feinheiten oder die Optik einer Seite stehen dabei im Hintergrund. Für diese Leute sind Web-Seiten Dokumente und wenn man Millionen von Dokumenten hat, benötigt man eine Struktur für die Indizierung, Auffindbarkeit und Pflege der Dokumente. Dann gibt es die Designer. Das Spektrum reicht von Informationsdesignern bis hin zu Leuten, die alle Regeln außer Kraft setzen wollen (beispielsweise www.jodi.org und www.superbad.com). Alle Designer wollen ihr Online-Experiment gestalten. Sie arbeiten bereits mit Programmen wie Illustrator, Photoshop und PageMaker. Viele Designer haben Erfahrung im Bereich TV oder mit CD-ROMs, mit Bewegung und zeitgesteuerten Ereignissen. Sie wollen Online-Galerien, Freizeitparks, Film-Sites, TV-Kanäle, Underground-Magazine oder Gemeindezentren erstellen – Web-Sites, die um die Aufmerksamkeit der Verbraucher kämpfen und so schöne Erlebnisse vermitteln, daß die Leute regelmäßig zurückkommen. Effekte und frische Inhalte sind für viele Sites wichtiger

als eine überprüfbare strukturelle Auszeichnung. Designer wissen, daß Leute
den Inhalt (sofern dieser interessant ist)
unabhängig von der Qualität einer Seitenstruktur konsumieren.

In der Mitte stehen dann noch die Auf-
traggeber bzw. Kunden und Surfer. Kunden wollen mit ihren Sites ihr Publikum
angemessen erreichen. Würde ich einem
Marketingmanager von Pepsico erzählen,
daß ich alles daransetze, um seine Web-
Site so zu gestalten, daß sie den strikten
strukturellen HTML-Standards entspricht? Das interessiert die Marketing-
leute nicht. Sie wollen Verbraucher erreichen, die in ihrer Site mehr Spaß haben
als in der Coca-Cola-Site. Surfer wollen
das, wonach sie suchen – häufig wissen
sie das selber noch nicht. Das einzige, was
wir tatsächlich über Surfer wissen, ist,
daß sie etwas sofort haben wollen! Sie
suchen nach Reisetickets, einem Restaurant, einem Treffen, einem Witz, einer
Geschichte – oder sie wollen sich nur
hübsche Bilder anschauen. Einige sind
visuell beeinträchtigt, andere haben kleine, andere große Monitore und wieder
andere surfen auf ihrem Fernseher. Es
gibt Surfer mit einem langsamen Modem,
während andere Highspeed-Verbindun-
gen aufbauen können. Nicht alle Surfer
sind Studenten und sie wollen auch nicht
nur unterhalten werden. Es gibt Millionen
Leute, die im Web surfen – und dafür gibt
es viele gute Gründe.

Betonung auf Design

Ich versuche in diesem Buch Gleichun-
gen zu lösen, indem ich einen besonderen
Schwerpunkt auf das Design lege.
Designer stellen die Gestaltung über die
Struktur. Sie haben das strukturorientier-

te HTML angenommen und dann
schrecklich „umgebogen", damit es ihren
visuellen Ansprüchen genügt. Ich glaube,
daß Design das Erleben des Inhalts
steuert; es liegt in der Verantwortung des
Designers, den Inhalt entsprechend zu
präsentieren. Wen interessiert schon die
Mächtigkeit einer Datenbank, wenn der
Anwender nicht mit der Bedienerschnittstelle umgehen kann? Wer liest schon einen interessanten Inhalt, wenn er nicht
attraktiv gestaltet oder nur schwer lesbar
ist? Ich habe eine klassische, typographische Ausbildung durchlaufen. Insofern
achte ich darauf, ob Absätze eingezogen
sind oder nicht. Ich halte es für verrückt,
daß Absätze im Web nicht eingezogen
sind, während die Strukturisten es als verrückt empfinden, wenn ich über spezielle
HTML-Tricks meine Absätze mit Einzügen versehe. Der Hypermedien-Visionär
Ted Nelson schreibt sogar:

**Multimedia muß von „autoritären"
Künstlern kontrolliert werden, die beim
letzten Schliff das volle Sagen haben.**

Das Web unterscheidet sich kaum vom
Rest der Welt. Von Briefen, Informations-
blättern, dem *Wall Street Journal* bis hin
zu den Magazinen *USA Today* und *Wired*
komplettiert ein erfolgreiches Format die
Kommunikation zwischen den Verfassern
des Inhalts und der Zielgruppe. Der
Unterschied zwischen dem Web und der
realen Welt ist, daß „Strukturisten" und
Designer nur selten gemeinsam auf einer
Party anzutreffen sind.
Irgendwo treffen sich jedoch Web-
Designer und „Strukturisten" in der Mitte. Alle paar Monate geht die eine Gruppe
einen weiteren Schritt auf die andere zu.
Es liegt bei den Browser-Herstellern, wie
schnell wir endgültig zusammenfinden.

Zusammenfassung

Vor dem Hintergrund dieser Konzepte hoffe ich, daß Ihnen das Material, das wir in dieser Buchausgabe präsentieren, gefällt. Sie finden viele Tricks und „Hacks", aber auch eine ernsthafte Auseinandersetzung mit dem Web-Design, einem Ansatz, über den wir die strukturellen Möglichkeiten der neuen Browser nutzen können, ohne jedoch auf den universellen Zugriff, für den das Web in erster Linie entwickelt wurde, verzichten zu müssen.

Wie ich bereits vorhergesehen hatte, können wir jetzt das Pendel zurück zu Struktur und Layout schwingen lassen, während es vorher nur die Wahl zwischen Struktur und Layout gab.

Noch sind wir nicht so weit. Viele der Techniken im mittleren Teil dieses Buchs sind Umwege, die zeigen sollen, wie Gestalter mit den wenigen visuellen Tools der heutigen Browser umgehen können. In den letzten Kapiteln werden Sie feststellen, daß es noch viel zu tun gibt, bis Designer und Strukturisten ihre jeweiligen Beiträge übernehmen können.

Schließlich – obwohl sich dieses Buch hauptsächlich mit Techniken der optischen Layoutkontrolle beschäftigt und versucht, die Diskussion auf neue, webbasierende Protokolle zu lenken, liegt der Schwerpunkt eindeutig beim Design. Weil aber dieses Buch keine Web-Site ist, wird es den Tag geben, an dem fast jede von mir beschriebene Technik hinfällig ist. Ich hoffe nur, daß zumindest die Gestaltungslektionen und der Sinn für ein visuelles Gleichgewicht für die nächsten Jahre gültig sind.

Die Web-Site einer Universität

Schauen Sie sich die Web-Site einer Universität an, wo die unterschiedlichen Inhalte und Zielgruppen ein weites Spektrum umfassen. Der Physiker will mit anderen Physikern kommunizieren und Daten austauschen. Die Theaterwissenschaftler wollen im Web „Spielorte" einrichten, während die Studentenvertretung mit Hilfe einer Datenbank die Zimmeraufteilung für die Studenten organisieren will. Die Verwaltung wünscht dagegen Formulare, die Leute für entsprechende Leistungen unterzeichnen oder ausfüllen können; vielleicht denkt man auch an die Zahlung der Studiengebühren über die Web-Site. Auf dem Universitätsgelände sind verschiedene „Live-Cams" (Videokameras) verteilt. In den Labors werden Experimente durchgeführt, an denen Leute in der ganzen Welt teilhaben können. Die Sportabteilung möchte Eintrittskarten für ihre Veranstaltungen verkaufen. Die Bibliothek wünscht sich, daß Leute nach Büchern suchen können, packt einige tausend Ausgaben online und spart Geld, indem viel Videomaterial zur direkten Betrachtung online angeboten wird, statt die empfindlichen Videokassetten wie bisher auszugeben und bei der Rückgabe auf Schäden hin überprüfen zu müssen.

Wohngemeinschaften wollen ihre Parties ankündigen und Studentengruppen wollen ihre Veranstaltungen live im Web übertragen. Behinderte Studenten wünschen sich das komplette Kursmaterial online. Und die Robotergruppe hat ihre Maschinen an das Web angeknüpft. Entfernt lebende Studenten wollen an Diskussionen teilnehmen. Die Studentenvereinigung möchte ein schwarzes Brett einrichten, während die Mensa den Menüplan online veröffentlichen will. Hinzu kommt, daß die für die Web-Site verantwortlichen Leute allen Studenten den Zugriff ermöglichen wollen, selbst Sehbehinderten und Blinden. Die Verwaltung will sicherstellen, daß die komplette Site ein unverwechselbares Erscheinungsbild (Markenbild) hat, man darum optimal navigieren bzw. suchen kann und weder die Rechte noch der Ruf irgendeiner Person verletzt bzw. geschädigt werden. Und das alles soll mit HTML bewerkstelligt werden?

KAPITEL 2

Sites der 3. Generation

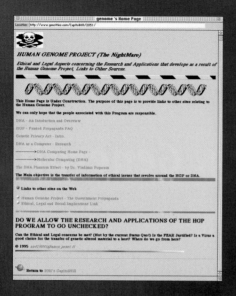

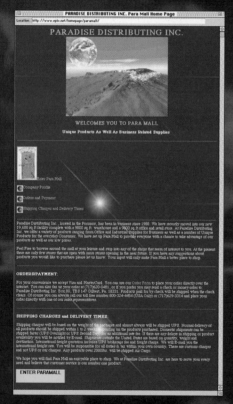

2.1 Sites der 1. Generation: Horizontale Linien (oben) und Text von einer Seite zu einer anderen (unten) sind die Norm.

WAS IST EINE WEB SITE der 3. Generation? Hier werden typographische und visuelle Layoutprinzipien zusammen mit kreativen Gestaltungslösungen verwendet, um dem Besucher ein umfassendes Erlebnis zu bieten.

Sites der 3. Generation zeigen Metaphern und visuelle Themen zum Führen und Verführen. Saubere Typographie und hohe Ansprüche bei der Gestaltung erlauben Führung und Wiedererkennbarkeit. Dieses Kapitel beschreibt die Evolution von Sites der 3. Generation und diskutiert ihren Aufbau unter Berücksichtigung bekannter Modelle des Konsumentenverhaltens. Des weiteren geht es hier um die Anforderungen, die an das Aussehen von Sites mit dem Schwerpunkt „Information" gestellt werden.

Sites der 1. Generation

Sites der 1. Generation sind linear. Die Seiten mußten funktionell sein, damit Wissenschaftler ihre Entdeckungen weltweit austauschen konnten. An einer derartigen Seite erkennt man klar die Einschränkung durch langsame Modems, monochrome Bildschirme und die standardmäßigen Style Sheets der Browser. Man sieht eine Sequenz von Text und Bild (von oben nach unten und von links nach rechts), aufgelockert durch Absätze, Blickfangpunkte, Querbalken und ähnlichem. Alle frühen HTML-Werke waren nach diesem „Fernschreiber-Modell" aufgebaut.

Sites der 1. Generation wurden von technisch orientierten Leuten gestaltet [2.1 A]. Auf einigen wehten die sogenannten „Banner" – typische horizontale rechteckige Grafiken – und sie waren gut durchorganisiert; die meisten jedoch bestanden aus seitenweisem Text von einem Rand zum anderen, der nur durch bedeutungslose Leerzeilen unterbrochen wurde [2.1 B]. Bestenfalls konnte man sie mit einer Dia-Show auf einer Betonmauer vergleichen.

Sites der 2. Generation

Im Frühjahr 1995 stellte Netscape eine Reihe von Erweiterungen für HTML vor. Die Leute spielten damit und hatten viel Spaß mit dem <BLINK>-Tag. Sites der 2. Generation gehören im wesentlichen noch immer zur 1. Generation, nur sind es jetzt Icons (Symbolbildchen) statt Wörter, gekachelte Bilder statt des grauen Hintergrundes und Banner statt schlichter Überschriften [2.2 A-C]. Sie verwenden ein Modell, bei dem man von einer „Homepage" zu hierarchisch geordneten „Unterbereichen" kommt [2.3].

Das Web wurde schon immer von der Technologie geprägt. Fast jede Woche erscheinen aufregende neue Features, die ausprobiert werden wollen. Sites der 2. Generation werden immer noch mit Menüs, Symbolbildchen und der modernen Technologie im Hinterkopf gestaltet und tendieren dazu, dem Homepage-Modell zu folgen: Die Ausgangsseite ist mit Icons, 3-D-Buttons, Fenstern und Bildern geschmückt. Im schlimmsten Fall machen unregelmäßige Hintergründe und endlose Wartezeiten für Sounddateien diese Sites unerträglich.

2.2 A-C Sites der 2. Generation bedrängen Besucher mit Vergleichen und Hierarchie.

2.3 Sites der ersten und zweiten Generation beginnen mit einer Homepage und einer Liste von Möglichkeiten.

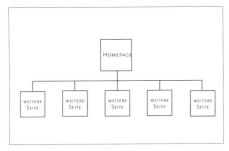

Das Restaurantmodell

Wenn ich an Sites denke, habe ich immer ein Restaurant vor Augen. Man erfährt durch eine Anzeige oder über einen Freund von einem Restaurant oder man entdeckt es im Vorübergehen. Man liest sich die Tageskarte durch, die drau-ßen an einer Tafel hängt, und schnuppert mal im Eingang.

Einmal eingetreten, entscheiden Sie sich, ob Sie bleiben oder wieder flüchten sollen. In einem beliebten Restaurant müssen Sie vielleicht auf einen Tisch warten. Wenn Sie bleiben, führt man Sie an einen Tisch und überreicht Ihnen die Speisekarte. Sie treffen Ihre Wahl.

Wenn das Essen serviert wird, haben Sie kein Bedürfnis, die einzelnen Speisen auf dem Teller neu zu arrangieren. Das Essen und die Präsentation sind das Werk des Kochs. Sie probieren die verschiedenen Speisen, gehen von einer zur an-deren, mischen Geschmack und Substanz.

Wenn Sie fertig sind, gibt es vielleicht noch ein Dessert. Danach verlangen Sie die Rechnung und zahlen. Sie geben ein Trinkgeld und wechseln vielleicht ein paar freundliche Worte mit dem Besitzer. Wenn Sie wieder mal hungrig sind, kommen Sie zurück oder nicht, je nach der Qualität.

2.4 Frühe Sites der 3. Generation.

2.5 Sites der 3. Gene-ration locken Leute durch die Eingangstür herein und führen sie herum.

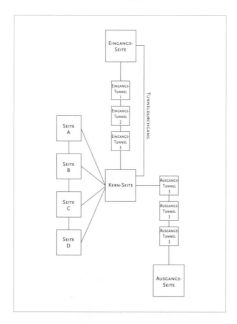

Die meisten Web-Sites liegen irgendwo zwischen zwischen aufpolierten Designs der 1. Generation und schlecht ausgeführten Designs der 2. Generation. Leserlichkeit und der Blick auf den Besucher ebnen den Weg für „coole" technische Tricks.

Sites der 3. Generation

Sie entstehen durch Design, nicht durch technische Kompetenz. Besucher machen eine ganzheitliche Erfahrung, vom Eintritt bis zum Ausgang. Design macht hier den Unterschied. Kreative Leute haben solche Sites mit allen Versionen grafischer Browser erstellt [2.4].

Sites der 3. Generation locken Besucher durch sie hindurch, indem sie Metaphern und bekannte Modelle der Konsumentenpsychologie verwenden. Diese Sites bieten eine abgerundete Erfahrung– je mehr Sie erforschen, desto vollständiger erleben Sie die Site. *Design der 3. Generation verwandelt die Speisekarte in das Hauptgericht.*

Betrachten Sie das Web als eine gemütliche Kleinstadt mit einer halben Million Restaurants.

Sites der 4. Generation

Jeder möchte wissen, ob wir die 3. Generation bereits hinter uns gelassen haben oder nicht. Einige Leute sagen, daß Sites der 4. Generation mit umfangreichen und dynamischen Inhalten datenbankgetrieben sind. Andere meinen, daß wir bereits die 6. Generation erreicht haben.

Viele Leute gehen davon aus, daß der Begriff *Design der 3. Generation* an eine bestimmte Technologie gebunden sei, also Design der 2. Generation für 2.0-Browser und Design der 3. Generation

für 3.0-Browser. Design der 3. Generation hat nichts mit Browser-Versionsnummern oder -Technologie zu tun.

Der Begriff *3. Generation* war für mich immer die Beschreibung einer bestimmten Gestaltungsmethode für Sites. Die meisten guten Sites der 3. Generation wurden in der „High Five"-Site (www.highfive.com) vorgestellt und es gibt zur Zeit nur wenige Hundert gut gestalteter Sites der 3. Generation. Ich glaube, daß das Web noch viel Zeit braucht, bevor diese Sites die Norm darstellen. Und es bedarf noch mehr Zeit, bevor wir das Design der 4. Generation (Thema der nächsten Ausgabe dieses Buchs) diskutieren können.

Der Aufbau von Sites der 3. Generation ist mühsam. Man benötigt Zeit, Hingabe und einen Sinn dafür, was den Besucher anspricht. Normalerweise arbeiten für Sites der 3. Generation verschiedene Leute zusammen, die sich gegenseitig antreiben, eine Seite schöner als die andere zu gestalten und die gesamte Site als Surf-Erlebnis „arbeiten" zu lassen. Es ist in Ordnung, wenn Sie die Möglichkeiten der neuesten Browser nutzen wollen, doch hat eine Site der 3. Generation nichts mit bestimmten Technologien zu tun.

Struktur der Sites

Millionen von Menschen surfen im Web – Sie wollen sie jedoch nicht alle auf Ihre Site ziehen. Sie wollen eine ausgesuchte Gruppe erreichen und Einkaufsbummler in feste Kunden verwandeln, die auf eine Art aktiv werden, die Ihnen beiden Vorteile bringt (E-Mail schicken, ein Produkt bestellen, Feedback geben etc.). Konsumenten einfach zu sagen, daß sie Ihr Produkt bestellen sollen, funktioniert

15

Fallstudie: Joe Boxer

Den Angelhaken beködern bedeutet, dem Besucher etwas anzubieten. Mit der Kommerzialisierung des Web sind Köder in vielen Sites anzutreffen. Egal ob Quick-Time-Videos, Bildschirmschoner oder der Witz des Tages – mit solchen Angeboten wollen die Sites, daß die Besucher zurückkommen.

Einer der besten Gags, die ich gesehen habe, ist die E-Mail-Schnittstelle von Joe Boxer zur elektronischen Anzeigetafel „Zipper" am Times Square. Sie schicken eine E-Mail-Mitteilung an timesquare@joeboxer.com. Ihre Mitteilung läuft dann viermal täglich unten über die große Anzeigetafel. Die meisten Besucher der Site enden damit, ihre Mitteilungen einzugeben und die gesamte Site zu durchstöbern – ein hervorragendes Beispiel dafür, wie man gibt, bevor man etwas erhält.

Wer wird der Nächste mit einer derartig überzeugenden „Köder"-Idee sein?

Auf www.joeboxer.com, kann man eigentlich E-Mails auf die Anzeigentafel am Times Square schicken.

nicht. Sie müssen sie höflich bitten, einzutreten und es sich auf Ihrer Site gemütlich zu machen. Die meisten Sites der 3. Generation haben einen Eingang, einen Zentralbereich mit einer Kernseite zum Entdecken und einen genau definierten Ausgang [2.5]. Sites der 3. Generation ziehen den Besucher herein, indem sie ihn mit etwas Aufregendem von Seite zu Seite locken.

Der Eingang

Der Eingang zu Ihrer Site gibt den Leuten bekannt, wo sie sich befinden, ohne gleich alle Ihre Leckerbissen zu servieren [2.6 A, B]. Immer mehr Sites haben *Eingangstüren*, die einzig diesem Zweck dienen. Eine Eingangstür – auch *Splash Screen* genannt – läßt sich schnell herunterladen und erzählt den Leuten, was drinnen los ist. Einer guten Eingangstür sollte man schwer den Rücken kehren können. Präsentieren Sie ein Bild, das Ihr Publikum einfängt und es hineinzieht.

Das Wichtigste an Splash Screens ist, daß sie sich schnell herunterladen lassen. Ihr erster Eindruck sollte mit den vorherrschenden Modemgeschwindigkeiten nicht länger als 15 Sekunden zum Laden brauchen – eher weniger. Wenn Sie Ihren Besucher mit einem ermüdenden Ladevorgang konfrontieren, ist er schon wieder bei Yahoo!, bevor Ihr Zugriffszähler registriert hat, was eigentlich geschehen ist.

Fischfutter

Wenn die Leute an Ihrer Site vorbeispazieren, dann halten Sie ihnen einen Korb mit Leckereien entgegen, um sie in Versuchung zu führen. Tratsch, Nachrichten, Sportergebnisse, Wetterinformationen, Börsenkurse, Sonderangebote etc. ziehen das potentielle Publikum immer wieder in Sites der 3. Generation hinein.

„Sie geben; Sie erhalten etwas. Sie geben nichts; Sie erhalten nichts." (Harvey Mackay, Autor von *Dig Your Well Before You' re Thirsty*)

Ich nenne das *Fischfutter*. Wenn Sie Investoren anziehen wollen, sollten Sie entweder aktuelle Börsenkurse oder einen anregenden, zeitgemäßen Investment-Tip geben. Wenn Sie nach Hundehaltern Ausschau halten, geben Sie Ihnen „Die Anatomie der Flöhe" oder ein „Wer kennt diese Hunderasse?"-Quiz. Sie brauchen

A

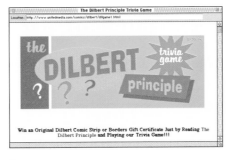

A

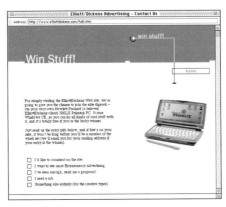

B

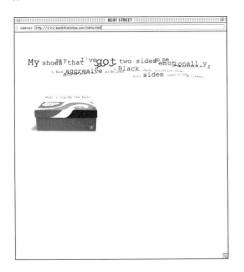

B

C

2.6 A, B Eine Eingangstür filtert Ihr Publikum.

2.7 A-C Das Ziel von Free Stuff ist es, sich auf dem Web ins Gerede zu bringen.

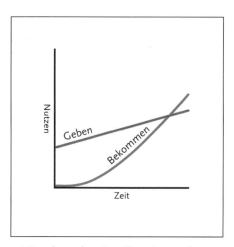

2.8 Nur ein stetiges Bemühen, Leuten das zu geben, was sie verlangen, trägt später Früchte.

einen Aufhänger, der sich an jene Menschen wendet, von denen Sie hoffen, daß sie Ihre Gemeinde bilden werden.

Der technische Ausdruck für Fischfutter auf dem Web ist *Free Stuff* [2.7 A-C]. Lassen Sie Ihre Phantasie spielen! Überlegen Sie sich etwas, das Ihre Leute gerne hören, wovon sie einander erzählen und was sie sich ansehen würden. Wenn man Ihre URL an Freunde weitergibt, dann wissen Sie, daß, Sie mit etwas dienen, das die Leute auch haben wollen.

Wie jeder Werber weiß, gibt es keine festen Regeln, nach denen man die Aufmerksamkeit der Leute gewinnt [2.9]. Verwenden Sie alles, was Sie zur Verfügung haben – ja, selbst Java. Bringen Sie Spiele, Sensationen, Live-Video, Seifenopern, einen Klub für Linkshänder – alles, was sich irgendwie herumspricht. Verwüsten Sie Ihre eigene Site, fordern Sie eine andere zu einem Wettbewerb heraus oder lassen Sie die Leute über etwas abstimmen. Solche Sachen machen sich besser, als Formulare auszufüllen oder eine der Suchmaschinen zu bitten, Sie wegen Ihres großartigen Inhalts aufzulisten.

Eingangstunnel

Viele Sites der 3. Generation arbeiten mit Splash Screens und nur wenige mit Eingangstunneln. Wenn Besucher Ihre Site betreten, geben Sie ihnen lieber die Möglichkeit zu einer kurzen Tour, als sie direkt in die Site zu lassen. Ich nenne diese Tour *Eingangstunnel*. Sie bauen eine Erwartungshaltung beim Besucher auf [2.10], während er sich auf das Herz der Site zubewegt.

Ein Eingangstunnel eignet sich am besten für Kundensites [2.11 A-F]. Begrenzen Sie ihn auf ca. zwei bis vier Seiten und gestalten Sie ihn unterhaltsam.

Die Kernseite

Das Endziel der meisten Web-Sites ist es, eine Gemeinde zu gründen. Eine gute Site zahlt sich dann aus, wenn die Leute immer wieder zurückkehren. Im Gegensatz zum Homepage-Konzept der 2. Generation können Sites der 3. Generation sowohl eine als auch mehrere Kernseiten haben. Einige Sites der 3. Generation haben überhaupt keine Kernseite. Kernseiten führen und leiten den Besucher über Links zu benachbarten Seiten. Kernseiten behalten ihren Inhalt, reizen den Besucher, in der Site zu verbleiben [2.10].

Scheuen Sie sich nicht, Ihr Publikum zu führen. Geben Sie ihm Auswahlmöglichlichkeiten – machen Sie aber auch eigene Vorschläge. Setzen Sie viele Links innerhalb der Site und nur einige wenige nach draußen. Auf jede Seite sollten Sie etwas Interessantes stellen.

Traditionelle Homepages degenerieren schnell zu einer endlosen vertikalen Liste mit Links. Kernseiten verwenden Inhalt, um zu ködern und zu verführen. Verwenden Sie Bild- und Textausschnitte, um Ihre Besucher zu führen.

18

A

B

C

D

2.9 (Oben) Das Sammeln von Free Stuff ist ein ernsthaftes Hobby im Web

E

F

2.11 A-F (Oben) Der Eingangstunnel von Giszmonic Antsite baut eine Stimmung auf, während Sie in die Site „hineinkriechen".

2.10 (Links) Eingangstunnel bauen Erwartungen auf.

2.12 Eine Kernseite muß nicht unbedingt Aufzählungen enthalten – und eine unwiderstehliche Kernseite ermuntert zum „bookmarken".

Nehmen Sie als Beispiel die Site eines Versandhauses, bei der das Ziel ist, unter einer Telefonnummer anzurufen oder ein Bestellformular auszufüllen. Ein direkter Link zu diesem Bestellformular oder die Telefonnummer selbst sollte sich auf nahezu jeder Seite befinden. Die meisten Betrachter werden nicht gleich beim ersten Mal daraufklicken – doch irgendwann gibt man nach.

Ausgang

Paradoxerweise verlockt ein klar gekennzeichneter Ausgang die Besucher zum Bleiben. Indem Sie Betrachtern die Tür zu einem Ausgangstunnel zeigen, informieren Sie sie, daß es einen Weg aus der Site heraus gibt. Wenn man in einen Bereich gerät, der einen nicht interessiert, sollte man nicht einfach „www.naechste galaxie.com" eintippen und weitersurfen. Der Besucher sollte jeden Bereich betreten, der ihn möglicherweise interessiert, bevor er den Ausgang nimmt.

Die Ankündigung des Ausgangs baut eine Erwartungshaltung auf, genau wie die Bekanntgabe der Gäste am Anfang einer Talkshow. Es lohnt sich, einen interessanten Ausgang zu gestalten. Krönen Sie den Besuch mit einem Knalleffekt, aber preisen Sie ihn nicht zu sehr an. Links zu Ihrem Ausgang sollten subtil und konstant sein, ohne die Leute dazu zu verführen, Ihre Site zu verlassen, bevor sie alles gesehen haben.

Die Schlußseite ist ein guter Ort, um die Besucher um etwas zu bitten, z.B. ein Formular auszufüllen, eine Telefonnummer anzurufen, etwas zu bestellen, sich in eine Verteilerliste einzutragen oder anderweitig aktiv zu werden. An diesem Punkt sind sie bereit, mit Ihnen zusammenzuarbeiten, da Sie ihre Erwartungen erfüllt haben.

Der große Knall am Ende kann so simpel sein wie eine Liste mit verwandten Sites oder so lukrativ wie die Teilnahme an einer Verlosung.

Net Equity

Wenn Leute über Ihre Site reden, wenn sie oft wiederkommen, wenn Ihre Metapher sich herumspricht und Ihre Eingangstür verführerisch ist, sind Sie auf dem besten Weg, *net equity* aufzubauen. Einfach gesagt, ist net equity eine gemeinsame Wellenlänge des Publikums.

Veränderung tut gut

Sie haben eine Site und nun wollen Sie, daß man ein Lesezeichen darauf setzt. Den Eingang zu Ihrer Site müssen die Leute nicht bookmarken – den können sie sich höchstwahrscheinlich merken. Aber wenn Sie eine unwiderstehliche Kernseite haben, kann es geschehen, daß man sie bookmarkt. Beim ersten Mal wurden die Besucher von den kostenlosen Dingen (Free Stuff) angelockt, regelmäßig kommen sie aber zur Kernseite zurück, um zu sehen, was es Neues gibt.

Wenn sich Ihre Site nur einmal im Monat ändert, könnte sie genausogut statisch bleiben. Wenn sie sich wöchentlich ändert, bookmarken die Leute die Seiten, auf denen interessante Sachen vor sich gehen. Wenn sie sich täglich ändert, dann sollten Sie sich auf eine große Zahl auf Ihrem Zugriffszähler gefaßt machen. Setzen Sie auf jeden Fall Links von Ihrer aktiven auf statischere Seiten, besonders, wenn Sie versuchen, die Besucher auf eine bestimmte Seite zu locken.

Wenn etwas neu und wichtig ist, sollte es uns ins Gesicht springen. Stellen Sie etwas Inhalt daraus auf Ihre Titelseite – vergraben Sie ihn nicht unter einem „What's new!"-Link.

Die Metapher – das Erkundungsfahrzeug

Sites der 3. Generation setzen Metaphern effizient ein. Eine starke Symbolik kann den Besucher führen und ein Projekt zusammenschweißen. Metaphern müssen intuitiv sein und durchgängig eingesetzt werden – und dabei die Modemgeschwindigkeiten des Web beachten. Sie ziehen den Besucher herein in eine vertraute Umgebung und präsentieren ihm gleichzeitig die Attraktionen, die es zu erforschen gilt. Beispiele für solche Metaphern sind Galerien, Comics, Fernsehkanäle, Zeitungen und Zeitschriften, Ladenausstattungen, Museen, Postkartenständer, Freizeitparks, innere Gegenstände (in Computern, dem menschlichen Körper, Ameisenhaufen und so weiter), Safaris, Städte und Geschirrschränke. Sie können gut realisiert [2.13] oder übertrieben [2.14] sein.

Metaphern sind für Ihre Besucher wie ein Erkundungsfahrzeug in Ihre Site. Halten Sie Ihre Metapher einfach, konstant und eindeutig. Eine gute Metapher zeigt den Lichtschalter genau dort, wo

Stolpersteine

Sites der 3. Generation ködern, verführen, überreden. Neue Besucher warten jedoch möglicherweise die langen Ladezeiten einer dicken Titelseite nicht ab. Sogar Free Stuff kann ernsthafte, wiederkehrende Besucher nerven, wenn alternative Eingänge oder direkte Links zum Kern der Site nicht leicht erreichbar sind. Die besten Sites haben ihr Publikum gefangen, bevor das Publikum es überhaupt mitbekommt.

Es schickt sich heute nicht mehr, im Eingangstunnel Leute zur Registrierung aufzufordern. Wenn Sie wirklich wollen, daß Leute das tun, müssen Sie ihnen schon etwas Vernünftiges dafür bieten. Registrierung ist ein Hindernis – ein Stolperstein. Sie sollten sie nur benutzen, wenn es unbedingt notwendig ist.

Neue Wege der Registrierung werden das heutige Ringen um Marketing-Informationen über Surfer ersetzen. Die Werber werden einen Weg finden, um zu den gewünschten Informationen zu kommen. In Zukunft wird Ihr Browser den Sites automatisch viel mehr über Sie erzählen, als er das heute tut – Ihr Einverständnis natürlich vorausgesetzt.

Fallbeispiel: Klutz Press

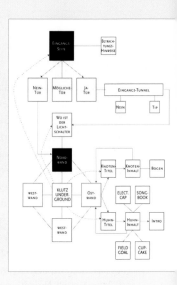

John Cassidy, Inhaber von Klutz Press, bat mich, eine Web-Site für seine Firma – einen führenden Kinderbuchverlag – zu gestalten. Er wollte ein paar Kapitel der Bücher in das Web stellen, um zu zeigen, wieviel Spaß darin steckt. Meine ursprüngliche Gestaltung beinhaltete einen langen Eingangstunnel, einen dunklen Raum mit einem Lichtschalter, dann ein Zimmer mit vier Wänden. An oder bei jeder Wand war ein Buch. Klickte man darauf, fand man sich auf der Titelseite dieses Buches wieder. Ein weiterer Klick darauf brachte einen zur Inhaltsangabe des Buchs.

Wenige Besucher kamen überhaupt bis zu den Büchern. Die meisten gingen nach dem Eingangstunnel. Die Kapitel befanden sich 14 Klicks von der Eingangstür entfernt! Unser Neudesign für Klutz ist viel direkter, ohne dabei auf den Spaß zu verzichten (www.klutz.com).

Wenn Sie am Klutz-Baumhaus ankommen, öffnet ein animiertes GIF automatisch die Tür und winkt Sie herein. Auf dem zweiten Bild befinden Sie sich in einem Raum, der ein Buch und darunter dessen Inhaltsangabe zeigt. Wenn Sie ein Kapitel aussuchen, landen Sie schon auf der dritten Seite im Inhalt. Wir benutzten ein Perlskript, das die Bücher nach dem Zufallsprinzip durchwechselt, damit Sie jedes Mal beim Betreten des Baumhauses ein anderes Buch vorfinden. Es ist einfach, mit Hilfe der Leiter ein bestimmtes Buch zu finden; wichtiger war es jedoch, direkt zum Inhalt zu gelangen. Damit konnte auf die Kernseite verzichtet werden – das wäre nur eine weitere HTML-Ebene ohne echten Inhalt gewesen. Dies ist ein Beispiel für die Gestaltung einer Site der 3. Generation ohne Kernseite, aber mit echtem Inhalt und einem Sinn für Entdeckungen.

Oben sehen Sie die erste (Verzeichnis-orientierte) Sequenz und unten die revidierte (Inhalt-orientierte) Form.

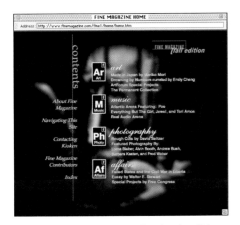

2.14 Einige Sites sind von ihren eigenen Metaphern so angetan, daß sie den Inhalt vergessen.

2.13 Fine Magazine verwendet eine herrlichen optische Metapher – eine periodische Tabelle mit Elementen.

Sie ihn erwarten. Bei einer schlechten Metapher müssen Sie dagegen erst einen komplett neuen Befehlssatz lernen. Mit gut ausgeführten Metaphern wird man sich nur schwer verirren können.

Einige Sites versuchen Oberflächen zu präsentieren, die im Spielhallen-Stil der Arkade-Games gehalten sind, oder räumliche Metaphern, die stark auf 3-D-Grafiken basieren. Diese Dinge funktionieren bei einer hohen Übertragungsbandbreite oder mit CD-ROMs, aber nicht bei Modems. Halten Sie Ihre Metaphern einfach und effektiv. (*Eine Auswahl guter Metaphern finden Sie in Kapitel 10 „Kreative Designlösungen“*).

Metaphern kommen in den unterschiedlichsten Formen und Größen vor. Dieses Buch soll Sie anregen, nach neuen Wegen zur Darstellung Ihrer Arbeit zu suchen – und zwar außerhalb der Einschränkungen von HTML. Suchen Sie nach Möglichkeiten, damit sich Ihr Besucher mit der Metapher vertraut fühlt.

Der Trick beim Präsentieren einer erfolgreichen Metapher auf dem Web besteht darin, sie so in HTML einzubetten, daß sie schnell lädt, dabei aber nicht bil-

2.15 Eine gute Metapher ist einfach und überzeugend ausgeführt.

lig aussieht. Optische Schlüsselelemente Ihrer Metapher müssen klein genug sein, um sie immer wieder bekräftigen zu können.

Grafikdesigner sind eine noch kaum entdeckte Quelle auf dem Web. Sie lernen schon in der Ausbildung, Metaphern zu benutzen, und wenden diese Unterrichtsinhalte zur Gestaltung von Visitenkarten bis zu Werbeclips an. Arbeiten Sie lieber mit einem Designer zusammen, als zu versuchen, selbst einer zu werden. Grafikdesigner, die Sites erstellen, sollten die optischen Tricks, die sie auf Papier gelernt haben, dazu verwenden, effektive Metaphern auf dem Web zu kreieren. Designer geben ihre optischen Fähigkeiten häufig an der Tür ab, bevor sie das Web betreten. Begehen Sie nicht den Fehler, zuerst Sites der 2. Generation zu gestalten, nur weil das einfacher ist. Beginnen Sie lieber gleich mit dem Design der 3. Generation und der fachmännischen Verwendung von Metaphern.

Wenn Sie sich einmal für eine Metapher entschieden haben, dann bleiben

Sie dabei. Das mag recht einfach klingen, doch wenn Sie einmal richtig losgelegt haben, stoßen Sie auf so manche Versuchung. Halten Sie das Ganze schlicht. Eine gute Metapher dient dazu, Ihr Publikum auszusieben. Dieser Vorschlag [2.15] für einen Eingang soll geheimnisvoll und einladend wirken und dabei eine Metapher für die ganze Site etablieren: das Weltall. (Vergleichen Sie dieses Bild mit dem vorhergehenden Konzept der Weltraumstadt.)

Das Thema: Innenraumgestaltung für das Web

Sie brauchen nicht unbedingt eine Metapher, um eine Site der 3. Generation zu gestalten. Ein gleichbleibendes Thema kann genausogut funktionieren. Ein solches Thema kann optisch oder konzeptionell sein. Hier einige Beispiele: malerisch, primitiv, fotografisch, jugendlich, Jugendstil, typographisch, futuristisch und so weiter. Wie Metaphern können Themen entweder verstärkend wirken oder hinderlich sein [2.16].

Die besten Themen sind subtil und konsistent. Denken Sie an Schaufenster. Verkaufsläden unterscheiden sich voneinander, indem sie einen Themenbereich präsentieren. Einige Geschäfte – besonders Spielzeugläden – verwenden richtige Metaphern (Burgen, Puppenhäuser etc.), fast alle jedoch verwenden genau definierte Farben, Stoffe, Licht und Grafiken, um ihre Läden unverwechselbar zu machen.

Sie müssen sowohl materielle als auch immaterielle Werte gestalten, d.h. die Sinne befriedigen und gleichzeitig den kommerziellen Anforderungen genügen.

Thematische Sites sind viel schwieriger zu gestalten, als man sich das vor-

Wann ist die Metapher keine Metapher?

Wenn sie ein Vergleich ist. Einfach Wörter durch Bildchen zu ersetzen macht noch lange keine Metapher. Zwar sind internationale Menüleisten für Surfer aus anderen Ländern sehr hilfreich, doch wenn Ihre Besucher kein Deutsch sprechen, werden sie wahrscheinlich auch nur wenig Nutzen aus Ihrer Site ziehen, es sei denn, Sie geben eine übersetzte Version dazu. Verwandeln Sie nicht einfach Worte in Bilder.

Das soll nicht bedeuten, daß Ihre Site keine Symbole oder Icons enthalten kann oder daß Sie sie nicht geschickt einführen sollen. Icons spielen eine unterstützende Rolle in Sites der 3. Generation. Um Metaphern und Vergleiche zu mischen, sind Ausgeglichenheit und Zurückhaltung erforderlich.

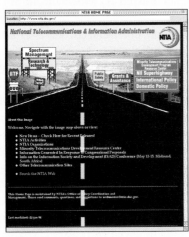

stellt. Die Versuchung ist groß, möglichst alles in eine solche Site hineinzupacken: Sound, Animation, Schriften und Grafik. Das führt jedoch nur zu Unordnung und Verwirrung. Beispielsweise kann der Einsatz guter Fotos den Unterschied einer thematisch orientierten Site ausmachen. Der richtige Umgang mit den nur wenigen zur Verfügung stehenden Farben ist eine große Herausforderung für jeden Site-Designer. Für eine eigene, unver-

wechselbare Identität ist die Festlegung einer Untergruppe dieser Farben als individuelle Palette nahezu unmöglich.

Info-Sites

Viele Sites wenden sich nicht an Konsumenten. Im Bereich der Informationen müssen Sites ungeduldige Betrachter befriedigen, die gezielt wissen, was sie wollen. Diese Sites können es sich nicht lei-

25

2.16 Farbe, Schrift und ein visuelles Thema können einer Site ein unverwechselbares Erscheinungsbild geben.

sten, zu viel Glimmerkram vor die Informationen zu stellen. Dennoch können sie auch ohne viele Icons und Banner ansprechend sein.

Viele Info-Sites präsentieren endlos Textseiten und Listen mit Blickfangpunkten und haben vorne die zu erwartende Homepage (NEWS | ABOUT US | CATALOG | FAQ | HELP). Die besten haben einen Suchmechanismus, der es Besuchern ermöglicht, etwas sofort zu finden, doch wenn man nicht genau weiß, wonach man sucht, ist man verloren.

Die Darstellung von Datenbank-getriebenen Informationen ist eine ziemlich entmutigende Aufgabe. Sites wie c|net müssen auf jeder Seite die Suchergebnisse mit Banner-Anzeigen, Site-Navigation, unterschiedlichen User-Levels und verlockenden Angeboten koordinieren. Designer von solchen Sites arbeiten mit Templates, die „aus dem Stand" alles zusammenbringen müssen. Dabei müssen ausreichend Templates für eine robuste Struktur vorhanden sein, aber auch nicht so viele, daß man den Überblick verliert und die Regeln zu kompliziert werden.

Formulargestaltung ist eine weitere Spezialität. Die beste Möglichkeit für die Gestaltung von Formularen liegt darin, nach gut gestalteten Exemplaren zu suchen und dann mit diesen zu beginnen. Es spricht überhaupt nichts dagegen, den HTML-Code anderer Leute zu übernehmen – solange Sie diesen anschließend an die eigenen Erfordernisse anpassen. Machen Sie bloß nicht den Fehler, davon auszugehen, daß Formulare einfach und schnell anzulegen sind. Ich bevorzuge im allgemeinen Formulare links mit randlosen Feldnamen und rechts mit Füllfeldern, sorgfältig von oben nach unten auf der Seite angeord-

HotWired Style

Jeff Veen, Interface-Direktor bei HotWired.com, hat ein ausgezeichnetes Buch über Strategien des Site-Designs und die Implementation geschrieben: *HotWired Style: Principles for Building Smart Web Sites.*
Mit dem Finger am Puls des Web vermitteln Jeff und die Designerin Barbara Kuhr dem Leser ihre Gedanken und Vorstellungen darüber mit, was im Web möglich sein kann. Ausführliche Untersuchungen geben einen Einblick in eine der einflußreichsten Web-Sites. Jeff unterbreitet viele praxisnahe Vorschläge, die Sie auf Ihre Site anwenden können. Es gibt nicht viele „Killer"-Bücher über das Web-Design – dieses ist eines davon.

Informationsdesign

Viele Sites arbeiten mit Seiten, die auf Information basieren. Im vorliegenden Buch wird auf die gute Typographie und die optimale Darstellung von Textinhalten eingegangen – ein ausführliches Eingehen auf Informationsarchitektur und -design würde den Rahmen sprengen. Leute wie Edward Tufte haben sich diesem Bereich mit Haut und Haaren verschrieben. Designer von Anwenderschnittstellen und Informationsarchitekten arbeiten stetig an neuen Möglichkeiten für die Präsentation von Daten.

Informationsdesigner sprechen von *granularity* (Körnigkeit) – dem Anwender wird die genau passende Informationsmenge zum genau richtigen Zeitpunkt übermittelt. Je erfahrener die Leute dann werden, desto mehr Informationen erhalten sie.

2.17 Eine gute Bedienerschnittstelle ist sauber
und aufgeräumt.

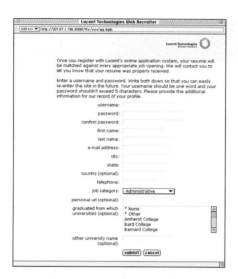

2.18 HotWired hat immer
optimale Arbeit geleistet,
um die Eingabeformulare
leichter verständlich
(rechts) zu gestalten –
im Gegensatz zu anderen
Sites (unten).

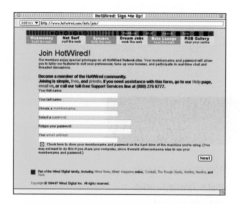

net [2.17]. Zeigen Sie nur wenige Kategorien pro Seite und wechseln Sie dann
zum nächsten Bildschirm. [2.18].

Viele Formulare benötigen Informationen von Leuten, die im allgemeinen
beim Ausfüllen langer Formulare die
Geduld verlieren oder einfach nur Angst
davor haben. Obwohl Ihnen die Prozedur für den Kauf Ihres Produkts sehr
vertraut ist, muß das nicht für Leute
zutreffen, die zum ersten Mal Ihre Site
besuchen. Das Numerieren der einzelnen Schritte und das anschließende
Aufteilen in verschiedene Bereiche hilft
Leuten, ihre Angst beim Ausfüllen
komplizierter Formulare zu überwinden.
Ein guter Grund dafür, einen Auftrag in
Schritte aufzuteilen, liegt darin, daß Sie
Fehler einfacher finden und korrigieren
können, wenn nur wenige Informationen zugleich vorliegen [2.19 A, B].
Verwenden Sie Farben und optische
Feedback-Elemente, die den Anwender
während des ganzen Bestellvorgangs
begleiten [2.20].

Info-Sites müssen Möglichkeiten sowohl zum Herumschauen als auch zur
konkreten Suche bieten. Stammbesucher
brauchen eine Seite, die sie bookmarken
können, am besten eine Liste der Angebote der Site mit den kürzesten Zugangs-
wegen zu jeder beliebigen Seite. Auf jeder Seite sollte sich ein Suchdialog befinden oder zumindest ein Knopf, über den
man zu einer Suchseite kommt. Immer
häufiger bieten diese Seiten ein individu-
elles Profil, das der Anwender so ausfüllt, daß es den von ihm gewünschten
Inhalt erhält.

Eine Möglichkeit, viele sich ständig
ändernde Daten zu präsentieren, sind
die Frames von Netscape. Frames können hilfreich sein, besonders zur Präsentation von langen Listen von Seiten, die
der Benutzer miteinander vergleichen

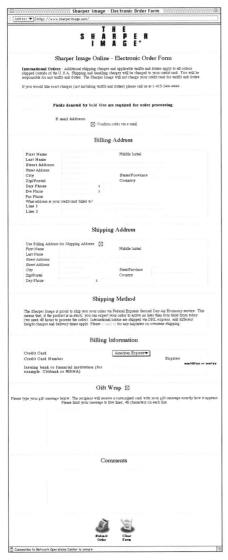

A

B

Client-/Server-Computing

Server sind Computer, die rund um die Uhr mit dem Internet verbunden sind und Informationen anbieten. *Clients* sind Programme wie Netscape (ein Browser) und Eudora (ein Mailprogramm). Wenn ich das Wort *Client* verwende, meine ich immer ein *Programm*, das sich auf Ihrem Computer befindet, wenn Sie das Internet benutzen.

Ein *Internet Service Provider (ISP)* verschafft Ihnen Zugang zum Internet. Ein Server befindet sich irgendwo und schickt Dateien an jeden. Sie müssen Ihre Site nicht auf den Server Ihres Service Providers stellen. Ihre Site kann auf einem Server in New York liegen, doch Ihr ISP sollte eine lokale Firma sein, die Ihnen einen schnellen Zugang zu einem vernünftigem Preis verschafft.

Der Befehl Anzeigen

Netscapes Browser hat eine selten genutzte Möglichkeit, Ihnen Informationen über aktuelle Seiten anzuzeigen.

Während die meisten Leute schon den Umgang mit dem Befehl *Anzeigen, Dokumentquelltext* (ViewInfo) kennen, der den HTML-Code jeder beliebigen Datei anzeigt, gibt Ihnen Netscape Navigator auch eine quantitative Statistik für jedes beliebige Bild. Dazu gehören sowohl die Größe jedes Bildes in komprimierter Form (Inhaltslänge) als auch der Speicherplatzverbrauch (dekodierte Größe). Zählen Sie alle Angaben zusammen, um zu sehen, wie groß Ihre Seite wirklich ist.

2.19 A Das Numerieren der Schritte in einer langen Prozedur kann helfen. Einige Designer verteilen diesen Prozeß auf mehrere Seiten, während andere eine lange Seite zum Sammeln aller benötigten Informationen einsetzen. Arbeiten Sie mit logischen Gruppen und geben Sie Statusinformationen, um dem Anwender beim Auffüllen zu helfen.

2.19 B Info-Sites müssen ausgewogen sein. Sie müssen neue Leute anziehen und regelmäßigen Besuchern eine einfache Möglichkeit bieten, genau das zu bekommen, weswegen sie gekommen sind.

2.20 Info-Sites können nicht alles als Selbstverständlichkeit voraussetzen – Designer müssen die Angebote stetig überarbeiten, um den Kundenwünschen zu entsprechen.

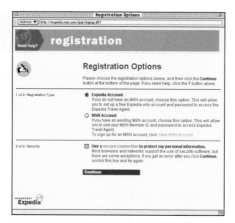

2.21 Auf Frames basierende Kataloge zeigen Ihre aktuelle Einkaufsliste.

Web-Masters & Web-Mistresses

Ein Web-Master oder eine Web-Mistress ist die Person, die dafür verantwortlich ist, daß ein Server ordentlich läuft. Web-Designer sind keine Web-Masters, genausowenig wie ein Schiffsbauer ein Erster Offizier ist.

soll. Info-Sites müssen nicht unbedingt Frames einsetzen, aber sie sind Kandidaten dafür. Im Augenblick beginnen Kataloggestalter damit, Frames und Scripts für Einkaufslisten zu erstellen, die nach der Wahl bestimmter Artikel aktualisiert werden [2.21].

Dynamische Sites entwickeln sich zur Norm im Informationsbereich. Statt eine statische Site in die Lesezeichen aufzunehmen, läßt man den regelmäßigen Benutzer ein Formular ausfüllen, das der Site Auskunft über seine Bedürfnisse gibt. Die Site wird nun für ihn arbeiten, ihn per E-Mail über interessante Neuigkeiten informieren, eine maßgeschneiderte Seite für ihn anfertigen, die ihn fortan begrüßt, und stets die Interessen des Benutzers mitberücksichtigen, wenn er die Site durchblättert. Eine gute dynamische Site präsentiert Möglichkeiten, neue Dinge zu erfahren und neue Angebote zu sehen, während sie gleichzeitig versucht, 90 % der Bedürfnisse von Stammkunden auf den ersten beiden Seiten abzudecken.

Wenngleich sich der Rest dieses Buches mehr auf konsumentenbasierte Gestaltungsmodelle konzentriert, treffen viele der Prinzipien des Designs von Sites der 3. Generation auch auf Info-Sites zu.

Zusammenfassung

Die Leute tendieren dazu, mit ihrer kürzesten Konzentrationsspanne zu surfen. Stellen Sie sich das Zentrum Ihrer Site als Küche vor, aus der Sie den ganzen Tag Gerichte servieren. Wenn sich die Besucher einmal durch den Geruch von gutem Essen haben hereinlocken lassen, fangen sie an herumzustreifen, Schranktüren zu öffnen und sich über Ihre Keksdose herzumachen. Eine Verpflichtung zu täglich frischem Inhalt ist oft der beste Weg, große Massen anzuziehen und zu behalten. Laden Sie die Kritiker auf eine Kostprobe ein. Servieren Sie unablässig Gerichte und stellen Sie die Rechnung erst nach dem Essen. Kochen Sie eine gute Site auf und Sie werden immer eine Schlange hungriger Besucher vor der Tür haben, die darauf wartet, eingelassen zu werden.

Wie Joseph Squier, Autor von „The Place", feststellt: „Unabhängig vom Medium, vom Werkzeug oder von der Technik gibt es zeitlose Aspekte der Kunst, die fortbestehen. Künstler kommunizieren."

Die Währung des Web

Ein **Hit** ist jede vom Surfer geladene Datei. Ein Hit kann eine Textseite sein, eine eingebundene Grafik (in-Line) oder eine ladbare Video- oder Klangdatei. Wenn Sie also eine Seite mit zehn Bildern darauf haben, wird eine Person, die zu der Seite kommt, 11 Hits erzeugen (sofern der Browser Bilder sehen kann). Viele Leute verwechseln Hits mit Zugriffen oder Besuchern, weshalb 10.000 davon zur Mittagszeit für sie so klingt, als sei ihre Site voller Leute (was vielleicht nicht der Fall ist). Hits sind die Pfennige des Web.

Ein **Zugriff** ist eine komplett übertragene Seite. Zugriffe (auch *Access* oder *Page Hit* genannt) sind die kleinste Einheit, bei der es sinnvoll ist, sie zu betrachten. Sie können Ihnen helfen herauszufinden, wo Leute in Ihrer Site hingehen.

Ein **Besucher** ist das wirkliche Markstück des Web. Leider ist es schwieriger, *wirkliche* Besucher genau zu bestimmen. Deswegen die großen Anstrengungen, Leute zum Registrieren zu bewegen – man ist anonym, wenn man Ihre Site ansieht. Meistens schätze ich die Anzahl der wirklichen Besucher meiner Sites einfach. Es gibt jetzt bereits Programme, die Web-Masters helfen, Besucher, die durch ihre Sites gehen, aufzuspüren.

Ein **wiederkehrender Besucher** ist der Zehnmarkschein des Web. Wenn ein Besucher Ihre Site mit einem Lesezeichen versieht, bedeutet das, daß er zurückkommen will. Im Versandgeschäft wird so eine Person *Response* genannt.

Wenn Leute etwas auf Ihrer Site bestellen, werden sie von Besuchern zu **Kunden**, dem Endziel. Kunde ist die höchste Stufe, die ein Besucher erreichen kann. Eine gute Web-Site versucht, eine kleine Prozentzahl zufälliger Surfer als Kunden zu gewinnen.

KAPITEL 3

Bilder vorbereiten

WIR UNTERSCHEIDEN ZWEI GRUNDSÄTZLICHE
Arten von Computerbildern: *Raster-* und
Vektorbilder. Rasterbilder – auch Bitmaps
genannt – bauen sich aus Einzelpunkten
(Pixel) auf, die in einem Raster nach fol-
gendem System angeordnet werden: x
Pixel in der Breite mal y Pixel in der
Höhe mal z Pixel in der Tiefe (wobei mit
Pixeltiefe die Anzahl der möglichen Far-
ben für jedes Pixel bezeichnet wird). Ras-
terbilder haben feste Abmessungen; ihr
Speicherplatzbedarf steigt mit der Größe
und Auflösung des Bildes. Die grafische
Oberfläche Ihres Monitors ist ein großes
Rasterbild, das sich ständig erneuert.

Auflösung bezieht sich auf den physi-
kalischen Informationsraum eines vorgegebenen Ausgabegeräts. Ein Monitor
stellt typischerweise zwischen 72 und
120 Pixel pro Inch dar und hat eine Bild-
schirmdiagonale von 13 bis 21 Inch. Diese Werte ändern sich permanent, indem
High-End-Monitore größer und Low-
End-Monitore kleiner werden. Palmtop-
Computer erobern das Web und Web-
Phone-Browser geben dem Verbraucher
aus seiner Küche heraus den Zugang
zum Internet. *Farbtiefe* definiert die Anzahl der Farben in einem Pixel. Die Informationsmenge, die auf einem Bildschirm darstellbar ist, ist das Produkt aus
x mal y mal z und ist abhängig vom

Video-RAM, den Sie in Ihrem Computer
installiert haben (Video RAM bzw.
VRAM ist unabhängig vom Hauptspei-
cher bzw. RAM). Mit einem vorgegebenen VRAM beeinflussen Sie die Bit-Tiefe
und damit die darstellbaren Farben pro
Pixel. Andere Geräte, wie Drucker, besitzen eine viel größere Auflösung. Die
meisten Laserdrucker arbeiten mit einer
Auflösung von 300 bis 600 dpi (dots per
Inch). Das wird irgendwann einmal auch
mit den Displays möglich sein.

Vektorgrafiken hingegen sind mathe-
matische Beschreibungen eines Bildes
(ein Beispiel ist die Formel für den
Kreis). Deshalb sind sie unabhängig von
der Auflösung; sie können jeder Größe
und Auflösung angepaßt werden, um auf
dem Bildschirm, im Druck etc. dargestellt zu werden. Ihr Speicherplatzbedarf
ist in der Regel viel geringer als der vergleichbarer Rasterbilder. In der traditionellen Terminologie der Grafikdesigner
repräsentiert das Bitmap eine *Halbtonvorlage* und die Vektorgrafik eine *Strichvorlage* (z.B. Fotografien vs. Blaupausen)
[3.1 A-D].

Obwohl Vektorformate wie PostScript unter Druckgestaltern sehr beliebt sind, findet
man sie erst seit kurzem auf dem Web. Dieses Kapitel bespricht die Rasterformate GIF
und JPEG; am Ende des Kapitels gibt es einen

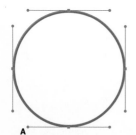 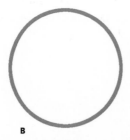 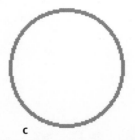 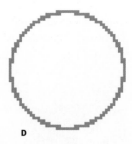

3.1 Vektorbilder (A) sind auflösungsunabhängig, während Bitmaps (B-D) an die Auflösung gebunden sind.

BIT-TIEFE	EXPONENTEN	FARBANZAHL
1	2^1	2
2	2^2	4
3	2^3	8
4	2^4	16
5	2^5	32
6	2^6	64
7	2^7	128
8	2^8	256
16	2^{16}	16-BIT TRUE-COLOR
24	2^{24}	24-BIT TRUE-COLOR (8x8x8)
32	2^{32}	24-BIT TRUE-COLOR + 8-BIT ALPHA CHANNEL

3.2 Indizierte Seiten haben bis zu 8 Bit, Echtfarbbilder haben 24 Bit oder mehr.

Abschnitt über Fotos und das JPEG-Format *(mehr über Vektorformate und neue Rasterformate finden Sie in Kapitel 12 „Übergangsstrategien")*.

Die in diesem Kapitel beschriebenen Techniken wurden für Photoshop Version 4.0.1 entwickelt.

Farbtiefe

Die Anzahl der Farben in einem Bild bestimmt seine Größe. Bilder mit einem Bit haben nur zwei Zustände – Ein (weiß) und Aus (schwarz). Mehr Bit pro Pixel bedeuten mehr Farben [3.2] – aber auch größere Bilddokumente, was zu längeren Ladezeiten führt.

Die Anzahl der Farben, die Ihr System darstellt, hängt von der Menge Video-RAM ab, die Sie installiert haben. Während professionelle Gestalter normalerweise Geräte haben, die Bilder mit 24 Bit darstellen können, haben die meisten Endnutzergeräte 8 Bit Farbe, d.h., sie können nur 256 Farben gleichzeitig darstellen. Web-Gestalter müssen in der Regel ihre Seiten so anlegen, daß sie (einschließlich aller Bilder) weniger als 256 Farben gleichzeitig darstellen, um so von den meisten Surfern sauber gesehen zu werden.

An der Spitze der Skala stehen Bilder mit 32 Bit, die einen zusätzlichen Alphakanal haben. Ein *Alphakanal* wird meistens für Transparenz und Überlagerungen verwendet.

Es ist nicht richtig, daß die Dateigröße dramatisch steigt, wenn Sie die Anzahl der Farben erhöhen, da auf dem Web keine unkomprimierten Bilder verschickt werden. Der Faktor, der die Dateigröße am stärksten beeinflußt, ist die *Komprimierbarkeit*, die ich später in diesem Kapitel im Detail erklären werde.

3.3 A-D Indizierte Bilder haben Paletten, die das Farbspektrum für das Bild bestimmen.

Paletten

Die zwei Möglichkeiten, farbige Raster-bilder zu speichern, heißen *indiziert* und RGB. Bilder im RGB-Format – auch Voll- oder Echtfarbbilder (True-Color) ge-nannt – verwenden 8 Bit (0 bis 255) Rot-, Grün- und Blauwerte, um ein Pixel von 24 Bit zu erzeugen (8+8+8 = 24). Bilder mit 256 Farben (oder weniger) nennt man *indiziert*. Sie sind mit einer Farb-palette verbunden, die *Color Lookup Table*, kurz CLUT heißt. Die Palette definiert bis zu 256 Farben und gibt jeder eine Zahl. Das Bild bezieht dann jede Farbe über deren Position auf der Palette [3.3 A-D]. Bildern mit mehr als 256 Farben ist keine Palette zugeordnet.

3.4 A, B Der Farbwürfel. Siehe Buch-Site.

Der Farbwürfel

Der Netscape-Browser hat seine eigene, Farbwürfel (*Color Cube*) genannte, Palet-te zur Darstellung von Bildern auf 256-Farben-Monitoren aller Plattformen [3.4 A,B]. Das einzige Problem mit diesem Farbwürfel liegt darin, daß er weiterhin fortbesteht, obwohl andere Methoden überlegen sind.

H	E	X		R	G	B
FF	FF	FF		255	255	255
FF	FF	0		255	255	0
0	FF	FF		0	255	255
0	FF	0		0	255	0
FF	0	0		255	0	0
FF	0	FF		255	0	255
0	0	FF		0	0	255
0	0	0		0	0	0

3.5 A-C Die Ecken des Farbwürfels.

36

Netscapes sechsseitiger Farbwürfel enthält 216 Farben. Warum nicht die vollen 256? Nun – Windows benötigt 20 Farben selbst, andere Programme und Hintergrundbilder (*Wallpaper*) verwenden weitere 20 und der Rest – 216 Farben – steht dem Browser zur Verfügung.

Die Gestaltung von Browsern wird erheblich vereinfacht. Es war halt die einfachste Möglichkeit, die bestmöglichen 256 Farben für eine bestimmte Seite zur Verfügung zu stellen.

An den Ecken des Würfels befinden sich alle acht möglichen Kombinationen aus 255 und 0 (ganz an- oder ausgeschaltet) im RGB-Bereich [3.5 A-C]. Die gleichmäßig abgestuften Farben zwischen je zwei Ecken definieren die Farben im Innenraum, und da sich an jeder Kante sechs Farben befinden, multipliziert sich das zu 216 Farben. Diese einfache Vorgehensweise resultiert in einer *Dithering-Palette* (siehe Kasten *Dithering*). Andere Paletten mögen zweckmäßiger sein – diese hier hat z.B. nur vier Grauwerte –, aber dieser Farbwürfel läßt sich leicht programmieren. Microsofts Internet Explorer arbeitet ebenfalls mit dem primitiven Netscape-Farbwürfel.

An einem auf 8 Bit ausgelegten Monitor läßt der Browser die Farben automatisch dithern. Bilder im Vordergrund werden gedithert, während Bilder im Hintergrund mit der nächsten Farbe des Farbwürfels (für eine schnellere Darstellung) versehen werden. Wenn Sie Ihren Monitor einmal auf 256 Farben umschalten, werden Sie sehen, wie Ihre Bilder für einen Surfer mit einem System der unteren Kategorie aussehen. (Sofern Sie Web-Sites gestalten, sollte Ihr Monitor mindesten 16.000 Farben darstellen können.)

Farben aus dem Würfel

So laden Sie die Palette des Farbwürfels in Photoshops Farbfelder:

1. Holen Sie sich die Datei mit dem Farbwürfel von der Buch-Site herunter.

2. Öffnen Sie die Datei.

3. Ändern Sie den Modus mit dem Befehl „Bild: Modus: Indizierte Farben: Palette: Exakt" und bestimmen Sie die Bildtiefe mit „8-Bit-Pixel".

4. Öffnen Sie die Tabelle mit „Bild: Modus:Farbtabelle".

5. Sichern Sie die Tabelle als „color_cube.tbl" auf Ihrer Festplatte.

6. Brechen Sie den Dialog „Farbtabelle" ab.

7. Aktivieren Sie die Farbfelder-Palette.

8. Klicken Sie auf den nach rechts weisenden Pfeil für das Palettenmenü und wählen Sie „Farbfelder laden".

9. Öffnen Sie die Farbtabelle „color_cube.tbl" auf Ihrer Festplatte.

10. Beenden Sie Photoshop und starten Sie das Programm erneut, um sicherzustellen, daß diese Tabelle als standardmäßige Farbfelder-Palette gespeichert wurde. Sie können jetzt aus dieser Palette Farben für das Erstellen und Ändern von Bildern wählen.

11. Wenn die Anordnung dieser Farben verwirrt, können Sie ein separates Photoshop-Dokument erstellen oder laden, in dem die Farben sinnvoller als in den Farbfeldern angeordnet sind. Mit der Pipette können Sie dann die Farben in der gewünschten Reihenfolge aufnehmen. Ich benutze zwar beide Methoden, kenne mich jetzt aber mit den Farbfeldern so gut aus, daß ich am häufigsten mit der Farbpalette arbeite.

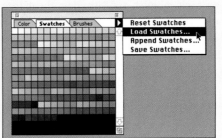

Den Farbwürfel in die Farbfelder laden

3.6 Wie viele Farben soll dieses Bild enthalten? Photoshop fügt zum Glätten viele Zwischentöne ein. Achten Sie darauf, daß die Haupttöne dem Farbwürfel entstammen.

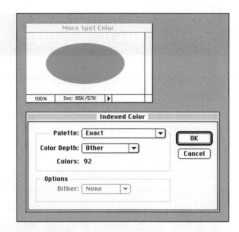

Dithering

Dithering ist ein Vorgang, bei dem eine Farbe, die im Würfel fehlt, durch Rastern von vorhandenen Hauptfarben simuliert wird. Wenn Sie eine Farbe benötigen, die etwa auf einem Drittel des Weges von Farbe A zu Farbe B liegt, müssen Sie 33 Prozent Pixel von Farbe B über Farbe A streuen.

Web-Designer mögen Dithering nicht, da sich dann ein Bild schlecht komprimieren läßt. Der Browser des Betrachters dithert automatisch, wenn auf dem jeweiligen System nur 256 Farben dargestellt werden können und Farben außerhalb des Farbwürfels auftauchen. Während variables Dithering zu größeren Dateien führt, arbeitet reguläres Dithering anders. Wenn Sie ein Bild regulär dithern – unter Verwendung festgelegter Muster aus farbigen Pixeln –, wird sich Ihre Datei auch gut komprimieren lassen (*siehe „Volltonfarben" in diesem Kapitel*).

Verzichten Sie so weit wie möglich auf Dithering, da es Ihre Dateigröße wesentlich erhöht und das Bild scheckig wird.

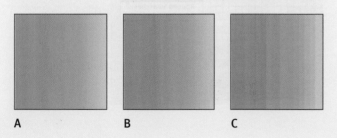

A   B   C

Hinweis: Nur Browser verwenden den Farbwürfel. Versuchen Sie erst gar nicht, einem Bild in Photoshop die 8-Bit-Farbe zuzuweisen, um die Darstellung in einem Browser-Fenster zu simulieren.

Daraus folgt: Verwenden Sie die 256 Farben in Ihrem Bild oder Browser der unteren Kategorie werden diese Farben für Sie verwenden.

Volltonfarben

Enthält Ihr Bild durchgehende Farbbereiche (Schrift, Formen, Himmel usw.), sollten diese Elemente in der besten Farbqualität für so viele Websurfer wie möglich sichtbar sein. Leute mit 8-Bit-Systemen werden Ihre Farben aus dem Farbwürfel nur gedithert sehen können. Die Idee ist nun, den Surfern eine bessere Bildqualität zu liefern, ohne daß dabei die Dateigröße anwächst (bzw. die Zeit für das Herunterladen).

Wenn Sie in Ebenen arbeiten, glättet Photoshop Ihre Bilder automatisch und erstellt dabei viele Zwischentöne, die sich nicht im Würfel befinden [3.6]. Die Verwendung von Farben aus dem Farbwürfel für große Farbbereiche, nicht jedoch für Farbübergänge, wird als *Dithering beim Client* bezeichnet (*siehe Kapitel 5, „Schriften darstellen"*). Sieht Ihr Bild nach Anwendung dieser Methode gut aus, können Sie fortfahren und es noch besser komprimierbar machen.

Bilder auf den Farbwürfel einstellen

Wenn Sie keine Kontrolle darüber haben, wo und wie ein Bild erstellt wird, und Sie davon ausgehen, daß Ihr Publikum mit 8-Bit-Systemen arbeitet, müssen Sie entscheiden, ob Sie es auf die Farbwürfelpalette einstellen oder ob der

Browser des Besuchers diese Aufgabe übernehmen soll.

Zuerst muß die Anzahl der Farben verringert und das Bild möglichst stark komprimierbar gemacht werden. Die Methoden werden weiter unten beschrieben. Nachdem das Bild möglichst klein ist, sollten Sie es in die Farben des Farbwürfels konvertieren und dann kontrollieren. (Photoshop 4.0 hat die herrliche Option „Web-Palette", mit der die Farben auf den Farbwürfel eingestellt und gleichzeitig alle nicht verwendeten Farben entfernt werden können). Ist das der Fall, haben Sie den Job erledigt.

Falls das Einstellen auf den Farbwürfel zu viele Probleme nach sich zieht (Banding, Dithering, schlechte Farben), könnten Sie ein JPEG-Bild (siehe unten) erzeugen oder das Bild so lassen, wie es ist. Im letzten Fall werden die Leute, die mehr Farben auf Ihrem System darstellen können, das tatsächliche Bild sehen können, während die anderen mit 8-Bit-Systemen es nur gedithert betrachten können.

Es gibt eine Reihe verschiedener Methoden, wie Sie Ihre Bilder in den Würfel einfließen lassen können. Ein Programm wie DeBabelizer bietet die meisten Möglichkeiten (*siehe Anhang 3, „Bildoptimierung für das Web"*).

Die entscheidende Frage ist jedoch immer, ob gedithert werden soll oder nicht. Wann immer möglich, sollten Sie auf das Dithern verzichten.

Farben mischen

Da uns der Farbwürfel für einige Zeit eingeschränkt hat, haben Leute interessante Alternativen herausgefunden. Bruce Harwin, Koautor von *Coloring Web Graphics*, zeigte mir einen bemerkenswerten Trick, um Nichtfarbwürfelfarben

Ditherbox

Bei Ditherbox handelt es sich um ein Photoshop-4.0-Plug-In (Zusatzmodul), das automatisch Mischfarben erstellt (Schachbrettmuster und interlaced). Es wurde von Hal Rucker von RDG Tools in San Mateo, Kalifornien, geschrieben. Dieses Plug-In erhalten Sie unter www.ditherbox.com – es ist ein Killer-Tool für jeden, der ohne die Einschränkungen des Farbwürfels gestalten will. Sie müssen einfach nur zwei Browser-Farben eingeben und erhalten danach jede Kombination für die unterschiedlichsten Mischfarben. Oder Sie bestimmen einen Nichtfarbwürfel, und Ditherbox ändert die entsprechenden Farben in Mischfarben. Anschließend können Sie Ihre eigenen Mischfarben als „Farben" speichern und zum Füllen gewählter Bereiche verwenden.

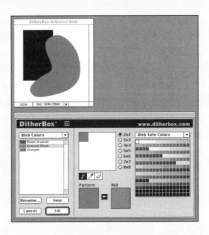

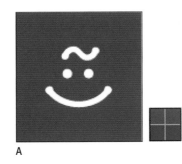

A

B

3.7 Ein Interlace- (A) und ein Kreuzschraffur-Muster und die entsprechenden Farbwürfel-Muster.

Hexadezimalwerte und die Regel 51

In HTML verlangt der <BODY>-Tag Hexadezimalwerte, um Hintergrundfarbe, Textfarbe und Linkfarbe zu bestimmen. Legen Sie die Werte immer für alle Farben fest, damit Ihre Einstellungen nicht mit denen des Anwenders kollidieren, d.h., der Text könnte beispielsweise auf einem schwarzen Hintergrund stehen. Hex-Zahlen sind ein Weg, Werte von 0 bis 15 mit einer einzigen Stelle festzulegen (von 0 bis F). Verwenden Sie jede zweistellige Kombination (für Rot, Grün und Blau) von „HHH" – wobei H aus dem Bereich {00, 33, 66, 99, CC, FF} stammt. Ein Hellblau ist „#CCCFF", ein mittleres Orange ist „#996600". Solange Sie nur diese Werte verwenden, wird jede Kombination eine Farbe aus dem Würfel ergeben.

Farbwerte werden im Bereich 0-255 angegeben. Alle Farben des Farbwürfels sind dreifache RGB-Kombinationen des Hexwertes 51. Farbwerte wie (0, 102, 51), (151, 153, 204) und (51, 255, 0) sind zulässige Farben des Farbwürfels. Alles andere, was leicht danebenliegt, wie z.B. (53, 102, 51) oder (105, 251, 3), ist nicht browser-sicher und führt auf Minimal-Systemen zu unvorhersehbaren Ergebnissen. Sollten Sie die Farben als Prozentwert angeben, verwenden Sie ausschließlich RGB-Werte von 0%, 20%, 40%, 60%, 80% und 100%.

660000	660033	660066	660099	6600CC	6600FF

Goldene Regel zum Reduzieren der Dateigröße

Arbeiten Sie immer mit dem bestmöglichen Ausgangsbild. Reduzieren Sie dann Größe, Farben und Qualität des Bildes bis unter die Akzeptanzgrenze – machen Sie diesen Schritt anschließend wieder rückgängig. Wiederholen Sie diese Prozedur bei schrittweiser Anhebung der Einstellungen, bis Sie auf einen Punkt optischer Duldbarkeit stoßen. Verwenden Sie immer diese Methode, wenn Sie Bilder für das Web vorbereiten.

zu erhalten. Dabei werden Farben visuell mit alternativen Farbwürfel-Farben statt in Schachbrett- oder Streifenmustern gemischt.

Schachbrettmuster funktionieren recht gut. Wenn Sie zwei Farben mit ziemlich unterschiedlichen Farbwerten wählen (Dunkelheit oder Helligkeit), erhalten Sie den Schachbrett-Effekt. Wählen Sie jedoch Farben mit ähnlichen Werten, erhalten Sie eine neue Farbe, d.h. eine Mischung aus diesen beiden Farben [3.7 A, B]. Mit Hilfe dieser Technik können Sie den Farbwürfel aufbrechen und so über Tausende neuer Farben für Ihre Web-Grafiken verfügen. Ein Interlaced-Muster besteht aus wechselnden horizontalen Linien mit einzelnen Farbpixeln. Mit derartigen Mustern können Sie z.B. ganz einfach pastellfarbene Hintergründe erzeugen. Allerdings empfehle ich für Hintergründe Schachbrettmuster statt Interlaced-Muster. Nach einigen Versuchen habe ich herausgefunden, daß sich Schachbrettmuster besser mischen lassen und Elemente auf diesem Muster weniger Störungen verursachen. Spielen Sie einfach mit diesen Farbkombinationen.

Mischfarben lassen sich herrlich komprimieren. Sie werden feststellen, daß sich ein 20-x-1000-Pixel-Hintergrundbild (Höhe x Breite) auf wenige Kbyte komprimieren und damit schnell herunterladen läßt.

Glätten

Grob gesagt ist Glätten (Anti-Aliasing) das Zufügen von Zwischentönen, um die gezackten Kanten (Treppenbildung) zwischen Bereichen mit Volltonfarben zu reduzieren [3.8].

Web-Gestalter der 3. Generation sind bestrebt, all ihre Bilder zu glätten. Anti-

Aliasing fügt dem Bild mehr Farben zu und erweitert damit die Größe der Palette. Öffnen Sie Photoshop oder Painter, und erstellen Sie einen großen, mit Farbe gefüllten Kreis auf einer neuen Ebene. Wie viele Farben sind in diesem Kreis enthalten? Möglicherweise über 100. Je größer der Kreis, desto mehr Farben sehen Sie. Weil man die Kanten so glatt wie möglich haben will, fügen Programme wie Photoshop viele Farben an den Kanten ein, um diese weich in den Hintergrund fließen zu lassen. Wenn Sie auch nur einfache Formen überlappen lassen, fügt das der Palette zusätzliche Zwischentöne bei [3.9].

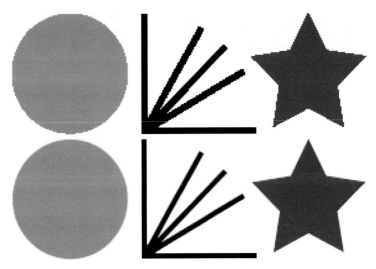

3.8 Glätten (Anti-Aliasing) hilft, die Treppen zu verhindern.

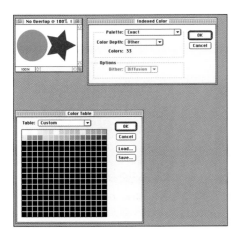

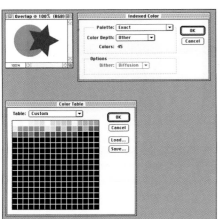

3.10 Einige Formen bedürfen keiner Glättung, andere sind Grenzfälle.

3.9 Sich überlappende Formen erzeugen zusätzliche Farben.

GIF- und JPEG-Tools wählen

Photoshop 4.0.1 ist ein großartiges Programm für qualitativ gute Ergebnisse bei annehmbaren Dateigrößen. Nur werden Sie mit Photoshop allein viel Zeit für das Umschalten zwischen den Modi, Dialogen, Dateien und Fenstern aufwenden müssen, um die Dateigröße und den Glättungsgrad steuern zu können. Für eine professionelle Produktion von GIF- und JPEG-Bildern ist ein Plug-in mit direkter Vorschau von Qualität und Größe unabdingbar. Es gibt zwei Photoshop-Plug-ins, die ein direktes Feedback während der Produktion ermöglichen und manchmal sogar bessere Bilder, kleinere Dateigrößen oder beides liefern: PhotoGIF und ProJPEG von BoxTop Software (www.box topsoft.com/) sowie HVS JPEG und HVS Color GIF von Digital Frontiers (www.dig frontiers.com). Vergleichen Sie die nebenstehenden Testergebnisse, um eine Vorstellung von den Möglichkeiten dieser Tools zu erlangen.

Das Originalbild

JPEG-Komprimierung

Photoshop 4.0.1 – 17.141 Byte

HVS JPEG 2.0 – 16.168 Byte

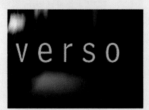

BoxTop ProJPEG – 21.577 Byte

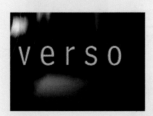

DeBabelizer 1.6.5 – 16.501 Byte

GIFF-Komprimierung

Photoshop 4.0.1 – 26.945 Byte

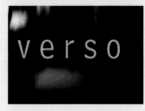

HVS ColorGIF 2,0 – 39.539 Byte. Beste Qualität, größte Datei. Auch kleinere, weniger „ausgeglichene" Dateien möglich.

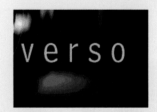

BoxTop PhotoGIF 2.1 – 33.546 Byte. Besser als Photoshop, aber größere Datei.

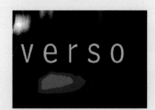

DeBabelizer 1.6.5 – 28.234 Byte. Das einzige Tool, das während der Reduktion/ Komprimierung keine Farbverschiebungen gegenüber dem Original erzeugt hat.

Glätten erhöht nicht nur die Zahl der Farben, es macht Bilder auch wesentlich schlechter komprimierbar. Um die Dateigröße niedrig zu halten, sollten Sie mit so wenig Farben wie möglich auskommen.

Gelegentlich können Sie auf Anti-Aliasing völlig verzichten. Wenn Sie rechtwinklige Formen verwenden, befreit Sie das von der Pflicht zu glätten, da hier keine Zwischentöne zum Glätten der Ränder nötig sind. Eine 45°-Linie kann geglättet oder ungeglättet erstellt werden. Eine ungeglättete 60°-Linie kann funktionieren, kann aber auch zackig wirken. Jeder andere Winkel, jede andere Kurve *muß* geglättet werden [3.10].

Dies ist besonders hilfreich, wenn Sie einen gemusterten Hintergrund haben, aber in vielen Fällen funktioniert es genausogut, wenn man einfach die Unruhe oder den Kontrast des Hintergrundbildes reduziert.

Hintergrundkorrektur

Ein spezieller Fall von Glätten tritt auf, wenn Sie ein Vordergrundbild vor einem gegebenen Hintergrund in HTML verwenden. Wie Sie später in diesem Kapitel sehen werden, können GIF-Bilder nur eine Farbe als transparent definieren, weshalb Sie diese Farbübergänge im voraus bestimmen müssen. Das bedeutet, daß die

Bilder je nach Verwendung geglättet werden. Wenn Sie die vorgegebene Hintergrundfarbe eines geglätteten Bildes ändern, erhalten Sie einen *Hof* – im grafischen Gewerbe auch „Blitzer" genannt. Ordnen Sie in Photoshop alles auf Ebenen an, damit Sie, wenn sich der Hinter-

---

Halten Sie es einfach

Ein gutes Site-Design sollte sich nicht auf komplexe Hintergründe stützen – befreien Sie sich davon und die Probleme mit den störenden Blitzern sind gelöst.

Dokumentgröße auf dem Macintosh

Um auf dem Macintosh herauszufinden, wie groß Ihre Datei wirklich ist, markieren Sie sie im Finder. Wählen Sie dann den Befehl *Information* und achten Sie auf die Zahl in Klammern. Das ist die Größe, die Ihre Datei auf dem Server haben wird. In Windows ist es die Größe, die auch im Explorer angezeigt wird. Beachten Sie, daß dies nur für Dateien ohne Vorschausymbol oder andere Macintosh-typischen Ressourcen zutrifft.

3.11 Blitzer. Eine der sieben Todsünden auf dem Web.

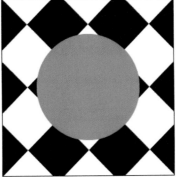 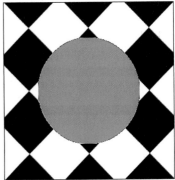

3.12 A, B Anti-Aliasing bei komplizierten Hintergründen setzt eine exakte Plazierung voraus – heutzutage bei sämtlichen Browsern noch unmöglich.

grund ändert, schnell ein neues Bild erzeugen und so den Hof vermeiden können. Sie müssen den Hintergrund auch immer dann berücksichtigen, wenn Sie ein Bild erstellen und dieses für einen bestimmten Hintergrund glätten wollen [3.12 A, B].

Beachten Sie, daß sich die Hintergrundkorrektur für einen einfachen Hintergrund von der für einen komplexen unterscheidet. Bei einfachen Hintergründen mit Volltonfarben achten Sie auf weiche Farbübergänge der Kanten in die Hintergrundfarbe.

Kompliziertere Hintergründe mit großen Farbübergängen sind ein anderer Fall. Um Höfe zu vermeiden, müssen Sie für eine genaue Registrierung (Paßgenauigkeit) zwischen Vorder- und Hin-

tergrund sorgen (siehe „Offset und Ausrichtung" in Kapitel 4) oder auf das Glätten verzichten [3.11].

Das GIF-Format

GIF (mit hartem „G", nicht „dschif") ist die Abkürzung für Grafics Interchange Format, das allgegenwärtige Bildformat im Web. Die geheime Formel und die Rechte für GIF gehören Unisys. Es handhabt indizierte Bilder mit bis zu 8 Bit (256 Farben). Wenig bekannt ist die Tatsache, daß es auch GIFs mit mehr Bit gibt, die jedoch von den aktuellen Browsern nicht unterstützt werden. Während ich diese zweite Ausgabe schreibe, muß ich leider feststellen, daß wir noch immer mit GIFs arbeiten, obwohl es bessere Formate gibt. Unglücklicherweise ist GIF weiterhin das dominierende Format – wir müssen also damit leben.

GIF-Kompression

Das GIF-Format verwendet einen Kompressionsalgorithmus (Rezept) namens *Lempel-Ziv-Welch*, kurz LZW. Dieses Kompressionsschema ist verlustfrei, was bedeutet, daß das dekomprimierte Bild genau wie das Original aussieht. Die durchschnittliche Kompressionsrate für GIF-Bilder beträgt 4:1. Als Regel sollten Sie GIF-Kompression für alles verwenden, was nicht fotografisch ist. Ich verwende es für Schrift, Strichzeichnungen und sogar für kleine Fotografien.

Das LZW-Schema verwendet Mustererkennungstechniken, um das sog. *Run-Length-Encoding* zu erhalten. Die Essenz des Algorithmus ist, horizontale Sequenzen gleichfarbiger Pixel durch eine Zahl zu ersetzen, die angibt, wie lang die Sequenz ist [3.13 A-D]. Identische Horizontallinien werden zusätzlich zeilenweise

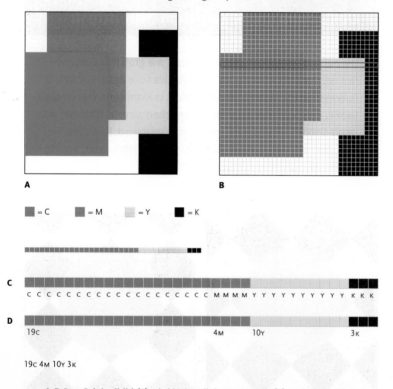

3.13 A-D Das Originalbild (A) wird in Scanlinien unterteilt (B) und die Pixelmuster werden analysiert. Jedes sich wiederholende Muster (C) wird komprimiert, indem festgehalten wird, wie oft es sich in einer Zeile wiederholt (D).

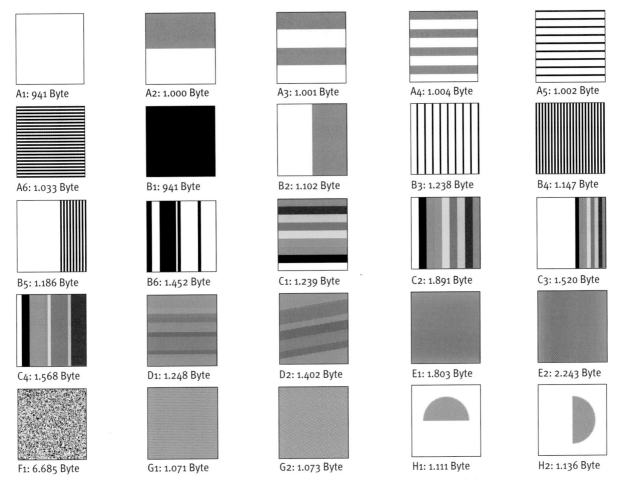

3.14 A1-H2 Alle Bilder haben 8 Bit und 90 x 90 Pixel (8.100 Byte). Längere horizontale Farbläufe ermöglichen eine bessere Kompression. Beachten Sie die Fähigkeit von GIF, Muster zu erkennen.

komprimiert, um noch mehr zu sparen. Schauen Sie sich die Bilder und die Dateigrößen genauer an, um ein Gefühl dafür zu entwickeln, wie die GIF-Komprimierung funktioniert [3.14 A1-H2].

Das Kompressionsschema ist sehr wirkungsvoll und kann über einfache Horizontallinienkodierung hinausgehen bis zur Komprimierung komplexer Bilder. Eine gute Ausführung des Algorithmus sucht nach sich wiederholenden Pixelmustern, während es das Bilddokument erstellt. Beim Bearbeiten des Dokuments kreiert er eine Tabelle der gefun-

denen Muster und ersetzt jede sich wiederholende Sequenz durch eine Markierung. Diese bezieht sich auf die ursprüngliche Pixelsequenz, die jetzt in der Tabelle steht.

Das bedeutet, daß insbesondere jede horizontale Regelmäßigkeit komprimiert wird, selbst wenn sie auf getrennten Linien des Bildes vorkommt. Ein exakter Kreis benötigt nahezu den gleichen Speicherplatz wie seine obere Hälfte allein, da die Durchläufe der oberen und unteren Hälfte identisch sind. Es braucht kein Durchlauf gleichfarbiger Pixel zu sein; jede wiederholte Farbsequenz wird von LZW komprimiert.

Tools für den Designer

Photoshop-Zusatzmodule (Plug-ins), Filter, GIF- und JPEG-Tools und andere Produktions-Software, die im Studio Verso zum Einsatz gelangt:

Netscape **alle Versionen** http://www.netscape.com/	Qualitätstests
Internet Explorer **alle Versionen** http://www.microsoft.com/ie/	Qualitätstests
Eudora Pro 3.1 http://www.eudora.com/	Kunden-Kommunikation
De Babelizer 1.6.5 http://www.equilibrium.com/	Rasterbild-Bearbeitung
Photoshop 4.0.1 http://www.adobe.com/	Rasterbild-Erstellung/-Bearbeitung
ScreenReady 1.0 http://www.adobe.com/	Batch-Bildrasterung
Illustrator 7.0 http://www.adobe.com/	Vektorbild-Erstellung/-Bearbeitung
Acrobat 3.0 http://www.adobe.com/	Formatierte Dokumente (PDF)
Excel 5.0 http://www.microsoft.com/	Schnelle, unsaubere Erstellung umfangreicher Tabellen
PageMaker 6.5 http:/www.adobe.com/	Layout
Quark Xpress 3.1 http://www.quark.com/	Layout, Typographie
BBEdit 4.5 http://www.bbedit.com/	HTML-Erstellung, -Bearbeitung, -Scripting, umfangreiche Textarbeiten
Word 6.0 http://www.microsoft.com	Textverarbeitung
BoxTop Photogif 2.0 http://www.boxtopsoft.com/Photogif/	GIF-Exportmodul für Photoshop

LZW komprimiert A5 und B3 auf nahezu dieselbe Größe, doch aus völlig anderen Gründen. Verschiedene Anwendungen benutzen leicht unterschiedliche Vorgehensweisen, doch das hier ist die Grundidee. In A5 gibt es zwei Haupteinträge in der Tabelle: einen für die schwarze Linie und einen für die weiße. Diese Muster werden dann über die Seite abwechselnd aufgerufen: 2 schwarze Linien, 8 weiße Linien, 2 schwarze, 8 weiße etc. In B3 muß nur eine Linie gespeichert werden. Sie enthält alle abwechselnden Schwarzweiß-Sequenzen für die gesamte Linie. Diese Referenz wird dann 92mal wiederholt – nicht die Pixelwerte. Ebenso lassen sich die beiden vollen Farbverläufe (E1, E2) aus dem gleichen Grund wie bei den beiden oben besprochenen Bilder zu nahezu derselben Größe komprimieren.

Wenn GIF-Bilder erstellt werden, wird jede erkennbare Regelmäßigkeit komprimiert. Verlängern Sie gleichfarbige Sequenzen, um Ihre Dokumente komprimierbar zu machen.

Schließen Sie den Namen all Ihrer GIF-Dokumente mit dem Zusatz „.gif" ab – wie z.B. „funkeln.gif".

GIF89a

Das Format GIF89a baut mit zusätzlichen Merkmalen wie *Transparenz* auf dem Originalformat (GIF87a) auf. GIFS zu erstellen wäre eine klare Sache, hätte Photoshops GIF-Erstellungsprozeß nicht ein paar gravierende Probleme. Um diese Situation für Photoshop 3.0.5 – oder höher – zu ändern, hat Adobe das GIF89a-Exportmodul veröffentlicht [3.15]. Photoshop-3.x-Anwender finden dieses Modul unter www.adobe.com. Photoshop 4.0, Fractal Painter, Paintshop Pro und auch DeBabelizer erstellen GIFS problemlos und sauber.

Interlacing

Normalerweise speichern GIFS die Pixel eines Bildes von oben nach unten. Ein Bild mit der Option *Interlaced* speichert Pixel in nichtlinearer Folge. Solche

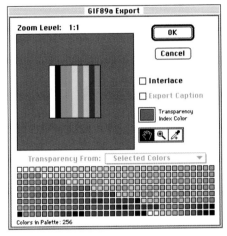

3.15 Mit dem GIF89a-Exportfilter werden zuverlässig GIFs erzeugt.

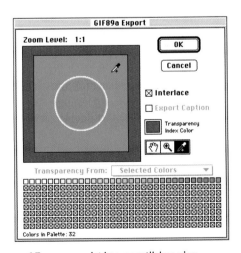

3.16 Transparenz ist im wesentlichen eine Schlüsselfarbenoperation (chroma-key)

Tools für den Designer (Fortsetzung)

BoxTop ProJpeg 2.0	JPEG-Exportmodul für Photoshop
http.//www.boxtopsoft.com/Projpeg/index.html/	
HVS JPEG 2.0	JPEG-Exportmodul für Photoshop
http://www.digifrontiers.com/	
HVS Color Gif 2.0.6	GIF-Exportmodul für Photoshop
http://www.digifrontiers.com/	
DitherBox 1.0	Dither-Mustergenerator
http://www.ditherbox.com/	
Flash 2.0	Splash-Animationen, Vektorgrafiken
http://www.macromedia.com/	
GifBuilder 0.4 (Version 0.5 hat Bugs)	Zusammenstellung animierter GIFs
http.//iawww.epfl.ch/Staff/Yves.Piguet/clip2gif-home/GifBuilder.html/	
ImageMapper 2.5	Erstellung von Bildmaps
http://www.cis.ohio-state.edu/~sabatino/imlaunch.html/	
Fetch 3.0.3	Datentransfer über FTP
http://www.dartmouth.edu/pages/softdev/fetch.html/	
Internet Config 1.3	Einstellung globaler Internet-Vorgaben
http://www.stairways.com/ic/	
SmallScreen 1.2	Prüfen unterschiedlicher Monitore/Bildschirme
ftp://ftp.amug.org/pub/amug/bbs-i-a-box/files/prog/s/small-screen-1.3.sit.hqx	
ScreenRuler 2.04	Messen von Bildschirmen
http://www.infinet.com/~microfox/	
Flash-It 3.0.2	Hilfsprogramm für Screen-Captures
ftp://ftp.amug.org./pub/mirrors/info-mac/gst/grf/flash-it-302.hqx	
Gamma 2.0	Hilfsprogramm für Monitorkalibrierung
im Lieferumfang von Photoshop	
Adobe Type Manager Deluxe 4.0	Schriftenverwaltung und -verbesserung
http://www.adobe.com/	
Adobe Type Reunion Deluxe 2.0	Schriftenverwaltung und -verbesserung
http://www.adobe.com/	

3.17 A-L Animierte GIFs lassen sich einfach erstellen und machen Spaß.

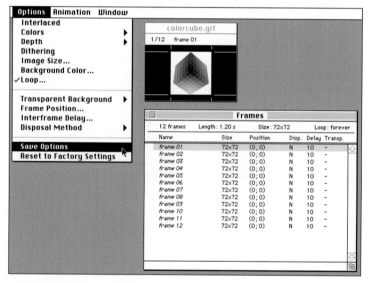

3.18 Das Erstellen von animierten GIFs ist relativ einfach.

weiteren Durchgängen. Dies ist ein gutes Beispiel für einen Standard, der speziell für die Online-Welt erstellt wurde.

Um ein solches Bild herzustellen, müssen Sie in der Software, die Ihre GIF-Komprimierung ausführt, *Interlaced* anwählen. Ich wende diese Technik allerdings selten an, da sie die Datei größer macht. Der einzige Fall sind große Bilder, die man nicht vollständig aufgebaut sehen muß, bevor man weitergeht. Auch bei Text-GIFs verzichte ich auf *Interlaced*, da man den Text sowieso erst dann lesen kann, wenn das Herunterladen komplett abgeschlossen ist.

Transparenz

In GIF89a-Bildern kann eine Farbe als transparent bestimmt werden; ein Browser, der GIF89a unterstützt, wird alle Pixel dieser Farbe als durchsichtig behandeln und den Hintergrund durchscheinen lassen. Dies ist ein *Farbschlüsselverfahren (Chroma-Key)*; d.h., daß Sie eine einzelne Farbe in Ihrem Bild aussuchen müssen, die dann durchsichtig wird. Alle Pixel, die der Farbe nur ähnlich sind – selbst wenn sie mit bloßem Auge nicht unterscheidbar sind – werden nicht transparent [**3.16**].

Sauber geglättete Bilder mit Transparenz sind Grundbausteine für Sites der 3. Generation. Sie lassen Designer die Grenzen rechtwinkliger Bilder optisch durchbrechen.

Animation

Das GIF-Format beinhaltet die Möglichkeit, mehrere GIF-Bilder in eine einzige Datei einzubetten, um Bewegung darzustellen. Animierte GIFs lassen sich mit Hilfe verschiedenster Tools leicht erstellen *(siehe „Tools für den Designer" in die-*

Bilder erreichen Ihren Browser in gleichgroßen Blöcken. Sobald der erste Block heruntergeladen ist, wiederholt der Browser die Daten des ersten Blocks und liefert eine Rohansicht des Originalbildes, so daß Surfer eine Vorschau des Bildes erhalten. Nachfolgende Stücke vervollständigen das Bild dann in drei

sem Kapitel). Sie haben sogar verschiedene Darstellungsmöglichkeiten – für durchgehende Bewegung oder einen Diaschau-Effekt [3.17].

Der Ablauf eines animierten GIFs kann sowohl definierbare Zeitschritte als auch endliche oder sich laufend wiederholende Schleifen enthalten. Wenn sich das Bilddokument einmal in den Speicher des Benutzers geladen hat, wird die Animation weiterlaufen, auch wenn die Verbindung unterbrochen oder geschlossen wird. Sie können Transparenz in Ihren Bildern verwenden und festlegen, wie sich jedes einzelne verhalten soll, bevor sich das nächste lädt [3.18].

Animierte GIFs können (und sollten) außerdem komprimiert werden. Die Optimierung entfernt redundante Pixel zwischen einem und dem folgenden Frame. Das ist zwar nicht perfekt, lohnt sich aber dennoch für die meisten animierten GIFs. Eine solche Optimierung der Bilder ist mit den meisten GIF-Animationsprogrammen möglich.

Beachten Sie, daß der Internet Explorer erst mit dem Abspielen von GIF-Animationen beginnt, nachdem die komplette Datei heruntergeladen wurde. Obwohl dadurch ein genaues Timing sichergestellt wird, heißt das auch, daß der erste Frame Ihrer GIF-Sequenz ohne sofortige Animation angelegt werden sollte. Das Aufblenden aus Schwarz ist keine gute Idee.

Sie können ein Arme-Leute-Video erstellen, indem Sie mit GIFBuilder oder Smart Dubbing auf dem Macintosh QuickTime-Movies in GIF-Animationen umwandeln.

Adobe Photoshops Beschränkungen

Adobe Photoshop ist ein unverzichtbares Programm, um Bilder für das Web zu erstellen. Für Web-Designer ist es aber alles andere als ideal. Wenn Sie z.B. einen Kreis zeichnen, dessen Hauptfarbe ein bestimmtes Rot ist (z.B. 204, 552, 153), und Sie diese Farben mit einer flexiblen Farbpalette reduzieren, liefert Photoshop eine Palette, in der gerade die Farbe, die eigentlich unverändert sein sollte, in einen zwar recht ähnlichen, aber doch anderen roten Farbton verschoben wurde (Sie sehen möglicherweise so etwas wie: 201, 51, 19). Das geschieht deshalb, weil Photoshop die Farben von einem 24-Bit-Farbbereich (8 x 8 x 8) auf einen 15-Bit-Farbbereich (5 x 5 x 5) reduziert, bevor es seinen *Median-Cut*-Algorithmus ausführt, um die beste Palette zu finden. Nach der Reduktion erhält die neue 15-Bit-Palette ein paar zusätzliche Bits angeheftet, um die endgültigen Palettenfarben als RGB zu zeigen – daher die Farbverschiebung. Sie erzeugen dadurch einen Dithering-Effekt, wenn sie später auf einem Browser mit nur 256 Farben dargestellt werden.

Außer den acht Farben an den Ecken des Farbwürfels, werden alle anderen aufgrund der flexiblen Farbreduktion in Photoshop verschoben. Notfalls können Sie die Farbtabelle öffnen und die richtigen Werte eintippen. Das funktioniert zwar, aber es ist ermüdend. Deshalb arbeite ich für die abschließende Farbreduktion mit DeBabelizer, da dieses Programm die Farben nicht verschiebt.

Außerdem haben die Benutzer keine Möglichkeit, die Farbpalette und das Histogramm einzusehen, während sie das Bild betrachten.

Beachten Sie die leichte Farbverschiebung bei dieser Farbwürfelfarbe nach Reduzierung der Palettenfarben in Photoshop.

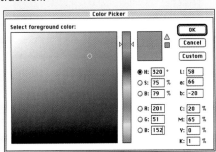

8-Bit-Bilder

Viele Leute verwenden 8-Bit-Bilder auf ihren Web-Sites. Ich habe noch nie ein Bild mit vollen 8 Bit (256 Farben) auf einer Site verwenden müssen. Die meisten Bilder fallen in den Bereich von 15–35 Farben, wobei 35 schon ziemlich viele sind. Selbst ohne Dithering – Sie werden erstaunt sein, wie klein die tatsächlich benötigten Paletten sein können.

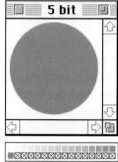

731 Byte   531 Byte

3.19 Farbreduzierung verhilft zu längeren Farbläufen, wodurch ein Bild noch komprimierbarer wird.

3.20 Photoshop erstellt zusätzliche Farben für gutes Anti-Aliasing.

3.21 Photoshop erstellt im Hintergrund ein Histogramm, das beider Reduktion mit flexibler Palette hilft. Dieses Bild entspricht dem Bild 3.20.

Reduzierung der Dateigröße

Ein weit verbreiteter Irrtum ist der, daß man die Anzahl der Farben verringern soll, um die Dateigröße zu vermindern. Obwohl das häufig funktioniert, ist es kein echtes Ursache-Wirkung-Verhältnis. Kleinere Dateigrößen haben mit der Bildreduktion auf die geringstmögliche Anzahl der notwendigen Farben und der Bildaufbereitung für eine bestmögliche Komprimierung zu tun.

Verkleinern der Palette

In der Regel sind Paletten nicht sehr groß (die größte Palette hat nur 800 Byte – weniger als 1 K), weshalb das Verkleinern der Palette selbst nicht viel bringt. Dagegen bewirkt eine Verringerung der Anzahl von Farben eine bessere Komprimierbarkeit eines Bildes, da die „Lauflänge" gleicher Farbpixel verlängert wird.

Wenn mit komprimierten Bildern gearbeitet wird, dürfen Sie nicht dreidimensional (x mal y mal z) denken. Halten Sie sich das Komprimierungsschema vor Augen und die Voraussetzungen, die ein Bild komprimierbar machen.

Hilft die Verminderung der Farbanzahl? Wie sich herausstellt – meistens. Da die Web-Bilder meistens geglättet sind, kann man hier mit Abstrichen bei der Zahl der Farben ansetzen. Anti-Aliasing fügt zu viele subtile Farbschattierungen ein – deren Reduzierung wird viele horizontale Sequenzen gleicher Farbe entstehen lassen [3.19 A, B].

Flexible Farbpaletten

Obwohl es verschiedene Möglichkeiten der Farbreduzierung gibt, verwende ich

DeBabelizer

Equilibrium Software in Sausalito, Kalifornien, produziert DeBabelizer, das Schweizer Taschenmesser des Web. DeBabelizer hat faszinierende Fähigkeiten beim Öffnen und Umwandeln von Grafikdateien.

DeBabelizer ist Photoshop haushoch überlegen, wenn es darum geht, eine gemeinsame Palette für mehrere Bilder zu erzeugen oder Farben zu reduzieren, und für die direkte Arbeit mit Paletten im allgemeinen. Er hat außerdem eine sehr wirkungsvolle Skriptmöglichkeit, die Sie vordefinierte Aktionen auf Knopfdruck ausführen läßt. Seine Web-Site bietet mehrere kostenlose Skripts für das Erstellen von Web-Grafiken (www.equilibrium.com).

Obwohl DeBabelizer 1.x ein notwendiger Pfeil im Köcher des Web-Designers ist, hat ihn seine komplizierte und undurchsichtige Oberfläche zu einem Werkzeug ausschließlich für ″Cracks″ werden lassen. Glücklicherweise wurde die Oberfläche in DeBabelizer Pro für Windows 95 und NT gewaltig verbessert. Eine neue Version der DeBabelizer Toolbox für den Macintosh wurde für Ende 1998 angekündigt – mit einer neuen Bedienerschnittstelle, die auch weniger erfahrenen Designern den leichten Umgang mit diesem Programm ermöglicht.

DeBabelizer gleicht Photoshops Beschränkungen durch eine korrekte Farbreduktion bei flexiblen Paletten hervorragend aus. Als eines meiner absoluten Lieblingsprogramme stellt DeBabelizer für alle Gestalter ein mächtiges Werkzeug dar. Ich empfehle Ihnen dringend dieses Programm – Sie werden schnell feststellen, wie einfach Sie Farben reduzieren und Bilder manipulieren können.

Paul Vachier bietet einen Online-Service für DeBabelizer-Skripts (falls Sie das Programm noch nicht besitzen) unter www.transmitmedia.com/dehabit/.

normalerweise eine *flexible Farbpalette*, mit der mein Rechner mir hilft, das Bild mit weniger Farben wiederaufzubauen. Um sich genau vor Augen zu führen, wie der Farbreduzierprozeß läuft, beginnen Sie am besten mit einem normalerweise geglätteten Bild.

Wenn Sie zur Farbreduktion eine flexible Farbpalette verwenden, läuft bei Photoshop eine komplizierte Prozedur zur Erhaltung der Farben in Ihrem Bild ab. Im Hintergrund erstellt Photoshop ein *Histogramm* aller Farben des Bildes, geordnet nach Häufigkeit. In der Praxis lassen sich einfache Bilder [3.20] gut

reduzieren, da Photoshops *Median-Cut*-Algorithmus nach Bereichen mit verschiedenen Farben sucht und sich bemüht, diese (auf Kosten der Zwischentöne) zu erhalten. Das Histogramm [3.21] dient dem Programm dazu festzustellen, welche Gewichtung es Farben auf der resultierenden Palette geben soll.

Dieses Histogramm hat nichts mit dem RGB-Histogramm zu tun, welches Sie in der Benutzeroberfläche von Photoshop finden. Es ist ein spezielles Farbwertigkeit-Histogramm, das Photoshop zum Aufbau einer flexiblen Palette verwendet.

3.22 A, B Das Originalbild in RGB (A) und nach dem Indizieren auf 32 Farben (B).

3.23 A, B Das Auswählen eines Bildbereichs (A) beeinflußt das Histogramm. Das entstandene Bild wurde durch die roten Pixel beeinflußt (B).

3.24 A, B Wenn Sie mehrere Bereiche auswählen (A), haben Sie größere Kontrolle über die Farben der endgültigen Palette (B).

Wie man ein Histogramm beeinflußt

Wenn die Histogrammethode eine wichtige oder gewünschte Farbe eliminiert, muß man nicht die Farbanzahl erhöhen. Stattdessen kann man den Prozeß beeinflussen, der das Histogramm erstellt, um eine bessere Palette zu erhalten. Ich werde diesen Prozeß vorführen, indem ich ein Bild verwende, das die Situation überspitzt zeigt. Am Beispiel eines Fotos für ein animiertes GIF (animierte JPEGs gibt es leider nicht) zeige ich Ihnen den Prozeß. Ich beginne mit einem RGB-Bild und reduziere es auf 32 Farben [3.22 A, B].

Nach dem Indizieren mit einer flexiblen Farbpalette haben Sabines Lippen ihre Farbe verloren. Ein kurzer Blick auf die Palette zeigt, daß es zu viele dunkle Farbwerte gibt, um ihr Haar wiederzugeben, und zu viele helle Werte für den Hintergrund. Das Bild wirkt flach. Ich kann es noch einmal versuchen, diesmal mit mehr Farben – oder ich kann versuchen, das Histogramm zu beeinflussen.

Ich möchte, daß die wenigen roten Pixel auf der resultierenden Palette ihren Platz bekommen. Im Photoshop ist es einfach, das Histogramm zu beeinflussen. Es ist kaum bekannt, daß Photoshop beim Reduzieren der Palette die aktuelle Auswahl als Basis für die Palette benutzt. Wenn man die Farbanzahl ohne Auswahl reduziert, wird ein Histogramm für das gesamte Bild erstellt. Wählt man Bereiche relativer Wichtigkeit aus, kann man andere Bereiche effektiv vom Eingehen in das Histogramm ausschließen und damit das Endergebnis in Richtung auf die gewünschte Farbe hindrehen. Ich ziehe ein Rechteck um Sabines Lippen und indiziere noch einmal [3.23 A, B].

Jetzt sehen die Lippen großartig aus, doch ist die Stirn gestreift. Nachdem ich den Schritt rückgängig gemacht habe,

wähle ich unter Verwendung der Umschalttaste einen weiteren Bereich und
versuche, ein paar Farbtöne aus ihrer
Stirn zurückzubringen [3.24 A, B].

Nach ein paar Versuchen finde ich die
Kombination, die in der für dieses Bild
optimalen 5-Bit-Palette resultiert. Es ist
eine Sache der Übertragung von Details
aus einem Bereich auf einen anderen,
aber es ist nicht zu zeitaufwendig und
die Ergebnisse sind oft wirklich lohnens-
wert (*siehe unten „Palette nach Augen-
maß"*).

Die Methoden von DeBabelizer, Farben zu reduzieren, sind viel wirksamer.
Die bisherigen Versionen von DeBabelizer hatten leider eine ziemlich komplizierte Bedienerschnittstelle, was sich
aber jetzt geändert hat. Der positive
Aspekt ist, daß, wenn Sie 1000 Bilder
reduzieren müssen, DeBabelizer das in
Minutenschnelle für Sie tut, wenn Sie
den Vorgang einmal im Griff haben. Für
große Web-Sites ist die Scripting-Funk-
tionalität von DeBabelizer eine Frage des
Überlebens. (*Siehe Anhang 3, „Bildoptimierung für das Web", und Kapitel 5
„Schriften darstellen" für Details zu den beiden mächtigen auf DeBabelizer basierenden
Produktionssystemen*).

Wie Sie sehen, muß man Kompromisse eingehen. Ich hätte ein paar zusätzliche Farben addieren können, mich
auf ein Bild mit 34 Farben einlassen
können, doch hätte ich dann eine 6-Bit-
Palette gehabt und die Dateigröße wäre
unproportional zur Größe des Bildes
hochgegangen. So komme ich auf 8 K,
was für ein GIF ziemlich gut ist. Bei einem JPEG in gleicher Qualität wäre ich
auf 9 K gekommen. Dieses Beispiel verdeutlicht die generelle Vorgehensweise,
um zu der Palette zu gelangen, die man
für ein spezielles GIF will – es soll nicht
aussagen, daß GIFs die beste Methode
zur Kompression solcher Fotos sind.

Warum Web-Designer auf Photoshop 4.0.1 upgraden sollten

Adobe Systems hat die aktuelle Version 4.0 von Photoshop mit vielen neue Features ausgestattet. Hier sind einige Möglichkeiten der neuen Version, die insbesondere für Web-Designer von Interesse sind:

1. Version 4.0 erstellt automatisch neue Ebenen, wodurch Ihre Gestaltungsarbeit nicht mehr versehentlich durcheinandergebracht werden kann. Sie müssen nur noch die Ebenen organisieren und möglichst bald mit einem Namen versehen – ansonsten müßten Sie mit einer sehr großen Datei arbeiten. Das Geheimnis liegt darin, Ebenen rechtzeitig zu kombinieren und so ein Zuviel an Ebenen zu vermeiden.

2. Version 4.0 unterstützt neue Web-Formate, einschließlich Progressive JPEG und PNG sowie PDF.

3. Sie können zwischen Netscape und Photoshop mit der Drag&Drop-Methode arbeiten (das war schon in Version 3.0 möglich – ich möchte nur noch einmal besonders darauf hinweisen).

4. Verwenden Sie die neuen „Kunstfilter" für die unterschiedlichsten Maleffekte. Außerdem gibt es neue Möglichkeiten unter „Stilisierungsfilter" und „Strukturierungsfilter".

5. Mit Hilfe der Aktionen können Sie Ihre Arbeit in Photoshop aufzeichnen und anschließend schrittweise automatisch wiederholen lassen – Größen, Farbtiefe, Drehung, Verzerren, weiche Auswahlkante.

6. Mit dem neuen Navigator-Tool kann sich der Web-Designer bis auf die Pixelebene einzoomen und so jede Veränderung genau kontrollieren.

7. In der neuen Version kann über die einfache Zahleneingabe skaliert werden.

8. Die neue Version unterstützt Farbkorrektur.

9. In den bisherigen Photoshop-Versionen gingen nach Ausführen des Widerrufen-Befehls einige Pixel verloren. Jetzt können Sie sämtliche Veränderungen in der *Einstellungsebene* vornehmen, ohne dabei das Original zu beschädigen.

10. Raster und Hilfslinien ermöglichen das präzise Ausrichten von Elementen – eine große Hilfe, wenn Sie einen Prototyp in Einzelteile zerlegen und in HTML implementieren.

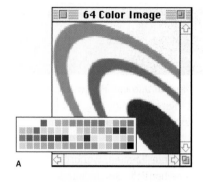

A

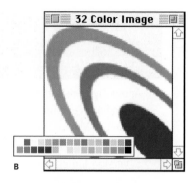

B

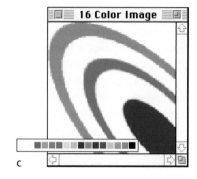

C

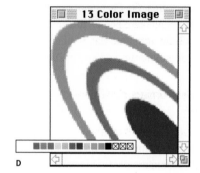

D

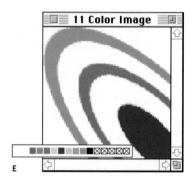

E

3.25 A-E Auf dem Web sieht das Bild mit 64 Farben genauso aus wie das mit 32. Mit 16 und 13 Farben ist es noch akzeptabel, doch bei 11 Farben weist das Bild Problemstellen auf.

Die Palette unter die Lupe nehmen

Es ist wichtig, sich daran zu gewöhnen, Paletten anzusehen, denn wenn Sie zwei nah beieinanderliegende Farben entdecken, sind Sie mit dem Reduzieren noch nicht fertig.

Egal welches Bild Sie verwenden, das Programm kann nicht feststellen, welche Bereiche Ihres Bildes wichtig sind. Nur Sie können sich die Palette ansehen und entscheiden, ob es die richtige ist. Eine gute Faustregel ist, daß unterschiedliche Hauptfarben drei oder vier Zwischenstufen zwischen sich haben sollten.

Nun möchte ich ein praktischeres Experiment starten und zeigen, wie man an einer Palette arbeitet, um die absolute Minimalanzahl an Farben zu erhalten. Ich beginne mit einem RGB-Bild von drei Ringen und reduziere es auf 64 Farben **[3.25 A]**. Da dies mehr als genug Farben sind, reduziere ich es erst auf 32 und dann auf 16 Farben **[B, C]**.

Das Bild ist immer noch akzeptabel. (Zu Demonstrationszwecken arbeite ich mich diesmal von hoher Farbanzahl zu niedriger – genau umgekehrt wie sonst.)

Das Bild mit 16 Farben sieht gut aus und gibt mir Grund zur Annahme, daß ich daran noch weiter arbeiten kann. Ich indiziere das Original erneut auf 13 und 11 Farben **[D, E]**.

Wenn ich mir die Paletten für 13 und 11 Farben so ansehe, frage ich mich, ob ich das Bild nicht auf 11 Farben mit besserer Farbverteilung quetschen kann. Ich kehre zum RGB-Bild zurück und beginne Bereiche auszuwählen, um das Histogramm zu beeinflussen. Ich wähle den oberen Bereich als Grundlinie aus, um zu versuchen, mehr Blau zu bekommen, doch da Rot noch vorherrscht, beziehe ich den unteren Bereich mit ein, um dem Grün ein wenig nachzuhelfen. Schließlich wandelt der mittlere Bereich ein Rosa in ein helles Blau und die Palet-

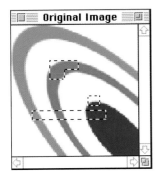
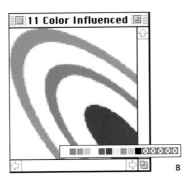
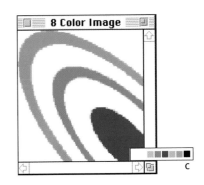

Vom Caching

Ihr Browser-Programm behält Webseiten und Bilder im Speicher, damit Sie nicht darauf warten müssen Dinge anzuschauen, die Sie schon einmal heruntergeladen haben. Ihr Browser benutzt zwei verschiedene Caches (sprich „kesch"): einen Arbeitsspeicher-Cache und einen Festplatten-Cache. Ersterer behält alle Bilder einer Seite im RAM. Das Rollen der Seite geht fix, weil der Computer die ganze Seite „im Kopf hat". Es ist dieser Speicher, der durch Bildausdehnung überladen wird.

Der Festplattencache behält zuvor besuchte Seiten, damit Sie nicht warten müssen, wenn Sie den „Zurück-Knopf" drücken. Für Surfer ist das gut – für Entwickler ist es ein Problem, denn wenn diese Ihre Bilder überarbeiten und die Seite neu hochladen, wollen Sie das neue Bild sehen und nicht eine ältere Version aus dem Speicher. Glücklicherweise enthalten die meisten Browser die Möglichkeit, eine Grundeinstellung für „Dokumente überprüfen" festzulegen, mit der man Bilder A) „Ständig" oder B) „Einmal pro Sitzung" erneuern kann. Ein Dokument zu überprüfen bedeutet, die Daten der Datei mit denen des Cache zu vergleichen; wenn die Dateidaten neuer sind, wird das Bild neu eingelesen. Wenn die Daten dieselben oder älteren Datums sind, beläßt das Programm die gespeicherte Version.

Surfer sollten „Einmal pro Sitzung" einstellen, um häufiges Überprüfen bei Sites zu vermeiden, bei denen es nicht wahrscheinlich ist, daß sie sich allzu häufig ändern. In diesem Fall ist eine Cache-Größe von 5 bis 10 Mbyte in Ordnung. Entwickler müssen die Option „Ständig" verwenden, damit sie sicher sind, daß ihre Seiten sich jedes Mal ändern, wenn sie ein lokales Bild bearbeitet haben.

Wenn sich Ihre Seiten nicht ändern, obwohl sie es sollten, dann kreuzen Sie diese Option an und starten Sie Ihren Browser neu. Leider müssen Entwickler, die diese Option verwenden, die Größe ihres Festplatten-Cache auf 1 bis 2 Mbyte reduzieren, um eine träge Ausführung zu vermeiden, da der gesamte Cache jedes Mal überprüft wird, wenn man eine Seite neu lädt.

3.26 A-C Der ausgewählte Bereich (A) ergibt eine gut ausbalancierte Minimalpalette von 11 Farben (B) mit einer Endgröße von 2.197 Byte. Eine Palette mit 8 Farben (C) reicht einfach nicht aus.

te steht [3.26 A, B]. Ohne all diese Zwischenexperimente aufzuzeigen, erhalte ich mit dieser endgültigen Auswahl nach nur drei Versuchen eine ausgewogene Palette. Das dritte Bild zeigt, daß neun Farben plus Weiß das theoretische Limit für dieses Bild sind, da alles darunter unansehnliche Restbestände vom Glätten aufweist [C].

Die Mac-Version von Photoshop fügt noch Schwarz zu, was nicht notwendig ist. Ich kann es entweder in DeBabelizer löschen oder es durchgehen lassen. Da die Palette für dieses Bild 16 Farben hat, braucht der schwarze Eintrag keinen zusätzlichen Platz. Das Enddokument hat 2.197 Byte.

Dies zeigt, daß Sie mit nur zwei Zwischentönen auskommen, wenn Sie sie gut auswählen, und daß das Beeinflus-

sen des Histogramms unsere einzige Möglichkeit ist, die Palette anzugleichen. Histogramme zu beeinflussen und Paletten genau in Augenschein zu nehmen, resultiert normalerweise in den kleinsten Dateien mit optimaler Ladezeit. Dieses Experiment will nicht andeuten, daß man für jedes Bild zwei Zwischentöne verwenden kann; es zeigt nur auf, daß Sie mit etwas Geduld das theoretische Limit beim Reduzieren eines jeden Bildes erreichen können. In der Zukunft wird eine PostScript-Beschreibung dieses Bildes zusammen mit dem Glätten beim Client-Rechner dieses Bild auf gute 100 Byte reduzieren. (*In Anhang 3, "Bildoptimierung für das Web", finden Sie eine halbautomatische Möglichkeit für eine gute Palette.*)

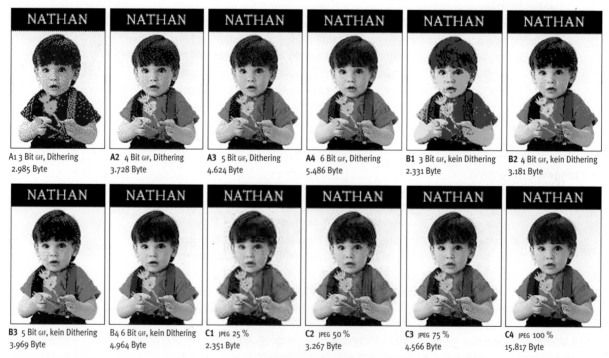

A1 3 Bit GIF, Dithering
2.985 Byte

A2 4 Bit GIF, Dithering
3.728 Byte

A3 5 Bit GIF, Dithering
4.624 Byte

A4 6 Bit GIF, Dithering
5.486 Byte

B1 3 Bit GIF, kein Dithering
2.331 Byte

B2 4 Bit GIF, kein Dithering
3.181 Byte

B3 5 Bit GIF, kein Dithering
3.969 Byte

B4 6 Bit GIF, kein Dithering
4.964 Byte

C1 JPEG 25 %
2.351 Byte

C2 JPEG 50 %
3.267 Byte

C3 JPEG 75 %
4.566 Byte

C4 JPEG 100 %
15.817 Byte

3.27 A–F Die Bilder A–C haben 92 x 132 Pixel; D–F [gegenüberliegende Seite] haben 166 x 238. JPEG-Dokumente haben viele Kilobyte an zusätzlicher Information, die Overhead genannt wird und das Format für kleinere Bilder unbrauchbar macht.

D1   3 Bit gif, Dithering, 7.446 Byte

E1   3 Bitt gif, kein Dithering, 5.097 Byte

F1   jpeg 25%, 4.264 Byte

D2   5 Bit gif, Dithering, 11.498 Byte

E2   5 Bit gif, kein Dithering, 9.692 Byte

F2   jpeg 50%, 6.107 Byte

Das JPEG-Format

JPEG (der gebräuchliche Name für das Rasterbildformat, das von der Joint Photografic Experts Group definiert wurde) ist die beste Art, fotografische Bilder zu komprimieren. Wegen des großen Überbaus, der damit einhergeht, eignet es sich nicht besonders für kleine Bilder oder Strichzeichnungen. Um die Dateigröße zu reduzieren, trennt JPEG die Helligkeitsinformationen von den Farbtönen. Im Wesentlichen behält es eine gute Kopie der Schwarzweißversion des Bildes, das unser Auge wahrnehmen kann, und verwirft die meisten subtilen Farbunterschiede, die das Auge nicht unterscheiden kann. Statt das von Zeile zu Zeile zu tun, wie GIFs das machen, zerlegt JPEG das Bild in Bereiche.

JPEG-Kompression

JPEG ist ein *Verlustprozeß* – bei der Kompression gehen immer Informationen verloren. Wenn ein Bild einmal mit JPEG komprimiert wurde, wird es selbst bei höchster Qualitätsstufe nicht wie das RGB-Original sein. Es mag genauso aussehen, da das Auge den Unterschied nicht wahrnimmt, aber das Dokument ist kleiner. In einem höheren Kompressionsverhältnis (geringere Qualitätsstufen) ist das Bild merklich anders, wohingegen hochqualitative JPEGS als Ersatz für das Original verwendet werden. Benutzen Sie JPEGS geringerer Qualität auf dem Web, da sich diese gut komprimieren lassen.

Die Kompressionsverhältnisse für JPEGS schwanken in der Regel zwischen 10:1 und 100:1, abhängig von der Qualitätsstufe. Je höher die Kompression, desto kleiner (und verlustreicher) wird die Datei sein. Normalerweise erzeugen schärfere Bilder größere Dateien. Verschwommene Bilder lassen sich schnell laden. Ich nehme normalerweise keine JPEGS, solange meine Bilder nicht größer als ca. 100 x 100 Pixel sind [3.27 A-F].

Wenn Sie JPEGS verwenden, ist Ihr Ziel ja nicht, Farben zu reduzieren, sondern die Dateigröße. Dafür sind die Qualitätsstufen gedacht. Das sieht auf den diversen Programmen unterschiedlich aus. Alle der von uns verwendeten Tools arbeiten mit Vorschaubildern für die aktuelle Bildqualität (*siehe „Tools für den Designer" in diesem Kapitel*). Wie AdobePhotoshop analysieren auch viele andere Programme jede Fotografie und wählen eine von mehreren Methoden, bevor sie reduzieren. Wählen Sie die gewünschte Qualitätsstufe, schauen Sie sich das Ergebnis an und entscheiden Sie dann, ob Sie dabei bleiben oder eine andere Einstellung wählen wollen.

3.28 Ein großer, durchgehender Hintergrund ist eine Versuchung für Designer der 3. Generation.

Reduzieren Sie keine Farben und dithern Sie auch nicht, wenn Sie JPEGS erstellen!

Führen Sie ein paar Experimente mit Ihren Bildern durch, um zu sehen, wie sie sich am besten komprimieren lassen. Nur die Farbpalette zu reduzieren, ist normalerweise nicht ausreichend. Der Filter *Unscharf maskieren* schärft das Bild und vergrößert das resultierende JPEG-Dokument; ein Gaußscher Weichzeichner verkleinert es. JPEGS mit Unschärfefiltern zu bearbeiten, entspricht dem Vermindern von Farben in GIFs.

Beginnen Sie immer mit der Einstellung für die geringste JPEG-Qualität, um die Dateigröße möglichst klein zu machen. Wenn Sie in Ihrem Programm unter den Optionen „Schlechteste" und „Beste" wählen können, wählen Sie die schlechteste Qualität. Sie werden überrascht sein, wie gut JPEGs mit geringer Qualität noch sein können.

Progressive Darstellung

Wie das *interlaced* GIF-Format werden *progressive* JPEGS mittels eines Rasters in aufeinanderfolgenden Schritten aufgebaut, wodurch die Qualität des Bildes fortlaufend erhöht wird. Progressive JPEGS benötigen mehr Prozessorkapazität beim Benutzer. Sie lassen sich mit einer Reihe von Hilfsprogrammen erstellen, darunter DeBabelizer und der neue SmartSaver (siehe die Liste auf der Buch-Site). Wie interlaced GIFs sind progressive JPEG-Dateien ein wenig größer als nicht-progressive. Die meisten neuen Browser können mittlerweile progressive JPEGS darstellen. (*In Kapitel 13, „Ausblick", finden Sie weitere Informationen über progressive Bildformate*).

Bildausdehnung

Jetzt wollen Sie noch ein großes Hintergrundbild, das sich gut komprimieren läßt und Ihrer Site ein charakteristisches Aussehen gibt [3.28].

Sie reduzieren die Farben in diesem großen Bild und komprimieren es auf nur 12 K – es lädt wie ein geölter Blitz. Auf Ihrem Computer läuft das wunderbar. Doch gewisse Besucher beschweren sich, daß Ihre Seite entweder deren Browser abstürzen läßt oder unglaublich langsam ist! Was ist passiert? Ihr Dokument hat *Bildausdehnungsprobleme*.

Ihr Browser stellt keine GIF-Bilder dar. Tatsächlich haben Sie noch nie ein GIF-Bild *gesehen*. Stellen Sie sich ein GIF als den gefriergetrockneten Zustand eines Bildes vor, wenn es zum Transport so klein wie möglich zusammengepackt ist. Wenn Sie eine Webseite ansehen, lädt der Browser die GIFs herunter und ent-

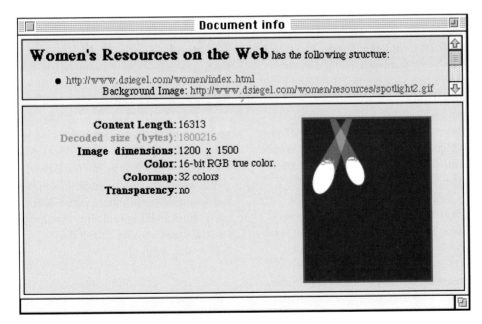

3.29 Vergleichen Sie die „Content Lenght" mit der „Decoded Size" (der endgültigen Größe nach dem Entpacken).

packt sie, wobei er die volle Größe (x mal y mal z) wiederherstellt, um es auf Ihrem Bildschirm darzustellen.

Die wiederhergestellte Version kann viel Speicherplatz verbrauchen, viel mehr als das GIF selbst. Wieviel Platz? Die Antwort lautet: *Das hängt vom System des Benutzers ab.*

GIF-Bilder dekomprimieren sich zu der Größe des Bildes (in x und y) mal 8 Bit (1 Byte) oder mehr. (Mit Netscape auf Macintosh wachsen GIFs auf 8 Bit, bei PCs wachsen GIFs auf die jeweilige Farbtiefe des Benutzers an.) Wenn Sie also ein Bild von 500 x 500 Pixel haben, das nur 2-Bit Farbe hat, wird es sich normalerweise auf 500 x 500 x 8 Bit = 244 K ausdehnen, selbst wenn es auf nur 10 K herunterkomprimiert wurde [3.29].

JPEG-Bilder sind da noch viel schlimmer – sie wachsen stets auf die volle Farbtiefe des Empfängersystems heran. Wenn Ihr Rechner Millionen von Farben (Echtfarbsystem) darstellen kann und Sie dasselbe 500 x 500 x 2 Bit-Dokument hochladen, wird es auf 500 x 500 x 24 Bit = 7500 K anwachsen. Bilder, die 1200 x 1600 x 2 Bit groß sind und sich auf 18 K komprimieren lassen, wachsen auf über 2 Mbyte an! Das kann ein System mit wenig Speicher zum Absturz bringen, da die meisten Browser bereits 4 bis 12 Mbyte Arbeitsspeicher benötigen.

Es gibt eine einfache, aber auch schmerzhafte Lösung für dieses Problem: Vermeiden Sie große Bilder, egal, wie stark diese komprimiert werden.

Eine gute Faustregel lautet: Den gesamten Bildbereich einer Seite unter 600 x 600 Pixel halten – es sei denn, Sie sind sicher, daß Ihre Surfer viel RAM haben.

Hinweis: In dem Jahr, als die erste Ausgabe dieses Buchs erschien, konnte ich feststellen, daß viele gute Designer umfangreiche Hintergrundbilder für bestimmte Effekte einsetzten. Es scheint so, daß nur wenige Gestalter verstehen, welche schlimmen Auswirkungen eine derartige Bildausdehnung für den Surfer haben kann. Viele Leser der ersten Ausgabe dieses Buchs gestalten noch immer Sites mit großen Hintergrundbildern – was ein Low-End-System zum Absturz bringen kann.

Zusammenfassung

Ein gutes Bild ist ein kleines Bild. Kämpfen Sie immer um die kleinste Anzahl von Farben, die für Ihr Bild absolut notwendig ist, und befolgen Sie dabei die Wirklich-Goldene-Regel zur Dateigrößenreduzierung *(siehe den Tip auf der gegenüberliegenden Seite)*.

Die Größen Ihrer Webseiten werden geringer, je mehr Sie mit Bildern arbeiten und dabei verschiedene Strategien und Vorgehensweisen ausprobieren. Bildausdehnung ist ein Problem für Designer der 3. Generation. Zukünftige Browser werden uns wohl Mittel zur Milderung dieser Probleme geben – aber im Moment sollten Sie sich vorsehen, wenn Sie großflächige Bilder verwenden, egal, wie stark sie sich komprimieren lassen.

Ich werde eine Reihe realer Beispiele zur Dateigrößenreduktion, zum Glätten, zur Textbehandlung und zum Erstellen von GIFs und JPEGs im 2. Teil dieses Buches durchgehen.

Anzahl von Bildern und Bildgröße

In diesem Kapitel haben ich großen Wert auf möglichst kleine Bilder gelegt, um die Zeit für das Herunterladen dieser Bilder gering zu halten. Obwohl das als Ausgangsbasis reichen könnte, gibt es noch einiges mehr dazu zu sagen.

Die andere Möglichkeit, die Ladezeit Ihrer Seite(n) zu verkürzen, liegt in der Verwendung möglichst weniger Bilder, um den beabsichtigten Effekt zu erzielen. Da so auch der Server entlastet wird (weniger Downloads), kann die Seite beim Surfer einfach schneller aufgebaut werden. Eine Seite mit vielen kleinen Bildern kann eine sehr viel längere Ladezeit erfordern als eine Seite mit wenigen, aber größeren Bildern.

Diese Situation sollte sich verbessern. Eine Verbesserung im neuen HTTP-1.1-Server-Protokoll ist, daß die verschiedenen Anforderungen für Bilder auf einer Seite zu einer Transaktion zusammengefaßt werden. Da das HTTP-1.1-Protokoll immer mehr auf Servern und in Browsern implementiert wird, werden die Gestalter die Gesamtladezeit einer Seite berücksichtigen müssen und nicht mehr die Anzahl der Bilder.

Die wirklich Goldene Regel zur Dateigrößenreduktion

Reduzieren Sie die Größe und Komplexität Ihrer Bilder, verlängern Sie dann die Farbläufe, bearbeiten Sie die Bilder von Hand und beeinflussen Sie das Histogramm, wenn nötig, statt mehr Farben hinzuzufügen.

Seitenlayout

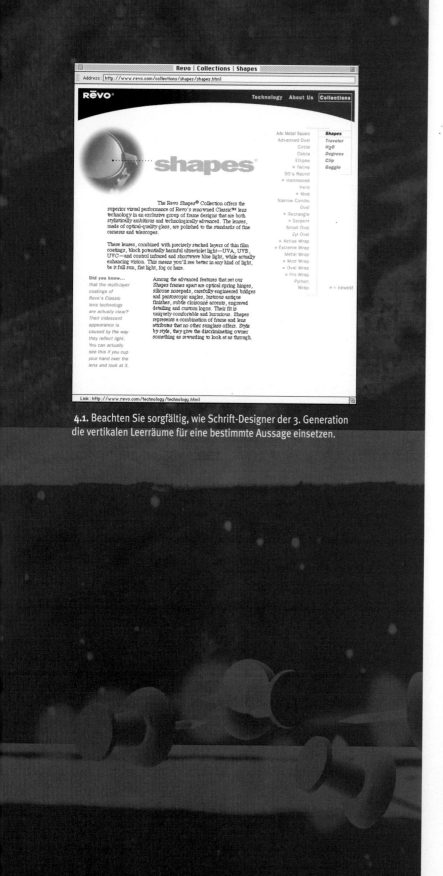

4.1. Beachten Sie sorgfältig, wie Schrift-Designer der 3. Generation die vertikalen Leerräume für eine bestimmte Aussage einsetzen.

Hier, in den Schützengräben des Browser-Kriegs, ist niemand sicher. Designer müssen improvisieren, um Grundausrüstung, Nachschub und selbst das „Klebeband" für den Aufbau ihrer Sites heranzuschaffen. Obwohl die Strategie gleich ist – gute Typographie entwickelt sich weniger schnell als das Web – haben sich die Tools seit der Erstveröffentlichung dieses Buchs bereits wieder geändert. Da 2.0-Browser jetzt kaum noch eingesetzt werden, können wir die für diese Browser benötigten Hacks und anderen Tricks für gut aussehende Seiten erst einmal zur Seite legen.

Die erste Ausgabe dieses Buchs baute stark auf den Trick mit dem 1 Pixel großen blinden GIF auf – mehr dazu am Ende dieses Kapitels. Es war die einzige Möglichkeit für eine zuverlässige Kontrolle des Weißraums in allen Browser-Versionen und über alle Plattformen. Obwohl wir diesen Trick gelegentlich noch immer anwenden, gehört er an sich bereits der Vergangenheit an. Der Trick vergrößert die Dateigrößen, verwirrt die Surfer mit ausgeschalteten Bildern und vereinfacht auch nicht das Editieren von HTML. Wenn die Cascading Style Sheets (CSS) durchgehend und gut in Browsern implementiert sind (was wir vielleicht noch einmal erleben werden), hoffe ich, daß wir die meisten dieser Hacks vergessen können.

Die Browser-Hersteller machen eine gute Typographie zu mehr als nur einer Herausforderung – sie machen gute Typographie nahezu unmöglich.

Obwohl ich Ihnen die aktuellen Tricks zum Erzielen eines gewünschten Ergebnisses zeigen kann, gebe ich keine Garantie dafür ab, daß diese Methode mit allen Versionen der zwei wichtigsten Browser auf den drei Plattformen funktioniert. Dieses Kapitel repräsentiert

meinen Wissenstand im Herbst 1997. Es gibt keine Technik ohne Kompromisse. Wenn jemand auf alles eine Anwort weiß, lügt er schlichtweg.

Das Layoutproblem

Die größte Herausforderung für den Web-Designer besteht darin, die Lage der Elemente auf einer Seite so gut wie möglich zu kontrollieren. In einem Seitenlayout-Programm wie Adobe PageMaker kann man Text und Bilder dort plazieren, wo man sie haben will. Man arrangiert sichtbare Elemente und Leerflächen – also Bereiche ohne Vordergrundelemente – indem man die Elemente mit der Maus packt und verschiebt. Das ist die *direkte Manipulation*. Obwohl Programme wie Fusion von NetObjects diese Vorgehensweise übernehmen, ist die zugrunde liegende Sprache HTML schon vom Ansatz her schlecht für ein visuelles Layouten geeignet.

HTML erlaubt Site-Designern solch eine direkte zweidimensionale Manipulation nicht. Der Designer hat keine Ahnung von Bildschirmgröße, Schriftgröße und Schriftart, Anzahl der Farben oder der Verbindungsart des Betrachters. Designer müssen sich auf das konzentrieren, was sie beeinflussen können, und ansonsten auf bessere Standards hoffen.

Die Techniken des Web-Designs ändern sich rapide – die vorliegende zweite Ausgabe dieses Buchs ist der Beweis dafür. Da die fundamentalen Standards des Web immer in Bewegung sind, kann niemand optische Gestaltungswerkzeuge entwickeln, die so stabil sind, daß sie von Nutzen sind. In dem Augenblick, wo uns ein neues Werkzeug in die Hand gegeben wird, haben wir bereits wieder einen neuen Weg zur Gestaltung von Web Sites gefunden. Aus diesem Grund wird das Kodieren von Hand weiterhin die

„State of the art"-Lösung sein – und die Grundlagen dieses Kapitels werden deshalb auch noch für einige Zeit gültig sein.

Hinweis: Beachten Sie den neuen CSS-Leitfaden (Kapitel 11) als völlig neuen Ansatz für die Seitengestaltung durch die Verwendung von Cascading Style Sheets.

Vertikale Leerräme kontrollieren

Gute Typographie benötigt aus Verständnisgründen eine Hierarchie vertikaler Leerräume für das Dokument [4.1]. Weißer Leerraum – der Leerraum zwischen optischen Elementen – ist integraler Bestandteil einer Botschaft. Zeitschriften brechen Absätze in Gruppen mit Unterüberschriften auf; in Unterhaltungsromanen werden fortlaufende Absätze verwendet mit Unterbrechungen nur bei Kapiteln oder Unterkapiteln. In beiden Fällen, so wie in diesem Buch, zeigt der weiße Leerraum an, daß ein Abschnitt endet und ein neuer beginnt. In einer Site der 3. Generation kann der systematische Gebrauch von Leerräumen die Präsentation eines Textes im Hinblick auf Lesbarkeit und Verständlichkeit entscheidend verbessern.

Überschriften

Die Framer im Web gingen davon aus, daß die Leute einfach mit den Tags `<H1>` und `<H6>` die Hierarchie von Überschriften festlegen. Es war Sache des Browsers, die Überschriften in ihrer logischen Hierarchie entsprechend darzustellen. Unabhängig davon, daß der Designer in diesem Szenario überhaupt keine Einflußnahme mehr hat, stellen alle wichtigen Browser die `<Hn>`-Elemente mit zu geringem Zeilenabstand (Leerraum unterhalb der Zeile) dar – weitere typographische

Das geschützte Leerzeichen

Nachdem die 2.0-Browser mehr oder weniger der Vergangenheit angehören, ist das geschützte Leerzeichen ein verbreiteter Hack für weißen Leerraum – etwas weniger ätzend als der alte Trick mit dem blinden GIF. Der Hack wird in diesem Kapitel immer wiederkehren. Bestimmen Sie ein geschütztes Leerzeichen mit   (mit dem Semikolon als Abschluß). Es handelt sich hierbei um ein standardmäßiges HTML-Zeichen, das an sich zwischen Namen stehen, wie zwischen „Sofia" und „Copolla", und diese zusammenhalten soll. Natürlich gibt es diese Funktion immer noch, aber Web-Designer verwenden das geschützte Leerzeichen immer häufiger, um Tabellenzellen geöffnet zu halten und um horizontalen, weißen Leerraum zu erzeugen.

Beachten Sie, daß   in Relation zur Textgröße beim Betrachter steht. Das geschützte Leerzeichen ist deshalb ein meist besseres Tool als das blinde GIF, da fast alle typographischen Maßangaben relativ und nicht absolut sind.

4.2 Browser ohne eine qualitative CSS-Implementierung (einschließlich Netscape Navigator 4.0 und Internet Explorer 3.0) stellen <H n>-Tags mit zu viel Leerraum unterhalb dar. Heutzutage werden die meisten Überschriften als GIF-Text gestaltet.

Feinheiten einmal ganz ausgenommen. Beispielsweise haben gelernte Typographen für Überschriften immer spezielle (leichtere) Schriftschnitte verwendet. An einer Times Roman größer als 14 Punkt erkennt man sofort den Amateur-Typographen.

Designer der 3. Generation legen Überschriften häufig als GIF-Text an [4-2]. So können Sie eine dem Stil der Site angepaßte Überschrift wählen, unabhängig davon, ob diese Schriftart im System des Anwenders vorhanden ist oder nicht. Überschriften gehören häufig zum Markenzeichen bzw. zur Corporate Identity einer Site (*siehe Kapitel 5, „Schriften darstellen"*).

Unterüberschriften

Zu den Unterüberschriften gehören alle untergeordneten kleineren Überschriften. Ich empfehle zwei Möglichkeiten für Unterüberschriften: Machen Sie Unterüberschriften entweder *Fett* und ohne nachfolgende Leerzeile oder als GIF-Text mit etwas vertikalem Leerraum zwischen der Unterüberschrift und dem verbundenen Absatz. Da es den meisten Leuten egal ist, ob die Unterüberschrift nun GIF-Text ist oder nicht (und der Aufwand ziemlich groß ist), ist **Fett** ohne nachfolgende Leerzeile wohl die beste Lösung. Wenn die Implementierung von CSS (Cascading Style Sheets) weiter fortgeschritten sein sollte, werden wir problemlos etwas vertikalen Leerraum einfügen und damit das optische Erscheinungsbild verbessern können. Unterüberschriften, Einzüge, Ränder und enge Spaltenabmessungen sind Gütezeichen der Typographie in Webseiten der 3. Generation.

Obwohl in HTML bis zu sechs Ebenen von Unterüberschriften vorgesehen sind, benutze ich selten mehr als eine. Dieses Buch hat zwei Ebenen von Unterüberschriften, über die jeweilige Unterabschnitte zu größeren logischen Gruppen zusammengefaßt werden. Sie könnten diese Strategie auf einer Webseite anwenden, um Leuten in einem bestimmten Ablauf, den Sie in immer kleinere Schritte unterteilen, etwas zu übermitteln. Normalerweise können Sie aber einfach auf eine neue Seite wechseln, bevor Sie eine Überschrift der zweiten Ebene einsetzen.

Vertikale Leerräume kontrollieren

Absätze sollten nicht durch Leerzeilen unterteilt werden. Zeitschriften gruppieren Abschnitte mit Unterüberschriften; Romane verwenden aufeinanderfolgende Abschnitte mit Abständen nur zwischen Kapiteln oder Unterkapiteln. In beiden Fällen, wie in diesem Buch, sagt Ihnen der Leerraum, wo ein Abschnitt endet und ein anderer beginnt.

In einer Site der 3. Generation verwende ich den <P>-Tag für eine Leerzeile kaum. Stattdessen arbeite ich immer mit einem <BR>. Der <P>-Tag steht für einen Absatz und das allein sollte genügen. Verwenden Sie nur dann den <P>-Tag als Kennzeichnung für einen Absatz, wenn Sie einen CSS-fähigen Browser beschreiben oder wenn es Ihnen egal ist, wie Ihr Text auf dem Browser dargestellt wird. Für die Zukunft hoffe ich, daß ein <P> eher einen Einzug als eine Leerzeile erzeugt.

Die zuverlässigste Methode für das Einfügen eines Zeilenumbruchs ist die Verwendung <BR> und für eine einzelne Leerzeile sollten Sie mit der Zeichenfolge

 arbeiten. Mehrere Leerzeilen erhalten Sie über die Zeichenfolge

 usw. Die geschützten Leerzeichen beinhalten die „Zeilen", die von den
s umbrochen wurden – sie selbst ergeben keine vertikalen Leerräume.

Angenommen, Sie wollen eine Liste, eine Preisangabe oder ein Bild vom restlichen Text absetzen. Statt nun mit Bullets oder Umrandungen zu arbeiten, könnten Sie die Elemente auch mit vertikalen Leerräumen absetzen. In diesem Fall verwenden Sie entsprechend viele Leerzeilen (wie oben beschrieben), um das Element ausreichend vom anderen Text abzusetzen. Jede Stufe in der Hierarchie sollte optisch erkennbar und in der gesamten Site durchgängig gestaltet sein [4.4].

Wenn Sie etwas mehr Zwischenraum nach unten schaffen möchten, verwenden Sie mehrere geschützte Leerzeichen in einer Zeile, getrennt durch
-Tags. Benötigen Sie eine genauere Kontrolle, müssen Sie entweder das Design neu

4.3 Aufgrund der schlechten typographischen Unterstützung in den meisten Browsern werden Unterüberschriften meist als GIF-Text angelegt, um Leerräume besser steuern zu können.

4.4 Typographie der
3. Generation achtet
darauf, daß jeder vertikale Leerraum eindeutig ist
und eine Funktion erfüllt.

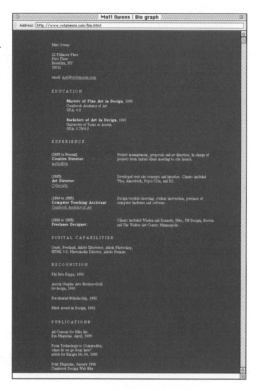

4.5 Ein kleine Auswahl
der häßlichsten horizontalen Linien im Web.

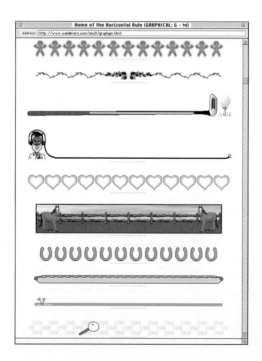

überdenken, ein Bild für die Aufgabe verwenden oder auf den Trick mit dem blinden GIF zurückgreifen, der am Ende dieses Kapitels erklärt wird.

Das sorgfältige Anlegen der vertikalen Leerräume ist besonders wichtig bei der Gestaltung von Formularen, die zu häufig mit Feldern übersät sind und jede Gruppierung oder Hierarchie als Hilfe für den Anwender vermissen lassen (*siehe Kapitel 8, „Ein Schaufenster"*).

Eines der großartigen Dinge an Hypertext ist, daß größere Abschnitte in verschiedene Seiten aufgeteilt werden können, weshalb ich meine Spaltenlängen auf das Maß beschränke, das sich nach meiner Schätzung in etwa einer Minute lesen läßt. Ich versehe die Dinge mit Hyperlinks, die mit meiner eigentlichen Botschaft nichts zu tun haben. In einer nichtlinearen Welt kann ich zwar alle Möglichkeiten offenlegen, dennoch versuche ich, den Anwender in der Hauptstory zu halten. Wenn er zur Nebenstory will, ist das in Ordnung – nur sollte er anschließend einfach zur Hauptstory zurückfinden können.

Durchschuß: Zeilenabstände

Der Raum zwischen Zeilen wird Durchschuß genannt – das Wort kommt aus der Fachsprache der Bleisetzer, die einen schmalen Streifen (Blindmaterial) zwischen die Zeilen „geschossen" haben. Damals in den alten Zeiten (1995 und 1996) haben wir den Durchschuß mit einem billigen Trick erzeugt: Wir haben alle paar Wörter ein 1 Pixel großes GIF eingefügt, sie entsprechend eingestellt und so den „Durchschuß für arme Leute" erstellt. Dieser Hack war so lächerlich, daß nur wenige Leute mit ihm arbeiten wollten. Wir haben noch andere Möglichkeiten für den Durchschuß herausgefunden, aber es lohnte sich nicht sie anzuwenden. Das Web ist für Leerräume zwischen Zeilen einfach noch nicht geeignet. Wenn Sie ein großes GIF-Bild mit einigen Textzeilen haben, fügen Sie Leerraum zwischen den Textzeilen ein, um so das Design zu verbessern. Designer werden erst dann vernünftig mit Durchschuß arbeiten können, wenn die CSS-Implementationen besser werden.

Verstoßen Sie die horizontalen Linien!

Horizontale Linien werden zur Trennung auf Millionen von Webseiten verwendet [4.5]. Horizontale Linien wurden ein beherrschender Teil der Web-Kultur, da Leute mehr weißen Leerraum auf ihren Seiten haben wollten. Nachdem sie diverse <P>-Tags in eine Zeile eingetippt hatten, erhielten sie keineswegs mehr vertikalen Leerraum – sämtliche Tags ergaben nur eine einzelne Leerzeile. Um mehr Leerraum zu erhalten, mußte *etwas* zwischen den <P>-Tags stehen. Man tippte einfach <HR> ein und erhielt mehr Leerraum. Von nun an wurde für Leerraum die Dreierkombination <P><HR><P> eingegeben – und die vielen horizontalen Linien im Web wurden in den Papierkorb geworfen.

In den ersten Browsern gab es keine Möglichkeiten für Absatzeinzüge. Die Programmierer dachten, daß eine Leerzeile zwischen den einzelnen Absätzen ausreichend sei – zumal man sich die Webseiten eh nur auf zeichenorientierten Terminals ansehen konnte.

Als Trennungen sind horizontale Linien und Leerzeilen der optische Schund im Cyberspace. Sie sind nicht notwendig und stören den Textfluß. Schauen Sie sich gut gestaltete Bücher an; die haben keine horizontalen Linien. Gut gestaltete Sites auch nicht. Buchgestalter verwenden manchmal eine nette kleine Vignette, ein Ornament, um Textabschnitte voneinander abzuheben und dem Leser ein kurze Pause zu gönnen, ohne dabei den Lesefluß zu unterbrechen. Im Web können wir stattdessen neue Seiten verwenden.

Vertikale Leerräume, Einzüge und neue Seiten sind die richtigen Werkzeuge für Trennungen, da sie alle mit weißem Leerraum zur entsprechenden Hervorhebung von Text arbeiten.

Horizontale Leerräume

Horizontaler Raum kann eine visuelle Hierarchie einer Seite ausmachen – oder sie zerstören. Der Gebrauch von unsichtbaren Tabellenzellen und Zeichen, von Rändern und Einzügen kann sogar den langweiligsten Text in lesbare Spalten verwandeln [4.6].

Erstellen von Rändern

Webseiten unterscheiden sich auf vielerlei Arten von traditionell gedruckten Büchern – nicht jedoch bei der Darstellung von Text. Nichts kann die Ränder ersetzen, die das Lesen angenehm machen. Bei einer Textspalte hilft ein linker Rand dem Auge

4.6 Die Hierarchie des horizontalen Leerraums: Ränder und Einzüge.

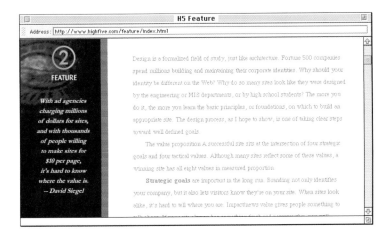

4.7 Verwendung einer Tabelle, um einen festen linken Rand zu erzeugen.

4.8 Einen linken Rand mit HTML erstellen.

```
<TABLE>
  <TR>
    <!-- diese Zelle sorgt f r den linken Rand -->
    <TD WIDTH="180">< </TD>
    <TD><!-- Der Inhalt kommt hier rein --></TD>
  </TR>
</TABLE>
```

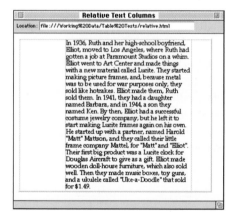

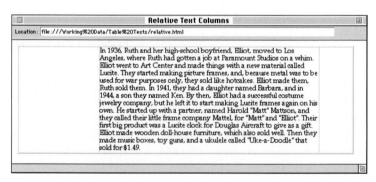

4.9 Relative Textspalten garantieren einen rechten Rand. Die gezeigten Proportionen sind 25 %, 65 % und 10 % der gesamten Seitenbreite. Das erhält beide Ränder unter allen Umständen, führt aber zu engeren Spalten, sobald das Fenster verkleinert wird.

des Lesers, die Anfänge der Zeilen zu finden. Je breiter der Rand, desto stärker wird die Textspalte hervorgehoben. Wenn der Text bis zu den Rändern läuft, kann das Auge einfacher in der aktuellen Zeile zurückgehen oder zwei Zeilen weiterspringen.

In Kapitel 12 erfahren Sie, warum Web-Designer noch für einige Zeit den Text in Tabellen einfließen lassen müssen, um Ränder zu erhalten. Dazu benötigen Sie den Trick mit den unsichtbaren Tabellen: Arbeiten Sie mit Tabellen-Code für weißen Leerraum, aber schalten Sie die sichtbaren Randlinien ab.

Um einen linken Rand zu erstellen, kreieren Sie eine zweispaltige Tabelle, lassen die linke Zelle leer und stellen Sie den Text in die zweite Zelle [4.7]. Wenn die Randlinien abgeschaltet sind, dienen die leeren linken Zellen als Rand. Das ist keine ganz korrekte Technik – Tabellen waren schließlich nicht dafür gedacht, Textbehälter für das Seitenlayout zu spielen. (*In den Beispielkapiteln des 2. Teils finden Sie gute Beispiele dafür, wie breit Sie Ränder zu machen haben.*)

Um die Breite der Randzellen festzulegen, ist der beste Weg, die Zellenbreite in absoluten Werten oder in Prozentwerten anzugeben. Danach fügen Sie einfach ein geschütztes Leerzeichen in die leere Tabelle ein, so daß sie geöffnet bleibt [4.8].

Ein *absoluter Rand* hat immer dieselbe Größe, egal, wie groß oder klein das Browser-Fenster des Betrachters ist. In den meisten Fällen sollte man einen *relativen Rand* zwischen 10% und 20% der Fensterbreite verwenden. Generell sollte der linke Rand *mindestens* ein Fünftel der Breite des Texts haben, vorzugsweise ein Viertel. Alles hängt aber davon ab, wie gut Sie über Ihr Publikum und dessen „Sehumgebung" Bescheid wissen.

Um zentrierten Text zu erstellen, würde ich eine Textspalte normalerweise nicht zentrieren. Ich habe gern ein gute Beziehung zwischen einer Textspalte und ihrem linken Rand. Zentrierter Text ist gut für bestimmte Effekte, z.B. in kurzen Dokumenten wie Einladungen.

Um einen rechten Rand zu erstellen, schließen Sie einfach eine Spalte an der rechten Seite des Textes an. *Eben nicht!* Das wird überhaupt keinen Unterschied machen – wenn Sie rechts von einem Text mit absoluter Breite eine weitere Spalte anfügen. Es gibt keine Möglichkeit, eine rechte Spalte zu garantieren, außer Sie machen die Textspalte relativ (basierend auf Prozentwerten).

Relative Textspalten können in gewissen Situationen funktionieren, besonders, wenn es Ihnen nichts ausmacht, daß sie schmal werden können. Schmale Textspalten sind einfacher zu lesen. Problematisch wird es, wenn Leute ihre Browser-Fenster weit öffnen – Sie wollen keine Textspalte, die über ungefähr 12 Wörter hinausgeht (*siehe unten „Zeilenlänge"*). Wenn Sie relative Spaltenbreite verwenden, um einen rechten Rand zu garantieren, sollten Sie mit einer jeweiligen Zellenbreite von 25%, 65% und 10% beginnen [4.9].

Der Nachteil der rechten Ränder ist, daß bei relativen Textspalten diese je nach Fenstergröße breiter oder enger werden. Das kann in bestimmten Situationen vorteilhaft sein, kann aber zu einer schlechteren Lesbarkeit führen – ein weiterer Grund, die Tabellen sofort zu vergessen, sobald eine bessere Möglichkeit für den Satz zur Verfügung steht.

Zeilenlänge

Viele Computerbenutzer sind an lange Textzeilen und minimale Ränder gewöhnt. Aber gute Typographie macht es dem Leser leicht und ist nicht als Herausforderung gedacht. Lange Textzeilen erschweren es dem Auge, zum linken Rand zurückzukehren und die nächste Zeile zu finden. Im Idealfall sollte jeder Abschnitt aus Zeilen mit 10–12 Wörtern bestehen, doch entzieht sich das der Kontrolle des Web-Gestalters, da er die Buchstabengröße der Web-Surfer nicht kennt.

Macintosh-Gestalter sollten Ihre Buchstaben ein wenig größer als normal einstellen (16 für Fließtext, 14 für nichtproportionalen Text), um sich der durchschnittlichen Buchstabengröße von Windows-Geräten anzunähern.

Die Abstimmung der Zeilenlänge hängt von den „Sehbedingungen" des Betrachters ab, die Sie nicht kennen. Deshalb können Sie den Text entweder ohne Ränder setzen, relative Spaltenweiten verwenden oder schätzen, welches Maß (in Pixel) für Ihre Betrachter am besten ist. Wenn Sie Grafiken mit fester Breite unterstützen müssen (Navigationsleisten, Illustrationen usw.), könnten Sie eine Tabellenzeile mit fester Breite verwenden. Ich verwende häufig Zellen mit der Breite 380 Pixel. Eine Tabellenzelle von 200 wäre eng und alles über 450 ist zu breit für ein einfaches Lesen, es sei denn, Sie wissen, daß Ihr Publikum mit hochauflösenden Monitoren arbeitet.

Relative Textspalten-Breiten eignen sich sicherlich am besten für reine Textseiten, obwohl Sie die Proportionen noch immer selber schätzen müssen. Danach müssen Sie die Seiten mit Leuten aus Ihrer Zielgruppe testen und feststellen, was auf deren Systemen passiert.

Für eine Textspalte mit relativer Breite sollten Sie mit vier Textzellen arbeiten. Eine Zelle besitzt ein absolutes Maß (das minimale) und die nächsten drei sind relativ [4.10 A-C]. So erhalten Sie eine Textspalte, die unter normalen Umständen gut aussieht, erst zusammengezogen wird, wenn das Fenster tatsächlich sehr eng ist, und den Text nicht zu sehr auseinanderzieht, wenn das Fenster weit aufgezogen wird. Sie benötigen zwar einige Zeilen zusätzlichen HTML-Code, aber wenn dieser Hack funktioniert, werden Sie ihn immer wieder verwenden [4.11].

Haben Sie Spalten mit fester Breite, entfernen Sie die letzte leere Tabellenzelle und legen eine Zahl für die Breite Ihrer Textspalte fest, die zur linken zwei identische Tabellenzellen hat. Es gibt noch andere Möglichkeiten, derartige Effekte zu erzielen – experimentieren Sie und suchen Sie sich dann die passenden Lösungen aus (siehe auch „Arbeiten mit Tabellen" später in diesem Kapitel).

Mehrfache Spalten

Verschiedene Sites präsentieren Text in mehreren Spalten. Die Absicht ist klar – nur warum soll dies auf einer Web-Seite passieren? Da einige Leute mit kleinen Monitoren und großen Schriften arbeiten, werden sie dadurch schnell in die Situation gebracht, zum Lesen zurückzuscrollen. Und das ist ein Zumutung, wenn nicht sogar ein Verbrechen. Wenn Ihre Spalten nur wenig Material enthalten, z.B. nur kurze Links, kann ein zweispaltiger Aufbau die Seite wie eine Tageszeitung aussehen lassen [4.12]. Solange sich die Leute in diesen Spalten zurechtfinden, kann dieser Ansatz funktionieren. Ich empfehle allerdings sehr, von einer vertikalen Spaltentrennlinie abzusehen – selbst wenn Sie so clever sind herauszufinden,

A

4.10 A-C Diese vierspaltige Tabelle verwendet eine „harte" und eine „weiche" Spalte, um einen linken Rand zu kreieren. Wenn die Seite normal betrachtet wird (A), hält sie die vorgegebene Spaltenbreite, aber wenn der Browser schmal gestellt wird, verringert sich die Spaltenbreite entsprechend (B). Wird das Fenster weit geöffnet (C), folgt die Spalte dem Fensterrand nicht. Wegen einer Alternative mit drei Spalten siehe Kapitel 9.

B

C

```
<TABLE WIDTH=100% BORDER=1 CELLPADDING=0 CELLSPACING=0>
  <TR>
    <!-- LEERE ZELLE MIT FESTER BREITE -->
    <TD WIDTH=60> </TD>
    <!-- LEERE ZELLE MIT RELATIVER BREITE IN % -->
    <TD WIDTH="10%"> </TD>
    <!-- ANFANG TEXTZELLE -->
    <TD WIDTH="70%"><FONT SIZE="+1"
COLOR="#9999FF"><CENTER><B>DAS ZENTRIEREN! </B>
</CENTER></FONT><BR>HIER STEHT IHR TEXT! </TD>
    <!-- ABSOLUTE LEERE ZELLE -->
    <TD WIDTH="10%"> </TD>
  </TR>
</TABLE>
```

4.11 HTML für eine vierspaltige Tabelle.

73

4.12 Mehrspaltiger Text eignet sich besser für kurze Informationen mit Links (links) als für lange Texte, die gescrollt werden müssen (rechts).

wie eine derartige Linie über die gesamte Länge des Textes angelegt werden kann. Stattdessen sollten Sie mit ausreichend Weißraum arbeiten, damit das Auge des Betrachters in einer Spalte verweilt und nicht versehentlich in die andere Spalte rutscht. Derartiger Weißraum zwischen Spalten wird als *Steg* bezeichnet und dient gleichzeitig als linker und rechter Rand.

Einzüge

Einzüge signalisieren nicht den Anfang eines neuen Absatzes, sondern den Übergang zwischen zusammenhängenden Absätzen.

Verwenden Sie drei bis fünf feste Leerzeichen für die Einzüge der Absätze, die einem anderen Absatz folgen. Versehen

Sie weder den ersten Absatz eines Abschnitts noch einen Absatz, der oberhalb mit weißem Leerraum versehen ist, mit einem Einzug. Ich tendiere dazu, die kleinste Menge an Raum, die sicher erkennbar ist und nicht überlesen wird, zu verwenden. Edward R. Tufte bezeichnet dieses Gestaltungsprinzip als den „geringstmöglichen effektiven Unterschied". Typographen fügen häufig ein *Geviert* für den Einzug ein, wobei ein Geviert als Schriftgröße definiert ist. Deshalb haben Einzüge häufig das gleiche Maß wie der Zeilenabstand, vorausgesetzt, es ist kein Durchschuß vorhanden. Es mag Fälle geben, wo Sie aus stilistischen Gründen tiefere Einzüge wollen – aber die sind selten.

Erst wenn die vollständige CSS-Implementierung zur Norm geworden ist, wird es eine zuverlässige Möglichkeit zur Bestimmung eines Gevierts geben. Bis dahin müssen wir noch die festen Leerzeichen zu Beginn der jeweiligen Absätze einfügen.

Eingezogene Listen

Meiner Ansicht nach haben die Browser bis jetzt die Darstellung von Listen nur sehr schlecht unterstützt. Deshalb verwende ich auch keine HTML-Tags zur Anzeige von geordneten oder ungeordneten Listen. Stattdessen baue ich die Listen visuell auf und habe so die Sicherheit, daß sie so dargestellt werden, wie ich es will.

Ziehen Sie Ihre Listen so wie einen Absatz ein. Das sieht gut aus und unterstreicht die Kerninformation [4.13]. Statt mit Bullets (Blickfangpunkten) zu arbeiten, die für Listen einfach sinnlos sind, unterteilen Sie Listen mit vertikalem Leerraum und kennzeichnen wichtige Elemente durch die Auszeichnung *Fett*.

Wie die horizontalen Linien stehen Bullets für nicht verfügbaren Platz, wenn eine bestimmte Menge Elemente einer Liste auf eine Seite gestellt wird. Bullets kommen aus der Welt des Papiers, wo die Seiten irgendwann enden und Leute versuchen, soviel wie möglich auf eine Seite zu packen.

Bullets sind ein letztes Hilfsmittel für Listen. Sie sind häßlich und relativ nutzlos. Weil sie identisch sind, vermitteln sie keine wirkliche Information. Meine Regel für Bullets ist: auf jeden Fall vermeiden [4.14]. Informationsgestalter können verschiedene Farben oder Formen von Bullets verwenden, um den Status eines Zeileninhalts erkenntlich zu machen, aber das ist nur etwas für die Präsentation von Suchergebnissen und anderem Tabellenmaterial. Eigene, rotierende 3D-Bullets geraten einfach außer Kontrolle.

Leerzeichen zwischen Sätzen

Das Einfügen von zwei Leerzeichen nach einem Punkt ist ein Mythos aus alten Zeiten – wird aber noch immer von älteren Sekretärinnen als Schulweisheit weitervermittelt. Da Browser aufeinanderfolgende Leerzeichen ignorieren, hat das also keine Auswirkungen auf Ihre Webseiten (es sein denn, Sie arbeiten mit dem <PRE>-Tag). Allerdings sind Ihre E-Mail- und Textdokumente schwerer lesbar.

Der Punkt signalisiert in idealer Weise, daß ein Satz zu Ende ist. Der Punkt hat Weißraum über sich – ausreichend, um ihn und das folgende Wort von einem normalen Wortzwischenraum zu unterscheiden. Wenn Sie per Hand schreiben, fügen Sie auch keinen zusätzlichen Leerraum zwischen den Sätzen ein. Und bei Büchern und Zeitschriften ist das ebenfalls nie der Fall – und niemand hat sich bislang beschwert. Warum sollten also für Ihre E-Mail- und Textdokumente Ausnahmen gelten? Nein – mehr Leerraum läßt die Sätze auseinanderfließen und erschwert den Lesefluß – vergessen Sie also sofort die zwei Leerzeichen zwischen zwei Sätzen.

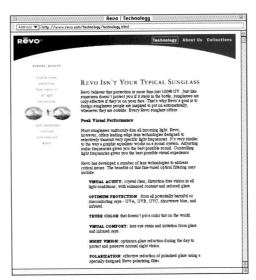

4.13 Eingezogene Listen sehen besser aus als solche mit Bullets.

4.14 Hier ist ein Web-Seite in ihrer normalen Darstellung (links) und nach einer kleinen Überarbeitung – d.h. nach dem Entfernen der Bullets und nach dem Ändern der standardmäßigen Hintergrundfarbe (rechts). Entscheiden Sie selber, welche Seite besser kommuniziert.

Leerräume zwischen Wörtern

Der Wortabstand sollte nicht so groß sein. Eines der ersten Dinge, die man als Typograph beigebracht bekommt, ist, daß der Wortabstand in etwa der Breite des Buchstabens „i" entsprechen sollte. Ein größerer Abstand unterbricht den natürlichen Satzrhythmus. Blocksatz (d.h. die Satzzeilen füllen den Raum zwischen den Rändern völlig aus) vergrößert normalerweise den Wortabstand. Das beeinflußt die Lesbarkeit auf dem Bildschirm erheblich, da der natürliche Leserhythmus unterbrochen wird. Blocksatz ist gut für Romane und umfangreiche Publikationen, aber er muß mit Umsicht angewandt werden – im Web ist kein Platz dafür. Web-Browser trennen nicht und der Algorithmus für ein Zeilenlayout ist so kompliziert, daß die heutigen Browser ihn noch nicht beherrschen. (Der Text in diesem Buch wurde als Flatter- und nicht als Blocksatz gesetzt und ich wette, daß Sie das bisher nicht gestört hat. Linksbündiger Flattersatz ist einfach besser.)

Leerräume zwischen Buchstaben

Der große Typograph Jan Tschichold sagte, daß „guter Satz eng ist". Schriftengestalter lassen bei Kleinbuchstaben nur wenig Fleisch, um sie eng aneinanderzupassen. Wörter sollten zusammenstehen und dabei wiedererkennbare Formen annehmen. Fügen Sie keine Leerräume zwischen Kleinbuchstaben ein, außer Sie wollen sie schwerer lesbar machen.

Dennoch wird heutzutage häufig Leerraum zwischen Kleinbuchstaben angewandt – es scheint modern zu sein. Wenn das für ein Logo geschieht, ist das eine Sache. Aber vergessen Sie es für jeden GIF-Text, der kein Logo ist. Verwenden Sie lieber Großbuchstaben *(siehe Kapitel 5 „Schrift darstellen").*

Offset und Ausrichtung

Im Jahr 1995 wollte ich meine Vordergrundbilder perfekt nach dem Hintergrund ausrichten. Ich versuchte es immer wieder, doch verschoben sie sich andauernd, wenn Leute meine Seiten mit verschiedenen Browsern besuchten. Dies ist das gefürchtete *Browser-Offset-Problem*.

Um sich mein Dilemma auf Ihrem Bildschirm vor Augen zu führen, erstellen Sie das folgende HTML-Dokument [4.15], bei welchem Sie das Bild eines Quadrats in die obere linke Ecke setzen. (Oder besuchen Sie stattdessen die Buch-Site, um eine Demonstrationsseite zu sehen, die Ihnen genau Ihren Offset aufzeigt.)

Das Quadrat wird nicht genau in der oberen linken Ecke sein. Es wird sowohl von oben als auch von der Seite um eine gewisse Anzahl von Pixeln vom blauen Hintergrund wegstehen. Die Anzahl der Pixel hängt von Ihrem Browser ab [4.16 A, B].

Netscape hat lange Zeit ziemlich konstant seine Browser mit einem vertikalen und horizontalen Offset von jeweils 8 Pixeln versehen, obwohl die Gestalter seit zwei Jahren einen Offset von Null fordern. Vielleicht glauben die Leute von Netscape, daß 8 Pixel gut für uns sind und wir damit leben sollten. Bei den Netscape-Browsern sind Fehlausrichtungen zwischen Vorder- und Hintergrund praktisch garantiert – und niemand bei Netscape geht davon aus, daß wir Vordergrundbilder direkt am Fensterrand plazieren wollen.

Microsofts Internet Explorer Team waren die ersten, die die Notwendigkeit einer exakten Ausrichtung erkannten. Sie gestalteten zwei Tag-Attribute für das `<body>`-Element: `LEFTMARGIN` und `TOPMARGIN`. Deren Grundeinstellung ist nicht Null (um mit früheren Browsern kompatibel zu sein), doch gehen sie dorthin, wo noch keine Tags je zuvor hinkamen: zu den Rändern des Browser-Fensters.

Ich kann mir nur vorstellen, daß Netscape ein so intelligentes Attribut nicht honoriert, damit es nicht legitimiert wird

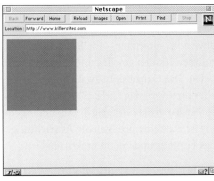

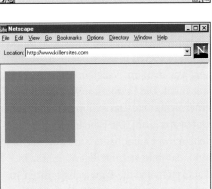

4.16 Praktisch alle Browser haben auf verschiedenen Systemen unterschiedliche Offsets. Beachten Sie den Unterschied zwischen Macintosh (links) und Windows (unten). Alle Netscape-Browser haben ebenfalls unterschiedliche Offsets.

```
<HTML>
  <HEAD>
  </HEAD>
  <BODY BGCOLOR="#CCCCFF">
    <IMG SRC="square.gif">
  </BODY>
</HTML>
```

4.15 Eine gute Möglichkeit festzustellen, ob Ihr Browser automatische Offsets hat.

und somit den eigenen Marktanteil verringert. Das Ergebnis dieser Politik ist, daß es keine guten Möglichkeiten für angeschnittene Grafiken oder eine präzise Ausrichtung zwischen Vorder- und Hintergrund gibt [4.17].

Einige Leute haben das Offset-Problem gemeistert, indem sie ihre HTML-Seite in einen einzelnen großen Rahmen stellen, dessen Breite und Höhe jeweils 100% beträgt. Diese Entdeckung hat anfangs begeistert. Dann kam die Nachricht, daß Netscape-Browser den Rahmeninhalt um etwa 20% versetzten – die Betrachter mußten für den gewünschten Effekt nachladen. Das Ganze sieht zwar cool aus, ist aber unzuverlässig (*siehe „Tabellen verpflichten" später in diesem Kapitel*). Das Endergebnis ist, daß eine pixelgenaue Ausrichtung des Hintergrunds nicht praktikabel ist.

Arbeiten mit Tabellen

Da wir noch eine ganze Weile Text in Tabellen plazieren müssen, sollte man wissen, was man mit Tabellen tun kann und was nicht. Die Framer im Web gingen von einer Syntax zur Darstellung tabellarischer Daten aus [4.18]. Da Tabellen häufig nur sehr schwer aufzubauen und auszurichten sind, hat man sie „intelligent" gemacht. Tabellen haben die Eigenschaft, ihren Inhalt auszugleichen und die Spalten gleich-

mäßig über die Seite zu verteilen. Es wäre großartig, wenn wir diese „Intelligenz" für die Darstellung von Text ausschalten könnten. Da das jedoch nicht möglich ist, versuchen wir unsere Seiten mit der „Try and Error"-Methode zu formatieren.

Wenn wir die 2.0-Browser vergessen, gibt es einfachere Möglichkeiten für die Kontrolle unserer Tabellen. Da die 4.0-Browser dominieren und bald von den 5.0-Implementationen gefolgt werden, bin ich mir sicher, daß es ganz andere Möglichkeiten geben wird, mit denen wir uns auseinanderzusetzen haben. Hier folgt das, was wir bei Verso Labs erreichen konnten (viele normalerweise produktive Stunden wurden aufgewandt, um Ihnen diese Informationen mitteilen zu können).

Ausschalten der Tabellenränder

Viele Site-Designer lassen die Tabellenränder eingeschaltet. Warum? Ich weiß es wirklich nicht. Ich schalte Tabellenränder immer mit dem Attribut BORDER="0" für das Tabellen-Tag aus – und das ist recht einfach.

Es gibt sogar eine Web-Site – www.borderequalszero.com – die Leuten nur zeigen soll, was man mit ausgeschalteten Tabellenrändern machen kann.

Ich möchte in diesem Zusammenhang Todd Fahrner, Design-Techniker bei Verso, zitieren: „Sichtbare Kästen und Raster sind für Formulare, die an bestimmten Stellen Informationen *benötigen*, statt Informationen zu *präsentieren.*"

Generell sollten Sie Kästen bzw. Felder nur dort verwenden, wo jemand etwas eintippen soll. Ansonsten sollten Sie Informationen auf weißer Fläche darstellen.

Ein gut gestalteter Jahresbericht präsentiert die Daten klar und deutlich unter Ver-

4.17 Die Homepage von Verso verwendet einen Frame für den Effekt des vollen Anschnitts, was meistens auch funktioniert.

78

wendung von Schattierungen und guter
Typographie – und nicht mit schweren
Linien mit Zahlen in Feldern. Eine gute
Tabelle zeigt Informationen so sauber wie
möglich. Egal, ob Sie Text oder numeri-
sche Informationen präsentieren, versu-
chen Sie nur ein Minimum dessen zu
zeigen, was Edward R. Tufte als „Präsen-
stationsquatsch" bezeichnet – zusätzliche
Verzierungen, die von den Daten nur ab-
lenken. Tabellenränder zählen zu diesem
Unsinn [4,19]. (Wenn Sie demnächst wie-
der ein Spreadsheet ausdrucken, schalten
Sie die Rasterlinien aus und zeichnen
Überschriften und Summen mit *Fett* aus.
Mal sehen, was Ihnen besser gefällt.)

Tabellen als Textbehälter

Ungezwungene Tabellen versuchen das
Layout für das zu optimieren, was Sie in
die Tabellen gestellt haben. Als Experiment sollten Sie versuchen, eine Tabelle
mit fünf Spalten anzulegen. Stellen Sie
in diese Tabellen Bilder und Text in unter-
schiedlicher Größe und Menge. Überladen
Sie einige Zellen mit zuviel Text oder einem großen Bild. Benutzen Sie das „no-
wrap"-Attribut für Tabellenzellen (`<TD
NOWRAP>`) und beobachten Sie, was
passiert. Stellen Sie Ihr Browser-Fenster
sehr eng ein – die Tabellenzellen haben
die Tendenz elastisch zu sein.

Um die Breite Ihrer Tabellenzellen
kontrollieren zu können, verwenden Sie
entweder relative oder absolute Breiten
[4.20]. Eine relative Zellenbreite bestimmen Sie mit `<TD WIDTH="x%">`,
wobei x der Prozentwert der Tabelle mit
der Zelle ist (das ist kein gültiges HTML,
aber die beiden wichtigen Browser unterstützen Spezifikationen für relative Tabellen). Die *relative Zellbreite* ermöglicht
Ihnen flexible Tabellen, deren Größe sich
mit der Größe des Browser-Fensters

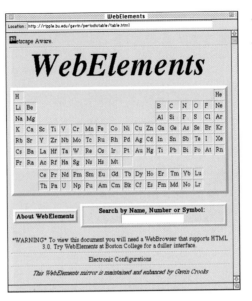

4.18 Tabellen waren für
Illustrationen und, selbst-
verständlich, für tabellari-
sches Material vorgesehen.

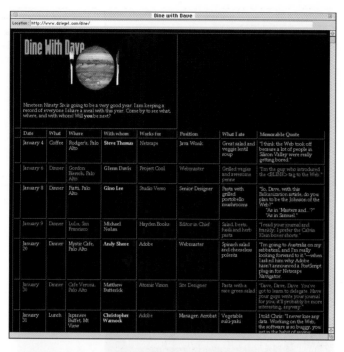

4.19 Das Ausschalten der Tabellenlinien reduziert „Präsentationsquatsch".

ändert. Die *absolute Zellbreite* legt die Breite in Pixel fest. Bei einer Veränderung des Fensters wird die Zelle nicht geändert. Erstellen Sie die folgende Tabelle sowohl mit relativen als auch mit absoluten Zahlenwerten [4.21] und verändern Sie dann die Breite des Browser-Fensters. (Sie können das in der Buch-Site sehen, aber besser ist die eigene Erfahrung.)

Während relative Breiten für die Einstellung einer einzelnen Textspalte annehmbar sind, haben Sites der 3. Generation häufig Grafiken, die vom Beibehalten bestimmter Dimensionen abhängig sind. Um Tabellen zu fixieren, stellen Sie die Breite individueller Spalten mit `<TD WIDTH="x">` ein, wobei x für die Spaltenbreite in Pixeln steht. (Es wäre schön, wenn man die Spaltenbreite auch in Zentimetern oder in Punkt festlegen könnte, doch die Realität sieht eben anders aus). Obwohl ich die Breite einer Tabelle einstellen kann, lege ich normalerweise die Breite jeder Tabellenzelle fest und überlasse es dem Browser, die Tabelle ausgehend von der Summe der Tabellenzellen darzustellen.

Ich bestimme selten die Höhe einer Tabelle oder einer Tabellenzelle. Wie Webseiten sind auch Zellen nach unten hin unbegrenzt. Für die einen von Vorteil, für die anderen ein Nachteil: Tabellen passen sich dem jeweiligen Inhalt an, d.h. sie werden größer oder kleiner. Wenn Sie `<TD VALIGN="BOTTOM">` angeben, rutscht der Inhalt der jeweiligen Zelle nach unten.

Generell sollten Sie relative Zellbreiten innerhalb einer Tabelle, die relativ in Bezug auf die Bildschirmgröße festgelegt ist, verwenden.

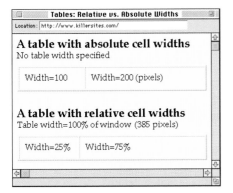
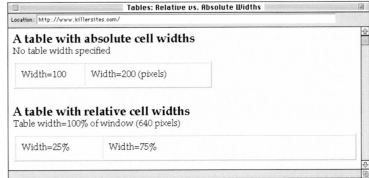

4.20 Absolute Breiten bewahren Spalten vor dem „Zusammenklappen", während relative Breiten sich entsprechend der Größe des Browser-Fensters ändern.

```
<TABLE BORDER="2">
   <TR>
      <TD WIDTH="100">Width=100</TD>
      <TD WIDTH="200">Width=200
      (pixels)</TD>
   </TR>
```

```
<TABLE BORDER="2">
   <TR>
      <TD WIDTH="25%">Width=25%</TD>
      <TD WIDTH="75%">Width=75%</TD>
   </TR>
</TABLE>
```

4.21 HTML für absolute (links) und relative (rechts) Spaltenbreiten.

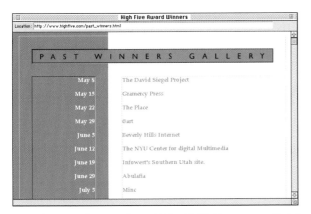
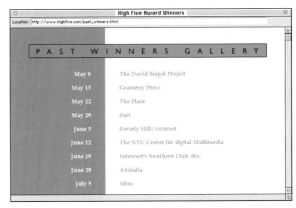

4.22 Die Verwendung von festen Zellen für Weißraum garantiert den nicht veränderbaren Steg. (Laden Sie sich diese Seite und schauen Sie sich den HTML-Code an.)

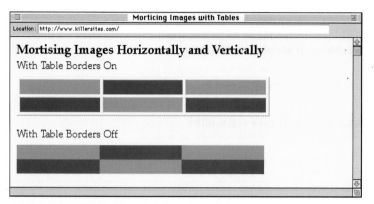

4.23 Angrenzende Tabellen-zeilen mit ein- und ausge-schalteten Randlinien.

Verwenden Sie CELLSPACE und CELLPADDING für Weißraum

Cellpadding beschreibt den Abstand zwischen dem Inhalt einer Zelle und den Umgrenzungen. *Cellspacing* beschreibt den Raum, der jede Zelle umgibt. Diese Tags gelten gleichzeitig für horizontale und vertikale Abstände zu allen Seiten einer Tabellenzelle. Ich verwende Cellspacing häufig, um dort einen Steg zu erstellen, wo ich zwei Spalten um ein ganz bestimmtes Maß voneinander absetzen möchte [4.22]. Das ist besonders nützlich, wenn Formulare zu gestalten sind (*siehe Kapitel 8, „Ein Schaufenster"*).

Verwenden Sie Zellen, um Bilder zusammenzufügen

Wenn Sie zwei Bilder nebeneinander plazieren und zwischen die <IMG>-Tags kein Return einfügen, sind die Bilder eine Einheit mit etwas Raum dazwischen. Wenn Sie dagegen ein Return einfügen, sehen Sie eine Pixelreihe, welche die Bilder voneinander trennt (ich habe die Browser nicht geschrieben, ich beschreibe nur, was sie tun). Wenn Sie Ihre beiden Bilder „zusammenkleben" wollen (z.B. ein animiertes GIF-Bild und ein normales Bild), sollten Sie diese am besten in benachbar-

ten Zellen plazieren und die Randlinien ausschalten [4.23].

Kommen wir zum vertikalen Splice. Zwischen gestapelten Tabellen gibt es immer etwas Weißraum – Zeilen in derselben Tabelle dagegen nicht. Wenn Bilder zusammengefügt werden sollen, plazieren Sie die Bilder in benachbarten Zellen und Spalten; die Randlinien sind ausgeschaltet [4.24A]. Und entfernen Sie aus Ihrem Code alle harten Returns, wie im nächsten Abschnitt beschrieben.

Entfernen Sie harte Returns beim Zusammenfügen von Tabellenzellen

Nun zu den schlechten Nachrichten. Netscape Navigator 3.0 und Communicator 4.0 sind im Vergleich zu 2.0 noch sensibler hinsichtlich Tabellenzellen. Sie müssen für den Effekt alle Returns entfernen. Ich weiß, es klingt lächerlich, was ich sage – doch um heutzutage sicher zu sein, daß Tabellenzellen zusammengefügt werden, **darf sich in keiner Tabellenzelle ein hartes Return befinden.** Mit anderen Worten, entfernen Sie alle Returns zwischen <TD> und </TD>. Das ist richtig. Jede Tabellenzelle, egal, wieviel Information sich in ihr befindet, sollte tatsächlich aus nur einer einzigen Zeile innerhalb der Quelldatei bestehen [4.24B]. In bestimmten Situationen könnten Sie eine andere Möglichkeit finden, doch können Sie sich eine Menge Detektivarbeit ersparen, wenn Sie diesen Standard übernehmen.

Wenn wir heutzutage Sites „per Hand programmieren", bringen wir alle unsere Tabellen in eine einzige Zeile. Sie werden sich bestimmt wundern, wie wir dabei unseren gesunden Menschenverstand behalten. Gut – wir arbeiten mit einem Power-Tool. Das Programm BBEdit (es läuft auf dem Macintosh) hat das Autoformat-Feature, welches den Code automatisch zusammenzieht (d.h. die harten

Returns entfernt). Das Programm kann den Code auch wieder so reformatieren, daß Sie ihn wieder lesen bzw. Änderungen vornehmen können. Mit BBEdit können Sie Ihren Code lesbar halten und dennoch die Dateigrößen minimieren. Auf einer großen mit Tabellen vollgeladenen Seite können die Returns und die Formatierungszeichen bis zu 20% der Dateigröße ausmachen. Das Entfernen dieser Zeichen führt zu einer tatsächlich meßbaren Reduzierung der Dateigröße. Wir haben Seiten gesehen, bei denen durch das Zusammenziehen der HTML-Code um immerhin 10 Kbyte verringert wurde.

Wird Code von Hand geschrieben, anschließend zusammengezogen und dann debuggt, kommt soviel Freude wie beim Überholen des Rasenmähers auf. Es sind Augenblicke wie diese, in denen Sie die Webseite als ein großes GIF-Bild anlegen wollen. Die beste Lösung liegt in der Verwendung eines raffinierten Tools (BBEdit für das Codieren per Hand oder Fusion für Layout); ansonsten sollten Sie sich an diesen Tabellentricks erst gar nicht versuchen. Wenn Ihre Tabellenzellen nicht zusammengehen, entfernen Sie die harten Returns; prüfen Sie anschließend, ob das Problem damit behoben ist.

Hinweis: HTML in diesem Buch enthält Returns zur besseren Lesbarkeit – so, wie BBEdit den HTML-Code formatiert. Diesen Code können wir mit einem einfachen Klick zusammenziehen und „verschicken".

```
<TABLE BORDER="0" CELLSPACING="0"
CELLPADDING="0" WIDTH="450">
  <TR>
    <TD><IMG SCR="./resources/dot_red.gif"
    ALIGN=LEFT WIDTH="150" HEIGHT="50"
    BORDER="0"></TD>
    <TD><IMG SCR="./resources/dot_blue.gif"
    ALIGN=LEFT WIDTH="150" HEIGHT="50"
    BORDER="0"></TD>
    <TD><IMG SCR="./resources/dot_red.gif"
    ALIGN=LEFT WIDTH="150" HEIGHT="50"
    BORDER="0"></TD>
  </TR>
  <TR>
    <TD><IMG SCR="./resources/dot_blue.gif"
    ALIGN=LEFT WIDTH="150" HEIGHT="50"
    BORDER="0"></TD>
    <TD><IMG SCR="./resources/dot_red.gif"
    ALIGN=LEFT WIDTH="150" HEIGHT="50"
    BORDER="0"></TD>
    <TD><IMG SCR="./resources/dot_blue.gif"
    ALIGN=LEFT WIDTH="150" HEIGHT="50"
    BORDER="0"></TD>
  </TR>
</TABLE>
```

4.24A Dieser Code generiert die Tabelle im unteren Teil der Abbildung 4.23, aber nur, nachdem der Code zusammengezogen wurde. Wenn Sie genau dieses Beispiel ausprobieren, wird es in einigen Netscape-Browsern nicht richtig funktionieren.

```
<TABLE BORDER="0" CELLSPACING="0" CELLPADDING="0" WIDTH="450"><TR> <TD><IMG
SCR="./resources/dot_red.gif" ALIGN=LEFT WIDTH="150" HEIGHT="50" BORDER="0"></
TD><TD><IMG SCR="./resources/dot_blue.gif"ALIGN=LEFT WIDTH="150" HEIGHT="50"
BORDER="0"></TD><TD><IMG SCR=" ./resources/dot_red.gif" ALIGN=LEFT WIDTH="150"
HEIGHT="50"BORDER="0"></TD></TR><TR><TD><IMG SCR="./resources/dot_blue.gif"
ALIGN=LEFT WIDTH="150" HEIGHT="50" BORDER="0"></TD><TD><IMG SCR=" ./resources/
dot_red.gif" ALIGN=LEFT WIDTH="150" HEIGHT="50"BORDER="0"></TD><TD><IMG
SCR="./resources/dot_blue.gif" ALIGN=LEFT WIDTH="150" HEIGHT="50" BOR-
DER="0"></TD></TR></TABLE>
```

4.24 B Dieser Code entspricht dem in 4.24A, wobei jedoch alle harten Returns entfernt wurden.

Rechtsbündigen Text erstellen

In jedem grundlegenden Handbuch über HTML steht, daß die Ausrichtung für Text und Bilder funktioniert. Ich benutze die Ausrichtung meist, um Elemente an der rechten Kante einer Tabellenzelle auszurichten, insbesondere bei speziellen typographischen Effekten wie einem Steg oder einem Formular (*in den folgenden Kapiteln sehen Sie unterschiedlichste Anwendungen der Ausrichtung*).

Obwohl rechtsbündiger Text schwerer lesbar ist, kann er in bestimmten Situationen sehr effektiv sein. Es gibt Augen-blicke, wo Sie bestimmten Text innerhalb eines Randes plazieren oder die Ausrichtung von Absätzen auf der Seite einfach wechseln wollen. Experimentieren Sie mit rechtsbündigem Text und schauen Sie sich die Ergebnisse an [4.25].

Verschachtelte Tabellen nach Möglichkeit vermeiden

Denken Sie daran, daß eine Tabelle häufig erst dann angezeigt wird, wenn ihr gesamter Inhalt geladen ist. Deshalb bleiben lange Tabellen mit viel Text oder zusätzlichen

4.25 Rechtsbündiger Text kann, sparsam eingesetzt, sehr effektiv sein.

weiteren Tabellen so lange leer, bis alle Informationen das System des Anwenders erreicht haben. Ich plaziere Tabellen innerhalb von Tabellen nur dann, wenn es sich absolut nicht vermeiden läßt. Ich arbeite mit verschachtelten Tabellen nur dann, um in einen „großen Behälter" mehrere einzelne Tabellen einbringen zu können. Das kann eine gute Alternative zu Frames sein, funktioniert aber nicht so wie Frames. Jede Situation ist anders. Verschachtelte Tabellen sind schwierig zu debuggen, helfen aber in komplizierten Situationen [4.26].

Farbige Tabellenzellen zur Datenpräsentation

Es gibt keine Notwendigkeit für Tabellenränder für die Präsentation von tabellarischen Informationen. Farbiger Text, fette und normale Schrift und pastellfarbene Hintergründe helfen dem Site-Designer der 3. Generation bei der eindeutigen Informationsübermittlung. Man sollte negative Schrift auf dunklem Hintergrund vermeiden, ausgenommen vielleicht für Überschriften. Die folgenden Beispiele zeigen Ihnen einige Ideen für die Präsentation von Informationen unter Verwendung farbiger Tabellenzellen und guter Typographie [4.27].

Der Trick mit dem 1-Pixel-GIF

Als ich mit der Gestaltung von Sites der 3. Generation begann, spielte das 1-Pixel-GIF eine wichtige Rolle. Ich stieß viele Leute vor den Kopf und machte andere sehr glücklich. Ich habe meine Ausführungen über das blinde GIF an das Ende dieses Kapitels gestellt, nicht zuletzt, weil es langsam der Vergangenheit angehört – je schneller, desto besser. Verwenden Sie das durchsichtige Bild von 1 x 1 Pixeln, wenn

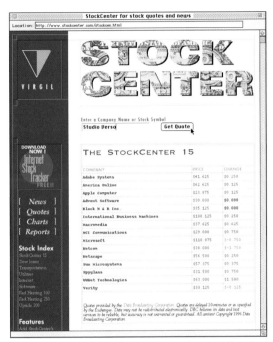

4.26 Verwenden Sie verschachtelte Tabellen, um die Seite in kleinere Bereiche aufzuteilen. Oder bringen Sie alles in eine Tabelle, sofern das möglich ist (Tabellenlinien wurden nur für die Abbildung eingeschaltet).

4.27 Farbige Tabellenzellen können effektiver sein als solche mit Rändern.

Sie etwas plazieren wollen, was so mit einer Tabelle oder einem geschützten Leerzeichen nicht möglich ist. Vergessen Sie aber den Trick mit dem blinden GIF sofort, wenn wir mit Hilfe neuer Techniken wirkliche Layouts erstellen können.

Ich versuche nicht, den Designern der 3. Generation ein Werkzeug wegzunehmen, doch je öfter Sie mit dem blinden GIF arbeiten, desto weniger haben Sie eine tatsächliche Kontrolle. Die 1-Pixel-GIFs haben Nachteile. Sie können manchmal nicht geladen werden. Wenn Sie die Maus auf ein blindes GIF setzen, versuchen der Internet Explorer sowie einige Versionen des Netscape-Browsers den ALT-Text anzuzeigen. Außerdem bringen die blinden GIFs den darunterliegenden HTML-Code durcheinander. Obwohl das 1-Pixel-GIF zu seiner Zeit den Durchbruch brachte und damit einige Killer-Websites erst möglich machte, sollten wir jetzt versuchen, ohne dieses Vehikel auszukommen.

Was ist ein 1-Pixel-GIF?

Da einige Leute dieses Buch gekauft haben, um mehr über den Trick mit dem 1-Pixel-GIF zu erfahren, werde ich den Trick jetzt beschreiben – mit dem Hinweis, daß dieser Trick immer nur ein letzter Ausweg ist.

Obwohl Sie jedes Bild skalieren oder ihm mehr Platz zuweisen können, liegt der Trick darin, daß Sie mit einem transparenten 1-Pixel-GIF arbeiten, um Elemen-

te auf einer Seite zu verschieben. Das 1-Pixel-GIF läßt sich skalieren und wird dadurch x Pixel breit und y Pixel hoch. Durch entsprechenden Leerraum werden so andere Seitenelemente „abgewehrt".

Das mag kompliziert klingen, doch schon nach ein paar Versuchen ist Ihnen die Vorgehensweise klar [4.28 A-C]. Ändern Sie die Zahlenwerte, speichern Sie die Datei und laden Sie die Seite neu. Ich verwende für gewöhnlich HSPACE oder VSPACE, da man sie unabhängig voneinander verwenden kann. Außerdem sind sie sicherer im Gebrauch – sollte ein Browser einmal das GIF nicht transparent darstellen, ist wenigstens nur ein einziges Pixel zu sehen.

In der Book-Site finden Sie viele Beispiele für das blinde GIF und einige davon sind noch immer gültig.

In Kapitel 12, „Strategien für das Übergangsstadium", finden Sie Alternativen für das blinde GIF.

Hier ist eine Möglichkeit für die Positionierung eines Bildes, ohne dazu den Trick mit dem 1-Pixel-GIF anwenden zu müssen. Um die Ausdehnung eines Bildes zu bestimmen, fügt man die Argumente `HSPACE="X"` oder `VSPACE="Y"` im `<IMG>`-Tag ein. Bei `HSPACE="X"` legt der Browser einen Leerraum von x Pixel zu allen vier Seiten des GIFs an. Alle anderen Elemente werden um diese Pixelanzahl „vom Bild entfernt" [4.29 A-C]. Auf diese Weise können Sie Grafiken und Tabellen in Schritten von zwei Pixel positionieren, ohne dabei auf das 1-Pixel-GIF zurückgreifen zu müssen. Diese beiden Argumente können Sie auch getrennt verwenden.

Versehen Sie alle Bilder einschließlich der 1-Pixel-GIFs immer mit den Argumenten `HEIGHT` und `WIDTH`.

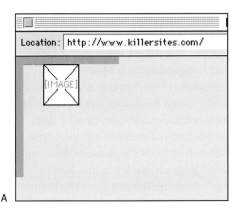

A

```
<IMG SRC="./resource/dot_clear.gif"
HSPACE="10">
```

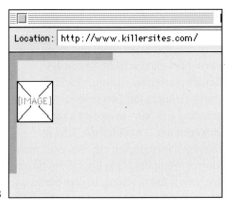

B

```
<IMG SRC="resource dot_clear.gif"
WIDTH="1" HEIGHT="21">
```

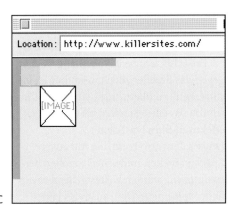

C

```
<IMG SRC="resource dot_clear.gif"
VSPACE="10" HSPACE="10">
```

4.28 A-C (Links) Verwenden Sie das < img >-Tag mit einem 1-Pixel-Bild, um andere Elemente auf einer Seite zu verschieben. Benutzt mit HSPACE (oder VSPACE) (A), hat das 1-Pixel-Bild (hellblau) an beiden Seiten Leerraum, der den Abstand zu den benachbarten Bildern bewahrt. Mit den Attributen HEIGHT (oder WIDTH) (B) wird das 1-Pixel-Bild selbst skaliert und reicht bis an die benachbarten Bilder. Werden die Argumente WIDTH und HEIGHT zusammen benutzt (C), wird das Bild in zwei Dimensionen bewegt.

4.29 A-C (Rechts) HSPACE und VSPACE lassen sich verwenden, um Leerraum um ein Bild herum zu erzeugen, so daß es von anderen Elementen auf der Seite abgesetzt wird. Beachten Sie in diesem Beispiel, daß die Tags HEIGHT und WIDTH die aktuelle Größe des Zielbildes bestimmen und aus Plazierungsgründen nicht geändert werden sollten.

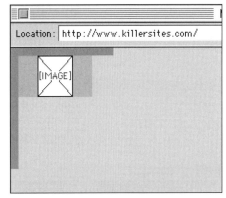

A

```
<IMG SRC="./images/xfile.gif"
HSPACE="20" HEIGHT="40
WIDTH="40">
```

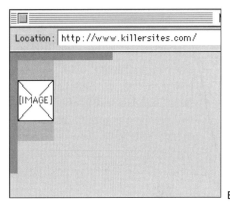

B

```
<IMG SRC="./images/xfile.gif"
VSPACE="20" HEIGHT="40
WIDTH="40">
```

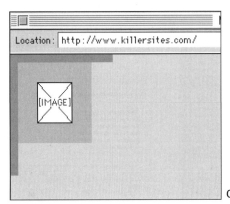

C

```
<IMG SRC="./images/xfile.gif"
HSPACE="20" VSPACE="20"
HEIGHT="40 WIDTH="40">
```

Über das Scrollen

Scrollen (das Abrollen von Seiten, die über den Bildschirm hinausgehen) ist in der traditionellen Gestaltung von User-Interfaces absolut verpönt. So wie es heute umgesetzt wird, ist das nicht verwunderlich. Scrolling ist jedoch nicht grundsätzlich schlecht. Bessere Arten des Scrollens vorausgesetzt,

Probleme mit Tabellen

Wenn Sie mit Hilfe einer Tabelle eine lange Liste darstellen wollen, wird erst alles in der Liste geprüft und dann entschieden, wie breit die Tabelle angelegt wird. Sie sollten vorsichtig sein und nicht zu viele Elemente auf eine Seite und auch nicht in eine einzelne Tabelle stellen. Am besten unterteilen Sie Ihre Tabellen, so daß der Betrachter schnell den ersten Bildschirm sieht – anschließend können Sie mit weiteren Tabellen fortfahren, die dann angezeigt werden, wenn man auf die entsprechende Seite geht. Viele kleine aufeinanderfolgende Tabellen sind immer besser als eine große, umfangreiche Tabelle.

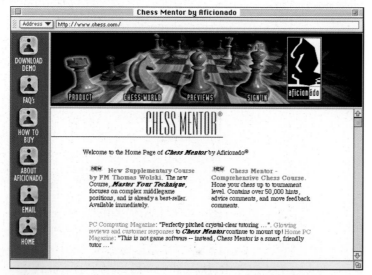

4.30 Frames lassen Sie mehrere Fenster zu verschiedenen Zwecken verwenden. Eine typische Site hat einen Titel-Frame, einen Verzeichnis-Frame und einen Ziel-Frame.

werden Surfer ihre Webseiten ebenso einfach scrollen, wie sie es mit Textdokumenten tun. Wie Allan Cooper es in seinem hervorragenden Buch *About Face: The Essentials of User-Interface Design* herausstellt, sollten Rollbalken ihre Pfeile direkt nebeneinander gruppiert haben – und nicht einen halben Bildschirm voneinander entfernt. Anstelle normaler Scrolling-Mechanismen würde ich eine Schalttafel (als zweidimensionales Äquivalent eines Kippschalters) vorschlagen, die sich unten rechts im Fenster befindet. Die Tafel würde sich an einem virtuellen Angelpunkt im Zentrum befinden, so daß sie auf kleine Mausbewegungen reagiert. Je weiter man die Maus vom Zentrum entfernt, desto schneller würde gescrollt, und wenn man sie ins Zentrum schiebt, würde das Scrolling stoppen. Anwender könnten durch Drücken der Leertaste das Autoscrolling ein- bzw. ausschalten und durch Bewegen der Maus über die Tafel die Scrollgeschwindigkeit erhöhen oder reduzieren. Wenn die Maus die Tafel verlassen hat, stoppt das Scrolling. In dem Maße, wie Hersteller ihre Browser mit mehr Möglichkeiten ausstatten, sollte auch deren Bedienerfreundlichkeit verbessert werden.

Microsoft hat eine Maus mit integriertem Scroll-Rad eingeführt. Ich denke, daß viele Leute in absehbarer Zukunft durch Webseiten scrollen werden.

Tatsächlich habe ich überhaupt nichts gegen das Scrollen, doch wenn nur kleine „Strecken" zu überwinden sind, empfinde ich das „weiche" Scrollen als um einiges effektiver. Sites wie Salon (www.salon1999.com), die mit engen Spalten arbeiten und so das Scrollen herausfordern, werden weitestgehend akzeptiert. Meine generelle Faustregel lautet, Leute nicht mehr als etwa die sechsfache Bildschirmlänge scrollen zu lassen, bevor man ihnen eine neue Seite anbietet.

Einen interessanten Bericht über Scrollen und Anwender, untersucht von der Site Discovery.com, finden Sie in meinem kürzlich erschienenen Buch *Erfolgreich Web-Projekte managen*.

Frames und Framesets

Frames sind ein mächtiges Merkmal des Netscape Navigators 2.0, die das Web um eine Stufe weiterbringen. Frames ermöglichen es Ihnen, mehrere URLS auf einer Seite zu präsentieren und sie nach Belieben zu arrangieren. Unglücklicherweise können sich mächtige Werkzeuge gegen den Anwender richten. Frames sind Gegenstand kontroverser Auseinandersetzungen. Da Designer jetzt die Frame-Rahmen ausschalten können, meine ich, daß Frames ihre Berechtigung haben.

Frames sind ein *Metadokumentformat* – sie stellen mehrere HTML-Dokumente gleichzeitig dar [4.30]. Sie sind kein HTML. Um einen Frame zu erstellen, definieren Sie ein *Frameset*-Dokument, welches eine Anzahl von Frames beinhaltet – Fenster, die wiederum HTML-Dokumente beinhalten. Sie können die relative bzw. absolute Größe der Fenster bestimmen. Zusätzlich können Sie irgendein Standard-HTML einbauen – falls ein Surfer mit einem nicht frame-fähigen Browser auf Ihre Seite zugreift. Sie können die Fenster benennen und als Ziele für Hotlinks verwenden – wenn ein Besucher auf einen Hotlink klickt, erscheint die Ziel-URL in einem anderen Frame.

Frames lassen sich mit einer Scripting-Sprache wie JavaScript manipulieren. Wenn Sie technisch veranlagt sind, können Sie mit einem Klick zwei unterschiedliche Frames beeinflussen (z.B. eine Statusleiste aktualisieren und gleichzeitig ein Dokument im Hauptfenster anzeigen lassen). Der größte Vorteil von Frames liegt im Beibehalten von Informationen – was

Todsünde Nummer Eins
Leerzeilentypographie

In der Typographie der 2. Generation verwenden Web-Gestalter eine Leerzeile, um Platz zwischen Abschnitten zu schaffen – korrekt ausgezeichnet mit den <P>-Tags. In der Typographie der 3. Generation benutzen Web-Gestalter stattdessen Einzüge. In der Typographie der 2. Generation verwenden Web-Gestalter eine Leerzeile, um Platz zwischen Abschnitten zu schaffen. In der Typographie der 3. Generation benutzen Web-Gestalter stattdessen Einzüge – egal, womit diese erzeugt werden.

Wenn Sie eine Leerzeile zur Trennung von Abschnitten verwenden, verliert sie ihre Bedeutung. Sie wird zu einem Satzzeichen. In der Typographie der 3. Generation trennen Einzüge die Absätze voneinander. Die richtige Menge vertikalen Leerraums – vielleicht eine Leerzeile, vielleicht ein wenig mehr – trennt Abschnitte und faßt Absätze für bessere Lesbarkeit zu sinnvollen Gruppen zusammen. Ohne dieses äußerst effektive Tool würden die Leerzeilen die Situation so eskalieren lassen, daß Sie für eine Trennung im Textfluß etwas „Lauteres" (z.B. eine horizontale Linie) einsetzen müßten. Eine derartig grobe Typographie wird noch so lange auf Webseiten zu sehen sein, bis es einfachere Möglichkeiten der Trennung von Abschnitten und Absätzen gibt.

Über Einzüge sagt der große Typograph Jan Tschichold: „Bis jetzt wurde keine ökonomischere oder auch nur annähernd gleich gute Möglichkeit gefunden, um eine Gruppe von Sätzen zu definieren. Und das, obwohl es keinen Mangel an Versuchen gab, eine alte Gewohnheit durch eine neue zu ersetzen."

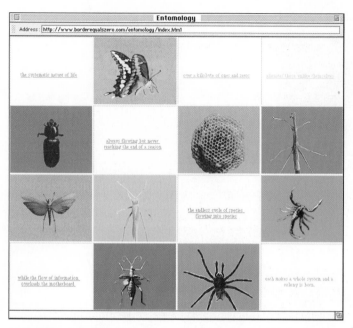

4.31 Intelligent eingesetzt, können Frames eine Navigationshilfe in komplizierten Räumen sein.

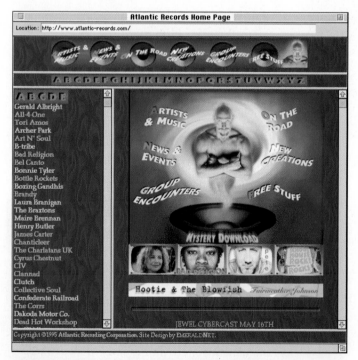

4.32 Sites mit Frames können den Besucher vor Navigationsprobleme stellen. Beachten Sie, daß es in diesem Beispiel nicht weniger als fünf Hauptzonen zum Anklicken gibt.

in einem Frame zu sehen ist, bleibt auch dann erhalten, wenn Sie in einem anderen Frame scrollen oder eine andere Seite besuchen.

Frames können nicht all Ihre Probleme lösen. Mit Frames laden sich mehrere Seiten herunter – das verlangsamt das Surfen. Site-Designer verwenden sie oft, um schlechtes Design oder das Fehlen eines allgemeinen Konzepts zu kompensieren. Gute Designer beginnen jetzt, Frames mit Bedacht einzusetzen.

Es gibt vier Hauptgründe, warum Leute Frames verwenden: zum Spaß, für Layout, für Hierarchien und für Indexe in Datenbanken. Achten Sie darauf, in welcher Kategorie Sie sich befinden, bevor Sie mit dem Tag <FRAMESET> arbeiten. Eine *Hotlist* ist ein Mißbrauch von Frames. Ein guter Einsatz wäre das Präsentieren eines Index für ein *Inhaltsverzeichnis*.

Frames zum Spaß. Frames sind häufig nur ein weiteres Techno-Feature, das die Leute benutzen, damit ihre Seiten „cool" aussehen. Schlechtes Design hoch zehn.

Frames für Layout. Da Sie ab den 3.0-Browsern die Frame-Linien abstellen können, können Sie Frames statt Tabellen für vertikale Ränder einsetzen. Ich hatte bereits darauf hingewiesen, daß Sie sich nie der präzisen Ausrichtung von einem Frame auf den anderen sicher sein können. Dennoch haben einige Designer erfolgreich mit Frames gearbeitet. Es ist schon sinnvoll, eine auf Frames basierende Site der 3. Generation zu gestalten, nur sollte man bei einer derartigen Absicht immer an den doch erheblichen Schwierigkeitsgrad denken. Nur wenige der 50 am häufigsten besuchten Sites im Web arbeiten ausschließlich mit Frames [4.31].

Frames für Hierarchien. Viele Leute verwenden Frames, um Hierarchien zu präsentieren. Ich halte das Konzept der Frames für gut, doch ist das sehr schlüpfriger Boden – seitens des User-Interface – und sie sind für den Gebrauch noch nicht gut genug entwickelt. Viele Sites mit Frames haben von diesen wieder Abstand genommen.

Es ist möglich, eine vollständig auf Frames basierende Site zu konstruieren, so wie ich mit www.highfive.com. Aber ich stelle niemals Frames auf die Titelseite einer Site.

Frames für Indizes. Ich verwende Frames als Index für größere, flache Bereiche mit Daten, die in HTML sonst unhandlich wären, weil sie über zu viele Seiten gehen. Stellen Sie sich vor, Sie hätten einen Katalog für Jojos, in dem 200 verschiedene Arten von Jojos angeboten werden. Wenn Sie einen regulären HTML-Index erstellen – selbst wenn Sie den Inhalt überlegt gruppieren –, würde das dennoch bedeuten, daß Sie eine Menge Seiten durchblättern müßten, um die Jojos durchzusehen. Verwenden Sie in dieser Situation Frames als Fenster in flache Datenbanken hinein *(siehe Kapitel 8, „Ein Schaufenster")*.

Der Jojokatalog ist ein gutes Beispiel für eine flache Datenbank, in der Sie viele Posten mit Beschreibungen vergleichbarer Länge haben. (Wenn sich jeder Punkt noch in mehrere Beschreibungen aufspalten würde, wäre das ein noch komplizierteres Problem, das möglicherweise sogar jenseits der Fähigkeit von Frames liegt.) Frames eignen sich besonders für Katalogseiten, denn so können Sie zwischen Posten hin- und herblättern, um sie zu vergleichen.

Die Sites "High Five" und "Navitel" sind Beispiele für auf Frames basierende Sites. Diese Sites haben nur eine einstufige Hierarchie – die Site-Maps sind also

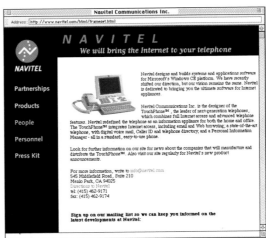

4.33 Diese Sites sind relativ flach. Jede neue Information erscheint in einem neuen Fenster.

Probleme mit Frames

Alle Netscape-Browser – auch die 4.0-Versionen – beinhalten die 20%-Chance, das Vordergrundmaterial innerhalb eines Frames falsch auszurichten. In vielen auf Frames basierenden Sites können Sie diesen Effekt nicht sehen, aber wenn Sie Vorder- und Hintergrund in einem Frame ausrichten wollen, ist die Chance einer falschen Anzeige relativ groß. Vielleicht wird dieses Phänomen nach einigen weiteren Releases abgestellt, doch darauf vertrauen können Sie nicht.

4.34 Frames können sinnvoll sein, wenn Sie mehrere Positionen vergleichen wollen.

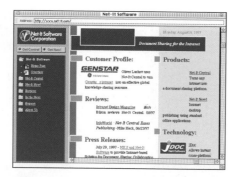

4.35 Diese Site aus „Das Geheimnis erfolgreicher Web Sites" arbeitet mit dem Trick „JavaScript für arme Leute", um einen Indikator anzuzeigen. Mehr sehen Sie in www.secretsites.com.

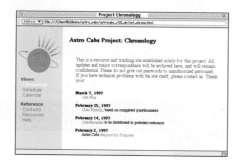

Frame-Magie

Wenn Sie Seiten erstellen, die auf Frames basieren, sollten Sie diese für indiziertes Material verwenden. Definieren Sie diese Seiten immer als "Sackgasse" auf Ihrer Site, nie als Homepage. Stellen Sie niemals Links in Ihren Ziel-Frame, außer wenn diese Links spezielle Zielnamen (oder Java-Skripts) verwenden. Die folgenden „magischen Zielnamen" werden Ihnen helfen, Schwierigkeiten zu vermeiden:

TARGET="_top" beseitigt alle Frames und bringt Sie in einem sauberen Browser-Fenster zur beabsichtigten URL.

TARGET="_blank" öffnet ein zusätzliches sauberes Browser-Fenster, das vor Ihrem aktuellen erscheint.

TARGET="_self" lädt den Link im eigenen Fenster.

TARGET="_parent" lädt den Link im kompletten Fenster, selbst wenn es durch einen anderen Frame betrachtet wird. Die Verwendung dieses Tags beseitigt alle Frames, durch die Leute Ihre Seiten sehen könnten.

relativ flach. Diese Art von Anwendung funktioniert recht gut, besonders wenn sie einfach gehalten und nicht versucht wird, sie auszuweiten [4.33].

Frame-Navigation

Machen Sie aus Ihren Frame-Seiten immer einen Zielpunkt oder eine Sackgasse. Auf der Jojo-Site würde die Katalogseite Frames benutzen, sodaß Besucher auf den Index-Frame klicken und Dinge in dem Ziel-Frame sehen könnten. Wenn die Besucher fertig sind, drücken sie entweder den Zurück-Knopf oder verwenden einen Link, der den Befehl TARGET="_top" enthält, damit sich die Frames auflösen und man wieder auf einer Standard-HTML-Seite ist. Ein derartig umsichtiger Gebrauch von Frames macht Ihre Datenbank erweiterbar und vereinfacht das Vergleichen von Posten im Ziel-Fenster. Versuchen Sie, die Liste der Links im Index-Fenster übersichtlich zu halten (verwenden Sie vertikale Leerräume!), ohne sie zu groß werden zu lassen [4.34].

Viele Leute, die auf Frames basierende Sites eingerichtet haben, waren plötzlich mit der Tatsache konfrontiert, daß sie alle Navigationsmöglichkeiten des Browsers neu erstellen mußten. Grund: Sie stellten fest, daß der "Zurück"-Button nicht das tat, was die Leute in der jeweiligen Situation erwarteten. Deshalb arbeitete man mit JavaScript und anderen Techniken, um eigene "Glanzlichter" zu setzen. Diese wurden auf jeder Seite als Navigationshilfe untergebracht [4.36]. Einige Sites verwenden sogar getrennte Navigationsfenster, um das zu steuern, was im Hauptfenster angezeigt wird.

Eine andere Anwendung für Frames sind Extranets und Intranets. Ein gutes Beispiel für eine Extranet-Site, die mit Frames arbeitet, ist www.secretsite.com.

Das Buch *Das Geheimnis erfolgreicher Web Sites* beschreibt mit der Lösung „Java Script für arme Leute" die Anzeige von Statusinformationen in einem Frame, während gleichzeitig ein neuer Inhalt in einem anderen Frame angezeigt wird [4.35]. Funktionale Sites, mit eigenen Navigationsmöglichkeiten, sind gute Kandidaten für Frames mit ausgeschalteten Frame-Linien.

Die Rolle von Frames kann niemals darin bestehen, Links per Frame anzubieten. Mit anderen Worten, lassen Sie nie die Leute auf einen Link in einem Frame klicken, um die Seite in einem Frame durch eine andere Seite zu ersetzen. Steuern Sie die Links immer über eine gesonderte Navigationsseite und richten Sie Links für ein vollständig neues Fenster ein, das automatisch für die Anzeige weiterer Informationen eingeblendet wird.

Zusammenfassung

Die angemessene Reaktion auf ein Kapitel wie dieses sind ein ungläubiger Blick und die Bemerkung „Muß ein Designer sich all diese Dinge wirklich antun, nur um einige Web-Seiten zu layouten?" Obwohl es dahinter nicht besonders schön aussieht: Mit Hilfe dieser Tricks können tatsächlich die meisten Jobs erledigt werden. Lassen Sie uns das Ganze wirklich nicht als richtige Typographie bezeichnen – aber es ist immerhin besser, als wenn der Browser für uns formatiert.

Der unterscheidende Faktor zwischen der Typographie der 2. und der 3. Generation ist der Grad an Kontrolle, den Site-Designer über die Positionierung von Elementen ausüben.

Referenz

Lesen Sie *The Form of the Book* von Jan Tschichold (Hartley and Marks Publishers, 1991). Er war einer der einflußreichsten Typographen unseres Jahrhunderts. Das Buch ist bestimmt eines der wichtigsten über Typographie und typographische Prinzipien, das je geschrieben wurde. Diese unschätzbare Quelle ist eine Fundgrube an typographischen Tips.

4.36 Viele gute auf Frames basierende Sites mußten ihre eigenen, von Skripts ausgehenden Navigationshilfen entwickeln, um Browser mit Frames vernünftig steuern zu können.

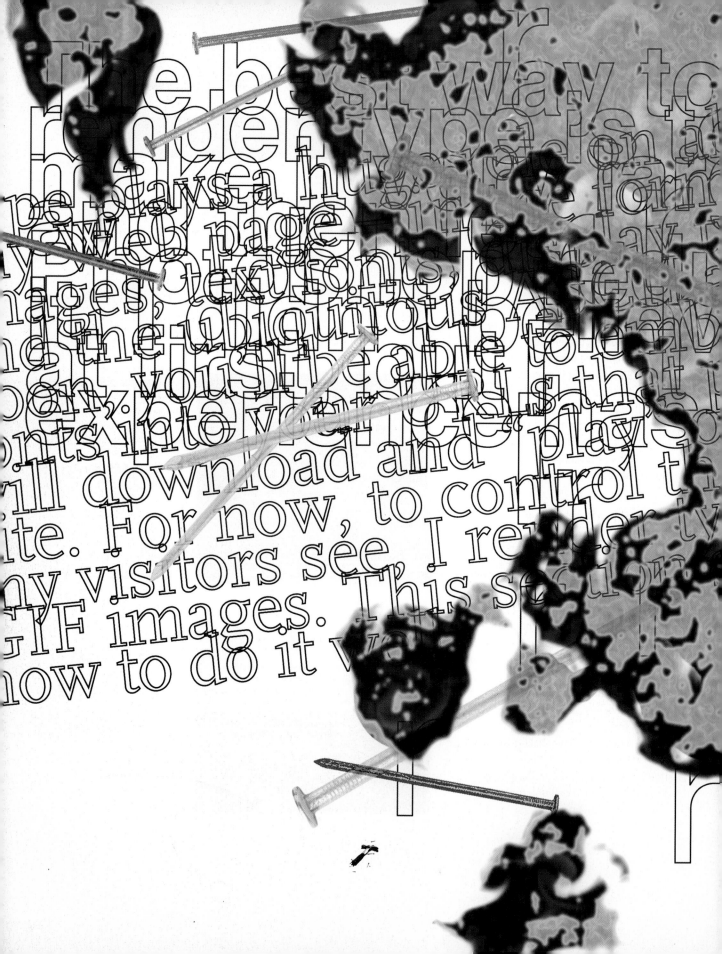

KAPITEL 5

Schriften darstellen

Was Sie in diesem Kapitel erwartet:

Buchstabenausgleich

Schriftenauswahl

Schlagschatten

Bildunterschriften

Kapitälchen

The Balkanization of the Web: Overview

Location: http://www.dsiegel.com/balkanization/intro.html

THE BALKANIZATION OF THE WEB
by David Siegel

> Just as water, gas, and electricity are brought into our houses from far off to satisfy our needs in response to a minimal effort, so we shall be supplied with visual or audiory images, which will appear and disappear at a simple movement of the hand, hardly more than a sign.
>
> —Paul Valery, Aesthetics.

THIS ESSAY IS ABOUT HTML and the underpinnings of the Web. It is about foundations. The web is not a single structure. Because the Web has now "crossed the chasm," from its technical roots to the colorful world of consumers, it can't be extended by any single group or any single philosophy. Marshall McLuhan envisioned a "Global Village," sort of a big tent that included everyone. I claim the tent has already established three main rings: Information, Exchange, and Entertainment. Each needs its own appropriate infrastructure, built on a common foundation. (A quick detour

BERINGER VINEYARDS

Location: http://www.beringer.com/index.html

Beringer.Vineyards

FINE VARIETAL WINES

5.1 Wie man es nicht machen sollte: schlecht dargestellte Schriften.

1:1   BICUBIC REDUCTION

VERSO 48PT **VERSO**

VERSO 36PT **VERSO**

VERSO 24PT **VERSO**

VERSO 18PT **VERSO**

VERSO 12PT **VERSO**

VERSO 9PT **VERSO**

VERSO 7PT **VERSO**

5.2 Besonders bei niedrigen Schriftgraden ist es besser, im Photoshop höhere Schriftgrade anzulegen und diese zu verkleinern, statt den Text gleich in der Endgröße zu setzen – das Resultat ist sauberer. Benutzen Sie unbedingt die bikubische Interpolation dafür.

AUF NAHEZU JEDER WEBSEITE spielt Schrift eine bedeutende Rolle. Man begegnet ihr in vielfältiger Form – in Grafiken, Textfonts, als Schmuckschriften und in den allgegenwärtigen kleinen ASCII-Kunstwerken.

Verglichen mit anderen Grafiktypen ist Schrift ein preiswertes Ausgangsmaterial für immer neue Effekte. Sie benötigen keinen Illustrator, müssen keine Fotos aufnehmen und auch keine eigenen Illustrationen erstellen. Nur mit Schrift können Sie Ihre Seiten interessant machen und ihnen ein unverwechselbares Aussehen geben.

Idealerweise sollten Designer in der Lage sein, Ihre Site mit einem bestimmten Satz von Schriftarten auszustatten – und das bei einer minimalen Übertragungszeit. In der Site würden die Schriften für den Text verwendet werden, die kombiniert, übereinandergelegt, skaliert und eindrucksvoll verzerrt werden könnten – und zwar im Browser. Zusätzlich würden die Schriften so geschützt sein, daß sie weder falsch verwendet noch kopiert werden könnten.

Während wir alle auf diese Ideallösung warten, benutzen wir weiterhin GIF-Bilder mit Buchstaben, machen die Dateien möglichst klein und plazieren die GIF-Bilder mit dem `<img>`-Tag in die Seite. Und genau um diese Methode geht es in diesem Kapitel. Nicht elegant, aber funktionsfähig auf allen grafisch orientierten Browsern.

Verkleinern von Schrift in Photoshop

Ohne Anti-Aliasing (Glätten) sieht Schrift billig aus und ist unausgeglichen [5.2]. Wenn Sie Schrift unter 20 Punkt wiedergeben wollen, legen Sie sie zuerst groß an und verkleinern sie dann in Photoshop mit Hilfe der bikubischen Interpolation [5.2].

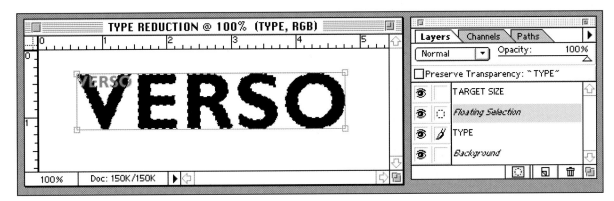

5.3 Verkleinern Sie Text im Photoshop auf die Zielgröße.

Schriftarten hoher Qualität beinhalten Zusatzdaten – sogenannte *Hints*. Sie verbessern die Darstellung niedrigerer Schriftgrade. Photoshop benutzt diese Hints nicht. Tippen Sie eine Zeile voller „m" im Photoshop – sie werden nicht alle gleich aussehen. Mit dem Fortschritt der Technik wird sich auch die Wiedergabe verbessern. Vorerst sollten Sie bei Schriften unter 20 Punkt den Text erst mit ca. 80 bis 140 Punkt erzeugen und ihn dann auf Zielgröße verkleinern [5.3].

Photoshop bietet keine numerische Kontrolle im entsprechenden Dialog *Bild, Effekte, Skalieren* an. Sie können das Problem aber dadurch umgehen, daß Sie eine Ebene mit dem Text in der Endgröße erstellen. Die größere Schrift wird dann auf ihrer eigenen Ebene so lange verkleinert, bis sich beide Schriften decken. Wenn alles paßt, blenden Sie die Hilfsebene wieder aus.

Mach's zuletzt!

Wenn Sie einem guten Schreiner mal bei der Arbeit zugesehen haben, ist Ihnen vielleicht aufgefallen, daß er die Nägel ein Stück herausstehen läßt, bis die Arbeit „abgeschlossen" ist. Wenn alles

Erhalten der Zeichenform

Wenn Sie Adobe Type Manager (ATM) zur Darstellung Ihrer Type-1-Schriften verwenden, sollten Sie im ATM-Kontrollfeld die Option *Erhalten, Zeichenform* auswählen. Andernfalls kann es passieren, daß die Unterlängen der Buchstaben abgeschnitten werden.

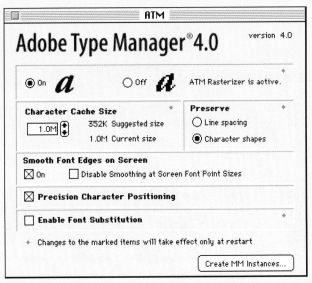

Wählen Sie in ATM immer die Option *Erhalten, Zeichenform*.

97

genau stimmt, werden alle Nägel gleichzeitig „versenkt". Warum? Weil es *wesentlich* einfacher ist, Nägel nochmals heraus-
zuziehen, *bevor* man sie versenkt hat. Das
Gleiche gilt für Web-Sites, besonders,
wenn sie viele Schriftarten haben.

Schrift durch GIFS darzustellen, ist eine
ermüdende Arbeit. Da Änderungen übli-
cherweise auf den letzten Drücker kommen, warte ich auf die Imprimatur, bevor
ich meine Originale erstelle. Strategien
für Änderungen in letzter Minute hängen
von ihrer Anzahl und davon ab, wie flexibel Sie sind, wie weit Sie die Abläufe automatisiert haben und welche Erfahrung
vorhanden ist.

Mach' alle miteinander!

Wann immer es möglich ist, sollten Sie
alle Schriftoriginale für die gesamte Site
von einem einzigen Hauptdokument aus
erstellen. Dann stimmen Größen, Farben, Dicken und Farbzwischentöne (sie
werden für das Glätten benötigt) überein.

**1. Reduzieren (Umwandeln in Indexfar-
ben) des Hauptdokuments auf die
kleinste akzeptable Anzahl von Farben.**

**2. Achten Sie auf die Palette des indi-
zierten Bilds. Wenn Sie in Photoshop auf
indizierte Farben mit der adaptiven Methode reduzieren, werden die ursprünglichen RGB-Werte so verschoben, daß
Sie meist nicht mehr im Farbwürfel
arbeiten. Sie müssen die Palette bzw.
die Schlüsselwerte in der Palette „per
Hand" korrigieren, um wieder die Origi-
nalwerte des Farbwürfels zu erhalten
(siehe Kapitel 3, „Adobe Photoshops
Beschränkungen"). DeBabelizer dagegen verschiebt die RGB-Werte nicht
(siehe Anhang 3, „Bildoptimierung für
das Web", wegen einer automatischen
Methode mit Hilfe von DeBabelizer).**

**Sie können die Farben auch reduzieren,
indem Sie nur mit dem Farbwürfel arbeiten und prüfen, ob Sie annehmbare
Ergebnisse erhalten.**

**3. Wählen Sie jedes einzelne Schriftele-
ment sorgfältig aus. Dabei sollten
notwendige Leerräume mitkopiert
werden, um das Bild optimal auf der
Seite plazieren zu können. Achten Sie
darauf, daß einige Wörter Unterlängen
haben und andere nicht.**

**4. Exportieren Sie GIFS aus dem neuen
Dokument, verwenden Sie exakte Palet-
ten und ordnen Sie aussagekräftige
Dateinamen zu.**

**5. Schreiben Sie die Abmessungen, die
Pfadnamen und die ALT-Attribute der
GIFs in den < i m g >-Tag.**

Für größere Projekte ändere ich
manchmal Schritt 3 und verwende ein
Standardrechteck für alle Elemente. Das
vereinfacht Schritt 5, da dann alle Bilder
die gleichen Maße haben. Sollten die Bilder unterschiedliche Größen haben, ist
es ratsam, eine Liste zu machen, auf der
Sie Namen und Pixelabmessungen der
GIF-Dokumente notieren; Sie werden es
für den HTML-Code brauchen. Wenn Sie
mit der „Automatisierten Schriftaufberei-
tung" (später in diesem Kapitel) arbeiten,
können Sie einen Katalog aller in diesem
Prozeß erstellten Bilder ausdrucken –
einschließlich Dateinamen und Bildabmessungen. Wenn möglich, sollten Sie
die Bildabmessungen auf einige wenige
Standardgrößen begrenzen, um den
HTML-Code sauber und einfach zu
halten.

Protokolliere größere Aktionen!

Photoshop hebt den Text, den Sie tippen,
nicht auf, während Sie arbeiten. Ich habe

Schriftexperimente

Diese Beispiele zeigen, wie Sie mit Schrift in Photoshop „spielen" können, um lustige und interessante Typobilder für andere Grafiken zu erzeugen. Allerdings mit einer Ausnahme: Verwenden Sie niemals Ihr Logo, um daraus ein Relief zu machen und es als Hintergrund auf Ihre Webseiten zu bringen.

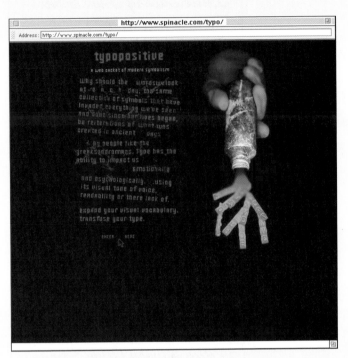

Immer vermeiden: Als Relief angelegte Hintergründe machen jeden Text schwer lesbar.

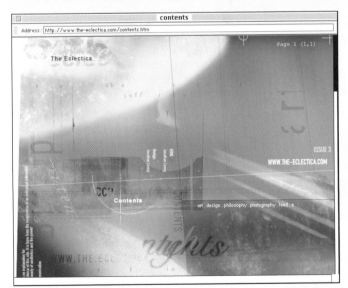

Arbeiten Sie mit verschiedenen Schriften, um Ihrer Site ein unverwechselbares Aussehen zu geben.

5.4 A-D Das gleiche Bild reduziert auf (A) 5, (B) 6, (C) 7 und (D) 8 Farben. Befolgen Sie die goldene Regel, um die kleinste Datei zu erhalten: Niedrig anfangen und bis zur kleinsten, akzeptablen Farbanzahl hocharbeiten.

Tags für Height und Width

Verwenden Sie für alle Bilder immer die HEIGHT- und WIDTH-Tags. Das verbessert die Ladegeschwindigkeit der Seiten, weil der Text in die endgültige Position fließen kann, bevor die Bilder geladen sind. Einige HTML-Bearbeitungswerkzeuge wie BBEdit für Macintosh oder HotDog für Windows tragen die Ausmaße automatisch ein.

meine ganzen Texte immer gern in einem Schreibprogramm, kopiere mir dort heraus, was ich brauche, und füge es in Photoshops *Textwerkzeug-Dialogbox* ein. Dadurch kann ich die Rechtschreibprüfung benutzen und mich darauf konzentrieren, den Text richtig hinzubekommen. Ich kann alte Versionen speichern und Schriftarten schneller auswählen als im Photoshop. Außerdem kann ich die durchgeführten Schritte eines Projekts zusammen mit dem Text notieren. Mit einem solchen Protokoll werden die zwangsläufigen Überarbeitungen ein Kinderspiel.

Einige Designer erstellen alle ihre Schriften im Illustrator (oder FreeHand) als übergroße Entwürfe, die sie dann mit *Kopieren, Einfügen* zur Verkleinerung in Photoshop übertragen. Diese Methode beinhaltet einen zusätzlichen Arbeitsschritt, da es vom Ergebnis her gleich ist, ob man große Schriften direkt in Photoshop erzeugt oder sie erst aus einem Entwurf einfügt. Wenn Sie jedoch Text entlang einer Kurve setzen oder andere Spezialeffekte zuweisen wollen, müssen Sie ihn in der Regel aus einem Programm wie Illustrator importieren.

Verringere Farben, vergrößere zusammenhängende Flächen!

Schrift sieht ohne Ecken und Kanten am besten aus, Glätten jedoch fügt entlang der Kanten viele Zwischentöne ein *(siehe „Glätten" in Kapitel 3)*. Diese wiederum vermindern die Komprimierbarkeit des Bildes und besetzen wertvollen Platz in der Farbpalette. Versuchen Sie immer, mit einem Minimum an Übergangsfarben den glättenden Effekt des Weichzeichnens zu erhalten.

Sie brauchen selten mehr als sechs Zwischentöne, wenn sie Schrift auf einen glatten Hintergrund setzen. Normalerweise brauchen Sie nur vier Zwischentöne. Wenn Sie die zwei Hauptfarben dazuzählen, bedeutet das, daß Sie Schrift immer auf 2 bis 3 Bit Tiefe reduzieren können [5.4 A-D].

Gelegentlich können Sie aufs Glätten völlig verzichten. Wenn Sie große Texte haben und die Dateigröße verringern müssen oder wenn Ihre Schrift sehr klein ist (unter 8 Punkt) oder wenn Sie ein scharfkantiges Aussehen wollen, versuchen Sie es mal ohne Glätten.

Wenn Sie mit kleiner Schrift ohne Glätten arbeiten, können Sie die ungleichmäßigen Wort- und Zeichenabstände in Photoshop vermeiden, indem Sie eine Bildschirmaufnahme (Screen Shot) von Text in einem Textverarbeitungsprogramm importieren und bearbeiten.

Interpolationsmethoden

Interpolation ist das Ausfüllen zwischen zwei bekannten Extremen. Wenn Sie die Bildgröße in Photosphop ändern, addiert oder subtrahiert das Programm die Informationen, um so die endgültige Größe zu erhalten. Wird die Bildgröße reduziert, werden durch Interpolation überflüssige Informationen entfernt, indem zwei oder mehr Pixel zu einem Pixel zusammengefaßt werden. Photoshop glättet intern Schrift, indem ein großes (ungeglättetes) 1-Bit-Bild Ihrer Buchstaben erzeugt und dann mit der integrierten Skalierungsmöglichkeit verkleinert wird. Damit erhalten Sie ein geglättetes Bild, allerdings geschieht nichts Spezielles, um die wichtigen optischen Eigenschaften der Buchstaben beizubehalten.

Photoshop bietet zwei Methoden für die Interpolation: bikubisch und bilinear. Die kompliziertere bikubische Methode liefert eine bessere Qualität und ist deshalb auch die Standardeinstellung in Photoshop 4.0.1. Die bilineare Methode erzeugt eine geringere Qualität und wird nur wegen der schnelleren Verarbeitungsgeschwindigkeit verwendet.

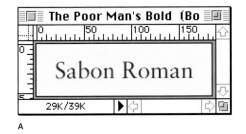

A

B

C

D

5.5 Die normale Dickte (A), kopiert und um ein Pixel nach rechts verschoben (B), mit 50 % Transparenz in der Kopie (C) und mit 25 % Transparenz.

101

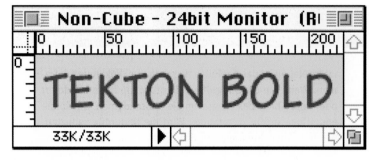

A

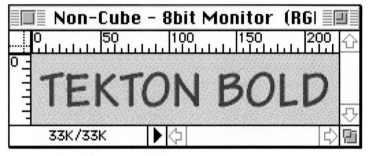

B   **5.6 A, B** So wird eine nicht dem Farbwürfel entsprechende Schrift auf Monitoren mit Tausenden von Farben (A) und mit 256 Farben (B) erscheinen.

Fettschrift für Arme

Wer Adobes Multiple Master Fonts benutzt, kann die Dicke nach eigenen Wünschen manipulieren. Ansonsten können Sie folgenden Trick benutzen, um eine Zwischengröße zu bekommen: Tippen Sie den Text ein und fügen Sie dann eine Kopie genau an der gleichen Position dazu. Durch die Transparenzfunktion von Photoshop werden die Zwischentöne am Rand leicht abgedunkelt. Sie können die Transparenz der schwebenden Auswahl verstellen, um so die Stärke der Buchstaben zu ändern.

Um eine noch größere Dicke zu erhalten, fügen Sie eine weitere Kopie ein, diesmal ein Pixel nach links oder rechts versetzt (das Ergebnis ist jedes Mal das-

selbe) [5.5 A, B]. Das hilft oft, wenn die reguläre Schrift zu dünn und die Fettschrift zu dick oder nicht verfügbar ist.

Dithering beim Client

Sauber gebaute Schrift benutzt Hauptfarben aus dem Farbwürfel, ist geglättet und auf die kleinstmögliche Anzahl von Farbzwischentönen reduziert. Sie brauchen aber nicht jede Farbe Ihres Bildes auf den Farbwürfel zu indizieren. Wenn die Hauptfarbbereiche aus dem Farbwürfel kommen, die Zwischentöne aber zu fein abgestuft sind, werden sie im Browser gedithert, falls mit nur 256 Farben dargestellt wird [5.6 A, B].

Wenn Sie den Benutzer (in diesem Fall das Browser-Programm) Farben dithern lassen (was mit Farben außerhalb des Würfels automatisch geschieht), kommt das den Betrachtern mit mehr als 256 Farben zugute. Mit Systemen der unteren Kategorien wird man den Unterschied nicht sehen [5.7 A1-C1]. Die Dateigröße ändert sich nicht. Das mag in vielen Situationen nicht signifikant sein, aber wenn sich zwischen den Hauptfarben subtile Zwischenfarben befinden, wird das Bild bei den Leuten, die Tausende von Farben darstellen können, besser (*Kapitel 10 zeigt ein gutes Beispiel für diesen Effekt*).

In Photoshop 4.0 wird mit Option *Frei transformieren* zum Skalieren standardmäßig immer die bilineare Interpolation verwendet. Dieses Problem wurde in der Version 4.0.1 behoben, weshalb das entsprechende Update besonders für die Anwender von Interesse ist, die Wert auf eine gute Schriftqualität legen. Das Update, das auch noch andere Verbesserungen enthält, läßt sich kostenlos über www.adobe.com herunterladen.

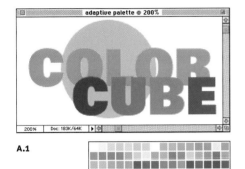

A.1

A.2

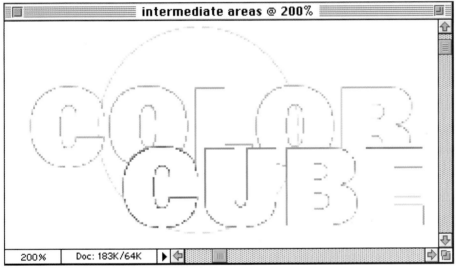

B

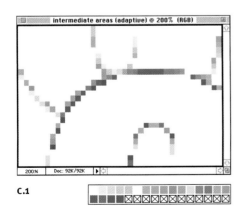

C.1

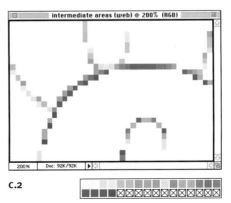

C.2

5.7 Farbbereiche sollten aus dem Farbwürfel kommen (**A1**). Bereiche mit Zwischentönen (**B**) sind Interpolationen der Hauptfarben. Mit Hilfe adaptiver Paletten (**A1, C1**) lassen sich natürliche Zwischentöne erzielen. Das Reduzieren von Farben, wobei der Farbwürfel als exakte Palette verwendet wird, ergibt schlechtere Zwischentöne (**A2, C2**). Betrachter, die sich (**C.1**) auf einem System mit 256 Farben ansehen, erhalten als Ergebnis (**C.2**), da ihr System automatisch die Farben durch die des Farbwürfels ersetzt. Schauen Sie sich dieses Bild in der Buch-Site an oder experimentieren Sie selber, um herauszufinden, ob dieser Effekt für ein bestimmtes Bild vorteilhaft ist oder nicht.

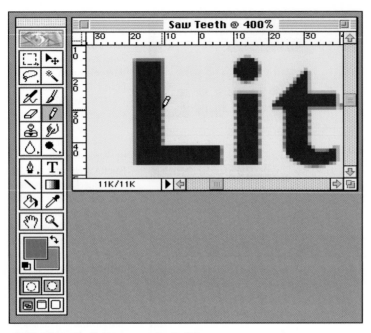

5.8 Eliminieren Sie die Treppen vor der Auslieferung.

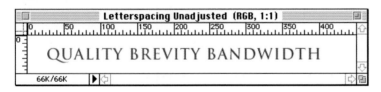

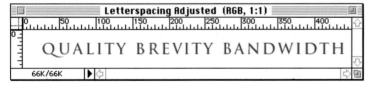

5.9 Buchstabenabstände, vorher (oben) und nachher (unten).

Eine eigene Ebene für die Schrift

Lassen Sie Schrift in Photoshop immer in eigenen Ebenen. Da Photoshop Ebenen automatisch glättet, können Sie so Schrift- und Hintergrundbilder zu jeder Zeit ändern. Wenn Sie den Text in den Hintergrund setzen, verlieren Sie diese Flexibilität.

Manuelles Retuschieren

Manchmal müssen Sie in Photoshop nach der Farbreduktion mit Hilfe des Stifts die Schrift nachbearbeiten. Wenn Sie die Anzahl der Farben nicht mehr weiter reduzieren können, bleiben oft ein paar Restpixel im Bild übrig. Ich vergrößere diesen Bereich und suche nach Unregelmäßigkeiten – wie z.B. Treppen an den vertikalen Rändern – und korrigiere diese manuell [5.8]. Ich korrigiere, fülle und runde „vagabundierende" Pixel ab.

Manchmal muß ich auch eine Kurve manuell glätten. Gerade Linien sind eine Sache; bei Kurven müssen Sie sich jedoch auf viel Zeitaufwand vorbereiten. Natürlich kann man auch Serien und andere Schriftmerkmale an den Kanten mit Zwischentönen versehen – lassen Sie lieber die Finger davon. Wenn Sie zu viel nacharbeiten, wird der ursprüngliche Schriftschnitt nur verschlechtert. Trainieren Sie Ihr Auge. Experimentieren Sie so lange, bis Sie entscheiden können, ob ein manuelles Retuschieren den erforderlichen Zeitaufwand rechtfertigt.

Feinheiten des Buchstabenausgleichs

Gute Typographie heißt gutes Kerning. Gestern wie heute. Bei Wörtern in Großbuchstaben sollten generell Leerräume eingefügt werden – lose, so daß jeder Buchstabe sein eigenes Fleisch besitzt. Wörter, die in Groß- und Kleinbuchstaben gesetzt werden, sollten eng verbunden sein, damit sie als Einheiten erscheinen. Gute Schriftarten beinhalten viele eingebaute Unterschneidungspaare, damit bestimmte Buchstabenkombinationen in Programmen wie PageMaker gut aussehen. Leider kann Photoshop sich dieser eingebauten Intelligenz – den

Kerning-Paaren – nicht bedienen. Sie müssen die Feinplazierung also per Hand vornehmen [5.9].

Eine besonders gute Einführung in weite Bereiche des Schriftdesigns bieten Erik Spiekermann und E. M. Ginger in *Stop Stealing Sheep* (Hayden, 1993). Besuchen Sie die Buch-Site – hier finden Sie eine Liste guter Typographiebücher und Hinweise auf entsprechende Online-Buchläden.

Schlagschatten

Schlagschatten werden oft mißverstanden und völlig überstrapaziert. Die häufigsten Gründe für die Verwendung von Schlagschatten sind, Schrift vom Hintergrund abzuheben, einen „coolen" 3D-Effekt zu erzielen und die Seite ein wenig „hip" zu machen. Der erste Grund ist wohl der wichtigste.

Die besten Schatten dienen dazu, Kanten zu verstärken. Wenn die Schrift und der Hintergrund ähnliche Farben beinhalten, erzeugt ein Schlagschatten die nötige harte Kante, um die Buchstabenränder stärker herauszuheben [5.10]. Die meisten Titelblätter von Zeitschriften verwenden diesen Trick. In diesem Fall brauchen Sie keine großen Schatten.

Schlagschatten können gelegentlich als echte Schatten für 3D-Effekte dienen, aber diese Fälle sollten selten sein. Sites der 2. Generation machen sich oft einen Sport daraus, Überschriften zehn Zentimeter über dem Hintergrund schweben und extrudierte Logos herumfliegen zu lassen. Sites der 3. Generation brauchen keine 3D-Schriften, um einen Effekt zu erzielen.

Um einen Schlagschatten herzustellen, kopiere ich das Objekt in seine eigene Ebene, indem ich es auf das entspre-

Schatten

Wenn Sie für mehrere Formen, die sich auf jeweils einzelnen Ebenen befinden, Schatten erstellen wollen, so können Sie ihn auf einer einzigen Ebene automatisch erstellen. Blenden Sie nur die gewünschten Vordergrundebenen ein (verstecken Sie die Hintergrundebene) und fassen Sie diese Ebenen dann in einer neuen zusammen. Dunkeln Sie diese jetzt einfach ab.

Bedenken Sie, daß Schatten nicht einfach schwarz sind; tatsächlich *verdunkeln sie den Wert des Farbtons* der Oberfläche, auf die sie fallen.

5.10 Schlagschatten können Ihren Seiten eine neue Dimension verleihen. Achten Sie darauf, nicht zu viele Dimensionen auf einmal anzulegen.

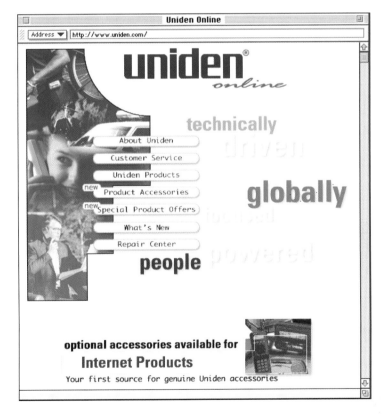

Automatisierte Schriftbearbeitung

Für umfangreiche Jobs haben wir bei Verso diverse Produktionsabläufe automatisiert: Schriftdarstellung, Farbkorrektur, Beschneiden und Vergabe von Dateinamen. Dieser macintosh-basierende Prozeß arbeitet mit Quark oder PageMaker, Adobe Screen Ready (zur Zeit nur für den Macintosh verfügbar), DeBabelizer und AppleScript. Newcomer im Web-Design und in der Produktion von Web-Seiten sollten mit der in diesem Kapitel beschriebenen manuellen Photoshop-Methode starten und sich so mit den grundlegenden Konzepten vertraut machen.

Wenn Sie unter Termindruck stehen, vom manuellen Herumfummeln in Photoshop genervt sind und für umfangreiche Jobs eine gleichbleibende Qualität benötigen, kann dieser automatisierte Prozeß viel Zeit sparen.

Ich zeige nun, wie das Ganze funktioniert, und zwar am Beispiel der Produktion vieler Überschriftenelemente.

1. Bestimmen Sie in Ihrem Layoutprogramm – normalerweise Quark oder PageMaker – eine Seitengröße, die mit der beschnittenen Größe der Überschriftenelemente identisch ist. Wenn Ihre Überschriften z.B. eine Fläche von 380 x 96 Pixel einnehmen, bestimmen Sie auch die Seitengröße mit 380 x 96 Pixel. Es ist kein Problem, wenn Sie die Seitengröße nicht klein genug festlegen können – Sie können das später noch korrigieren.

2. Fügen Sie alle Überschriften in das Textfeld des Seitenlayoutprogramms ein (oder tippen Sie sie ein), getrennt durch Seitenumbrüche, Zeichenumbrüche oder ein hartes Return. Wenn Sie 1000 Überschriften haben, ergibt das ein 1000-Seiten-Dokument.

3. Wählen Sie alles aus und weisen Sie den Überschriften ein vorher definiertes Format zu – Schriftfamilie, Schriftstärke, Schriftgröße, Schriftfarbe usw. Diese Vorgehensweise ist weitaus leistungsfähiger als die Arbeit mit den Textfunktionen in Photoshop.

4. Diese Textdatei ist jetzt Ihre Ausgangsdatei. Beachten Sie, daß Sie in PageMaker die RGB-Werte für die Schriftfarbe definieren und diese Werte dann für den gesamten Prozeß verwendet werden können. Quark 3.x setzt beim Export die RGB-Werte immer in CMYK-Gammut um, was die anschließende Arbeit in DeBabelizer kompliziert – Sie können diesen Farbwert zwar in DeBabelizer korrigieren, was aber nicht nötig wäre, wenn man in Quark die RGB-Werte in EPS-Dateien exportieren könnte.

5. Nachdem Sie das umfangreiche Seitenlayout-Dokument mit den formatierten Überschriften fertig gestellt haben, müssen Sie die einzelnen Seiten als EPS-Dateien exportieren. In PageMaker „drucken" Sie dazu in eine Datei (virtueller Drucker) und legen das Format EPS fest. Da EPS nicht mehrere Seiten unterstützt, erhalten Sie (ausgehend von unserem Beispiel) 1000 einzelne Dateien innerhalb eines Verzeichnisses. In Quark können Sie diese Datei entweder seitenweise manuell oder mit einem AppleScript (frei verfügbar im Internet) alle Seiten in einem Durchgang als EPS-Dateien exportieren (unter www.quark.com finden Sie eine Bibliothek mit Skripten).

6. Konvertieren Sie mit Adobe Screen Ready die EPS-Dateien in hochqualitative, geglättete PICT-Bilder, benannt und durchnumeriert in einem gesonderten Verzeichnis.

7. In DeBabelizer konvertieren Sie die PICTs als Stapel in farbkorrigierte GIFs, indem Sie

Automatisierte Schriftbearbeitung

mit den im Programm zur Verfügung stehenden Palettenreduktions- und Korrekturskripten arbeiten. Falls erforderlich, korrigieren Sie die Größen. In DeBabelizer stellen Sie sicher, daß alle Hauptfarben aus dem Farbwürfel kommen. Eine Möglichkeit ist, anhand eines Bilds eine Palette einzurichten und zu optimieren, um diese dann genau für alle anderen Bilder zu verwenden.

8. Das Ergebnis: Ein Verzeichnis mit 1000 beschnittenen und farbkorrigierten GIFs, die nach einem bestimmten Schema durchnu-

meriert sind. Der gesamte Vorgang benötigt nur einige Minuten und erbringt eine Qualität und Konsistenz, die anders nicht zu erzielen ist. Das Einrichten des Prozesses mag zwar einige Zeit in Anspruch nehmen, aber danach können Sie jederzeit weitere 1000 Bilder verarbeiten – ohne Nerverei und Handarbeit.

9. Drucken Sie in DeBabelizer einen Katalog Ihrer Bilder, um eine Übersicht der Bildinhalte und den jeweiligen Dateinamen und die Dateigrößen zu erhalten.

chende Icon „*Neue Ebene*" ziehe. Durch Reduzieren der Helligkeit und des Kontrasts dunkle ich diese Ebene ab. Dann plaziere ich sie unterhalb der Objektlage und verschiebe sie, bis der Schatten ein Pixel tiefer erscheint. Nachdem ich die Auswahl versteckt habe, verwende ich die Pfeiltasten, um die Schattenebene nach links und rechts zu verschieben, um zu prüfen, welche Richtung die bessere ist. Wenn nötig, gehe ich zwei Pixel – vielleicht drei – runter, aber selten mehr.

Wenn Sie sich einmal für das Aussehen eines Schattens entschieden haben, achten Sie darauf, daß alle Schatten auf derselben Seite gleich aussehen. Wenn ein Schatten nach unten links fällt, sollten alle Schatten nach unten links fallen – versuchen Sie aber nicht, sich den Schlagschatten, die in die Macintosh- und Windows-Betriebssysteme eingebaut sind, anzupassen. Möchten Sie den Effekt mehrerer Lichtquellen erzielen, soll-

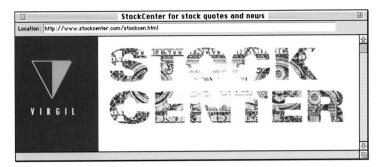

5-11 Ohne den Schlagschatten fließt Schrift in den Hintergrund (oben). Der Zusatz eines schwarzen Schlagschattens (unten) hebt die Schrift hervor.

Investieren Sie in Qualitätsschriften

Wieviele Web-Seiten haben große Banner, die sie als GIFS mit Times Roman darstellen? Versuchen Sie doch mal etwas anderes! Da aber mit dem Sinken der Schriftenpreise auch die Qualität abgenommen hat, sollten Sie nur Schriften kaufen, die für den Grafikdesignmarkt gemacht wurden, nicht diese Sammlungen von 2.000 Schriften auf einer CD-ROM. Billige Schriften sind einfach schlechter und geben Ihren Seiten ein ungleichmäßiges Aussehen. Im Folgenden ein paar Schriften, die ich verwende:

Serifenlose: Avenir, Rotis, Offizina, Univers, Gill Sans, Myriad, Stone Sans, Futura, Syntax, Frutiger, OCRB, Copperplate, Verdana, Meta.

Serifenschriften: Sabon, Galliard, Bauer Bodoni, Walbaum, Stone Serif, Rotis semi-serif, Melior, Serifa.

Schreibschriften: Künstler, Snell Roundhand, Isadora, Mistral.

Ich mag auch Adobes Tekton und Graphite und AGFAs Eaglefeather sehr gern, aber die habe ich schließlich auch selbst geschaffen. All diese Schriften sind gut ausgeführt und lassen sich korrekt darstellen. Multiple-Master-Schriften wie Myriad sind besonders nützlich und geben Ihnen unbegrenzte Dicken und Breiten. Es gibt Hunderte anderer guter Schriften, aber auch Tausende schlechter Schriften.

Schriften gibt es auch online, von Grunge und Goudy bis Ragged und Rigatoni. Heutzutage sind verrückte Schriften „In" – gehen Sie mit diesen Schriften sparsam um, vielleicht mal für ein Logo oder für die Navigation. Einige Designer sind geradezu verliebt in diese verrückten Schriftarten und machen damit ihre Sites nur schwer lesbar.

ten Sie vielleicht das Design noch einmal überdenken – Schlagschatten sind in solchen Situationen selten effektiv.

Wenn Sie einen Schatten für mehrere Formen in verschiedenen Ebenen innerhalb Ihres Dokuments anlegen, können Sie diese auf eine Ebene reduzieren oder in den verschiedenen Ebenen belassen. Ich versuche immer, die Schatten in verschiedenen Ebenen (immer unterhalb des jeweiligen Objekts) zu belassen und verknüpfe dann jede Element-Ebene mit der dazugehörigen Schatten-Ebene. Sollte ich jetzt ein Element verschieben, geschieht das zusammen mit dem entsprechenden Schatten.

Denken Sie daran, daß Schatten nicht schwarz sind; sie dunkeln nur den Tonwert der Fläche, auf die sie fallen, entsprechend ab. Wenn Ihr Hintergrund also gelb ist, sollte der Schatten braun und nicht schwarz sein. Verwenden Sie den Deckkraft-Regler für diese Ebene, um den optimalen Schatten auf dem darunter befindlichen Hintergrund zu erhalten. Die Kanten der Schatten müssen so wie die Kanten der Ausgangselemente geglättet werden.

Initialen

Initialen markieren den ersten Absatz und ziehen die Aufmerksamkeit der Leser auf sich (Studien zeigen, daß der nachfolgende Text häufiger gelesen wird).

Es gibt zwei Arten von Initialen: geschlossene [5.12] und offene [5.13]. Eine *offene Initiale* hat einen transparenten Hintergrund. *Geschlossene Initialen* liegen in Rechtecken, manchmal umrahmt (*Kassetten-Initiale*). Geschlossene Initialen sollten immer in den Absatz eingezogen (*hängende Initiale*) und mit dem Text oben bündig werden. Fügen Sie immer zusätzlichen Raum um den Kasten ein, damit der Text nicht daran klebt. Mit Schmuckschriften geht das am besten.

Offene Initialen können stehend, hängend oder am Rand hängend plaziert werden (möglicherweise in einer anderen Tabellenzelle). Schneiden Sie den rechten Rand sehr nah am Buchstaben ab. Ein „J" gibt eine gute offene Initiale ab, ein „F" nicht, da es zu weit von seinen Nachbarbuchstaben entfernt ist. Wenn der Buchstabe rechts mit Leerraum versehen ist („F", „T", „P" usw.), sollte dieser möglichst klein gehalten werden. Sollte es sich bei der Initiale um das „T" handeln, lassen Sie sie links etwas über den Rand laufen, da sonst der Eindruck eines Einzugs entstehen würde. Seien Sie vorsichtig, offene Initialen, hängend und in der gleichen Farbe, sind eine tückische Art, eine neue Seite zu beginnen. Sie kennen die Schriftgröße des Betrachters nicht – d.h. wenn die Initiale auf Ihrem Bildschirm drei Textzeilen beansprucht, könnte bei anderen dort eine Lücke entstehen. Lassen Sie einen Leerraum am Fuß des Buchstabens, damit die folgenden Textzeilen nicht darangequetscht werden, wenn sie um ihn herumlaufen.

Eine gute Faustregel: Verwenden Sie nie mehr als eine Initiale pro Seite.

Bildunterschriften

Fügen Sie Ihren Fotos und Illustrationen Bildunterschriften bei. Es gibt keinen Grund, sich mit HTML abzumühen – die Bildunterschrift wird sich kaum ändern und kann immer in das ALT-Attribut aufgenommen werden. Eine kleine Zeile unter jedem Bild eines Artikels addiert wenig zur Dateigröße, garantiert das richtige Verhältnis zwischen Bild und Unterschrift und befreit Sie davon, sich

5.12 Initialen können einer Seite ein hochwertiges Aussehen verleihen.

5.13 Eine offene Initiale, die auf der Grundlinie steht.

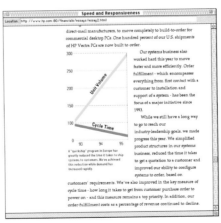

5.14 Bildunterschriften sehen gut aus und kommen nicht abhanden.

109

5.15 Kapitälchen können bei sparsamer Verwendung sehr wirkungsvoll sein.

später darum sorgen zu müssen. Wenn Sie schon nicht wissen, mit welcher Schriftgröße die Leute arbeiten, sollten Sie wenigstens die Bildunterschriften kontrollieren können.

Stellen Sie sicher, daß Sie die Bildunterschriften genau unter (oder neben) Ihr Bild bekommen. Zuviel Leerraum läßt sie abdriften. Fügen Sie nur ein paar Pixel zwischen einer Illustration und ihrer Unterschrift ein. Machen Sie sie fett oder verwenden Sie eine Kontrastfarbe, aber vermeiden Sie Kursive, da diese in geringen Größen auf dem Bildschirm nicht deutlich lesbar sind [5.14]. Machen Sie sich keine Sorgen, wenn Sie Ihrem Bild zusätzliche Farben anfügen; achten Sie nur darauf, daß sie sich leicht komprimieren lassen, indem Sie zusätzliche Zwischentöne löschen.

Und eine Warnung: Versehen Sie niemals ein JPEG-Bild mit einer Bildunterschrift. Entweder legen Sie die Bildunterschrift als separates GIF-Bild an oder Sie verwenden eine Tabellenzelle für den Text.

Kapitälchen

Echte Kapitälchen sind das Kennzeichen eines fortgeschrittenen Typographen. Wenn ein neues Kapitel (oder der Artikel in einem Web-Magazin) mit ein paar Worten in Kapitälchen beginnt, lenkt das die Aufmerksamkeit auf sich und lädt Betrachter ein, die Zeile aufzunehmen und weiterzulesen. Verwenden Sie sie für einen formalen Ton: für Titel, Namen, Briefpapier, Einladungen (Web-Einladungen mit geheimen URLS sind sogar noch lustiger als gedruckte), wichtige Dokumente und anderes [5.15].

Kapitälchen sind in der Regel nur geringfügig höher als ein kleines x (die *x-Höhe*) der entsprechenden Schrift und oft ein wenig breiter als die regulären Versalien. Es gibt vier Möglichkeiten, Kapitälchen in Webseiten einzubringen.

1. Verwenden Sie einen *Größenunterschied* in HTML (`<FONT SIZE=-1>`). Das sieht nicht perfekt aus, da der erste Buchstabe zu dunkel sein wird, aber es läßt sich schnell laden.

2. Sie können auch Kapitälchen in einem GIF-Bild selber bauen. Wenn die gewünschte Schriftart keine Kapitälchen hat, dann stellen Sie Ihre eigenen her. Verkleinern Sie aber nicht einfach die Großbuchstaben. Solche Versalien werden heller sein als die benachbarten richtigen Großbuchstaben und die Zeile wird ungleichmäßig aussehen [5.16]. Verwenden Sie lieber eine Schriftart, von der Sie eine leicht fettere Version zur Verfügung haben – in der Regel halbfett oder eine „book", wie diese Schnitte oft heißen – und zaubern Sie aus normalen Versalien und einem kleineren Schriftgrad der leicht fetteren Verwandten *Kapitälchen für Arme* [5.17].

3. Natürlich ist ein Kauf die beste Möglichkeit für Kapitälchen. Schriftgestalter sorgen dafür, daß sich die Kapitälchen gut mit den normalen Großbuchstaben vertragen. Ich arbeite häufig mit den Kapitälchen der äußerst schönen Schrift Sabon (gestaltet von Jan Tschichold). Die Kapitälchen der Eaglefeather sind ebenfalls hervorragend [5.18].

Bildschirmauflösung

An der Schnittstelle des Browser- und Plattformstreits steht die Bildschirmauflösung. Je mehr Sie darüber wissen, desto engstirniger werden Sie. Es würde ein komplettes Kapitel erforderlich machen, um dieses Thema in allen Einzelheiten abzuhandeln – deshalb an dieser Stelle nur das Wichtigste: Der Macintosh arbeitet mit einem festen Maß von 1 Pixel, der einem Punkt des Druckers entspricht. Deshalb ist eine 12-Punkt-Schrift immer 12 Pixel groß. Löst ein Macintosh-Monitor mit mehr als 72 Punkt per Inch auf, wird eine 12-Punkt-Schrift kleiner dargestellt. Auf dem Macintosh sind ein 72 Pixel hohes Quadrat und ein 72-Punkt-Zeichen immer gleich hoch (relativ zur Bildschirmauflösung).

Windows-Systeme sind etwas komplizierter. Schrift und Auflösung werden getrennt gehandhabt, d.h. ein 72-Punkt-Zeichen ist 72 Punkt groß, selbst wenn die aktuelle Bildschirmauflösung 96 DPI beträgt. Die Windows-Treiber überlassen es normalerweise dem Anwender die Relation zwischen Punkt und Pixel festzulegen. Das ist vorteilhaft für die Anwender und frustrierend für die Designer, deren Aufgabe es ist, Bildgrößen und lebenden Text aufeinander abzustimmen.

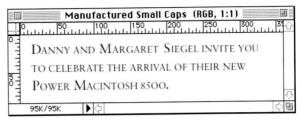

5.16 Selbstgebaute Kapitälchen sehen ungleichmäßig aus.

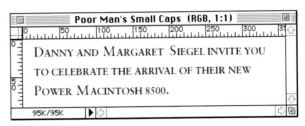

5.17 Verwenden Sie eine etwas fettere Version, um „Kapitälchen für Arme" zu bekommen.

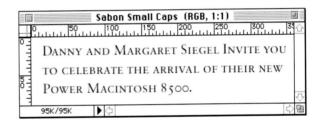

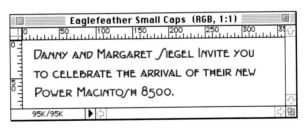

5.18 Die Kapitälchen von Sabons und auch von Eaglefeather passen gut zu den jeweiligen Großbuchstaben.

111

Bessere Browser-Schriften

Egal, ob Sie mit einem Macintosh oder unter Windows arbeiten, Sie werden sich darüber freuen, daß Microsoft zusammen mit den weltweit anerkannten Schrift-Designern Matthew Carter und Tom Rickner (von Monotype) spezielle Schriften für Bildschirmanwendungen entwickelt hat. Die Schriften Verdana und Georgia sind für beide Plattformen verfügbar und können kostenlos von Microsofts Typographie-Site heruntergeladen werden.

Es handelt sich dabei um spezielle TrueType-Schriften als Ersatz für die Browser-Schriften Times Roman und Helvetica (Arial). Sie sollten die Leute motivieren, diese Schriften für Ihren Browser herunterzuladen. Die Schriften lassen sich sogar namentlich in Ihrem HTML-Dokument aufrufen. Mit dem Code `<FONT FACE="Verdana, Arial, Helvetica">` legen Sie fest, daß Verdana die erste Wahl ist. Ist diese Schrift nicht verfügbar, werden der Reihe nach die anderen Schriften gewählt. Sie können auch einfach `<FONT FACE="Verdana">` eingeben; in diesem Fall muß der Anwender die Schrift selber ersetzen.

Laden Sie sich die beiden Fonts von www.microsoft.com/truetype herunter und achten Sie auf die weiteren Entwicklungen von Microsoft und Adobe.

Verdana und Georgia sind kostenlose Schriften und eignen sich hervorragend für Browser.

Das ist ziemlich einfach zu verstehen, entspricht aber nicht genau der Realität. Windows-Anwender können die Anzahl der Pixel pro Inch über das Kontrollfeld festlegen.

Hinzu kommt, daß Mehrfrequenz-Monitore Pixel größer oder kleiner darstellen können, ohne daß das System darüber informiert wird. Welche Folgerung ergibt sich daraus? Die Macintosh- und Windows-Betriebssysteme handhaben die Schriftdarstellung unterschiedlich, basierend auf verschieden Maßeinheiten. Wegen der Mehrfrequenz-Monitore wissen Sie nie, was Ihr Publikum tatsächlich sieht.

Deshalb müssen Web-Designer davon ausgehen, daß der Betrachter seine bevorzugte Schriftgröße und Auflösung nach Belieben einstellt – selbst wenn wir wissen, daß die meisten Anwender die Standardeinstellungen der jeweiligen Browser nie ändern (meist, weil sie um die Möglichkeiten gar nicht wissen). Wenn wir die Schriftart in unseren Web-Seiten festlegen, gehen wir immer davon aus, daß die „normale" Größe (`<font size="3">`) gerade richtig ist. Schriftgrößen verändern wir, indem wir die *relativen* Größenänderungen festlegen. Wir arbeiten also mit `<font size="+1">` und nicht mit `<font size="4">`.

Zusammenfassung

Wählen Sie Ihre Schriftarten umsichtig aus. Geben Sie sich Mühe beim Glätten, achten Sie auf gute Komprimierbarkeit und glattes Aussehen. Und – bleiben Sie beim GIF-Format, bis sich etwas Besseres findet. Ihre Schriften werden immer noch fransig aussehen, aber das ist alles, was wir tun können, bis die Anwender eine höhere Bildschirmauflösung als Standard haben werden.

Schon bald werden Browser in einem HTML-Dokument eingebettete Schriften erkennen können (*siehe Kapitel 12, „Übergangsstrategien"*).

Teil II

KAPITEL 6

Überarbeitung einer Seite

Was Sie in diesem Kapitel erwartet:

Browser Offsets

Glätten

Gekachelte Hintergründe

Seitenstruktur

Kontrolle vertikaler Zwischenräume

Sharon Stargazer's Home Page

Location: http://www.killersites.com/

WELCOME TO SHARON STARGAZER'S HOME PAGE

Hey, what are you doing looking at your computer? You should be looking at the stars. Although I work at a small startup, I spend most of my free time at the Griffith Park observatory cataloging star clusters and measuring nebulae. It's really cool. There's a photo of the observatory here, and some neat star pictures here, and a shot of the 50,000 volt Tesla coil here If you really need to, you can also click here. Thanks.

NEWS FLASH!

- Get your fresh news items here!
- Old news is archived at this link.

ABOUT ME

- My mom says I should get a life and stop surfing the web so much. I told her it's a great way to meet people. If you want to, you can click this link and learn everything you ever wanted to know about me, including my cat, Kepler, and a lot of links to friends pages and more.

SPACE: THE FINAL FRONTIER

- Some day I will find my own Comet and name it Comet Keller. Until then, you can read some of my papers on intrastellar gravity waves.
- Click here for my paper on gravity waves as they affect solar radiation.
- Click here for my paper on perambulating gravity waves.
- Click here for my paper on gravity waves and their influence on the expansion of the universe.
- Click here for my paper on gravity waves and quasars.
- I have a bunch more papers on gravity waves, and they are here.
- I also have some cool space poetry. Check it out!

SPACE LINKS GALORE!

- NASA Ames research
- Hubble Telescope shots
- Russian space links
- Quasar home pages
- Randy's really cool moons
- Big images of satellite photographs of the Sahara - not very good, but they take a long time to download.
- Another cool link

I hope you'll come back for more goodies soon!

Ciao,

SHARON

6.1 Ein typischer Vertreter der 1. Generation.

GUTE SITES werden Seite für Seite aufgebaut. Um die verschiedenen Methoden und Prinzipien der vorhergehenden Kapitel zu illustrieren, werde ich nun von A bis Z durch die Überarbeitung einer typischen Web-Seite gehen. Dies sollte Ihnen einen Ansatzpunkt geben, wie man Projekte präziser und layoutorientierter abwickelt. Statt eine ganze Site (mit Eingangstür, Eingangshalle etc.) zu gestalten, werde ich eine einfache, elegante Homepage erstellen.

In diesem Kapitel möchte ich Arbeitsmethoden der 3. Generation vorstellen und dabei viele Konzepte der vorangegangenen Kapitel an einem realen Beispiel demonstrieren. Folgen Sie mir, und Sie werden sehen, wieviel Kontrolle man über eine Seite bekommen kann.

Für die meisten Homepages der 1. Generation ist eine Überarbeitung wie eine Lotterie mit lauter Haupttreffern. Fast alles wird ihr Aussehen verbessern [6.1].

Diese sich abrollende Seite ist eine „Inhaltsangabe" mit recht wenig Inhalt. Sie spiegelt weder Sharons Begeisterung für Astronomie noch viel von ihrer Persönlichkeit wider. Schwarze Schrift läßt sich auf grauem Hintergrund nur schlecht lesen und der gemusterte Hintergrund macht alles nur noch schlimmer. Es gibt kaum Anhaltspunkte dafür, was einen hinter den Textlinks erwartet, und die Farben sind nicht intuitiv. Die Unart, den Text über die ganze Breite laufen zu lassen, verschlimmert die Seite, je breiter man das Fenster macht, und die horizontalen Linien schlagen dem Faß endgültig den Boden aus. Außerdem lenkt die „List of Links" die Aufmerksamkeit von dem ab, was Sharon selbst zu bieten hat. Sharon braucht dringend eine Site der 3. Generation.

Die Strategie

Statt den existierenden HTML-Code zu überarbeiten, fange ich mit einem frischen „Blatt Papier" ganz von vorne an. Ich möchte ein Hintergrundbild, das das Thema Sterne mit Weiß als Texthintergrund verbindet. Ich werde schrittweise dorthin gelangen, indem ich zuerst einen dunkelblauen Balken entlang der linken Seite plaziere und ihn später überarbeite. Dann stelle ich alles in eine Tabelle und mache ein einfaches Layout ohne Bullets, Horizontallinien und sonstigem HTML-„Schrott". Abschließend bespreche ich ein paar mögliche Zusätze.

Hinweis: Dieses Kapitel wurde gegenüber der 1. Ausgabe überarbeitet. Ich habe die 1-Pixel-GIFs fallengelassen und die Bilder mit Adobe Photoshop 4.0 erstellt.

Das Neudesign

Zuerst kreiere ich ein Hintergrundbild. Dann setze ich ein Vordergrundbild darauf und füge Text ein. Wenn alles soweit steht, kommen noch ein paar abschließende Federstriche. Als Zugabe werde ich den Schaden beheben, der durch voneinander abweichende Browser-Offsets entsteht.

Ein sauberer, kachelnder Hintergrund

Die meisten kachelnden Hintergründe geben der Seite ein Muster. Viele Hintergründe versuchen, einen 3D-Effekt hervorzurufen, der dann den Text stört und ihn über der Seite schweben läßt. Hintergrundbilder können einer Seite aber auch *Struktur* geben. In unserem Fall erzeugt ein blauer Balken am linken Rand einen starken Kontrast zum weißen Bereich und setzt ihn vom unruhigen Durcheinander der Benutzeroberfläche ab. Ich beginne, indem ich ein sehr breites Bild niedriger Höhe erstelle, das sich vertikal im Browser-Fenster wiederholt (kachelt).

Im Photoshop öffne ich ein neues Dokument, 25 Pixel hoch und 1200 Pixel breit. Warum 25 Pixel hoch? Um zu kacheln, würde zwar bereits ein Pixel Höhe ausreichen, aber wenn Sie es einmal mit 1 x 1200 Pixel testen, werden Sie sehen, daß der Browser viel zu lange braucht, um das Dokument wieder und wieder zu duplizieren – es baut sich sehr langsam auf. Es funktioniert zwar, verlangt dem Client-Computer aber zuviel ab. Bei Versuchen habe ich herausgefunden, daß ein 25 Pixel hohes Bild sich schneller laden läßt und schneller abrollt als Bilder anderer Höhen, obwohl der Unterschied zwischen 25 und beispielsweise 20 Pixeln nur sehr gering ist. Mehr als 25 Pixel brauchen zu lange zum Laden, und die GIF-Ausdehnung kann bei großen Hintergrundbildern zu einem Problem werden *(siehe „Bildausdehnung" im Kapitel 3)*.

Die Breite von 1200 verhindert, daß die Grafik sich auf größeren Bildschirmen auch horizontal kachelt. Angenommen, Sie machen sie 600 Pixel breit, dann kann das an Ihrem Rechner gut aussehen, aber auf einem Monitor höherer Auflösung wird ein zweiter blauer Balken rechts vom Text erscheinen. Ich kann dieses Bild problemlos so groß machen, weil sich gleichfarbige Bereiche sehr gut komprimieren lassen [6.2]. Für mich schreiben Kontrast und Kompression für den rechten Bereich die Farbe Weiß fast zwingend vor.

Ich ziehe auf einer neuen Ebene ein Rechteck mit 120 Pixel Breite und färbe

Ebenen verwalten

Halten Sie die Hintergrundebene eines Photoshop-Dokuments immer einfarbig. Alles andere kommt in separate Ebenen, damit man einfach glätten kann und flexibel bleibt.

Bei vielen Werkzeugen ist Glätten die Standardeinstellung – das ist entweder sehr positiv oder schrecklich. So sollten zum Beispiel Ellipsen geglättet werden, Rechtecke jedoch nicht.

Ich achte außerdem darauf, daß ich im RGB-Modus bin, da CMYK nicht für Bildschirmdarstellung gedacht ist, und verwende als Standard-Maßeinheit lieber Pixel als Inch.

6.2 Der linke blaue Bereich bildet durch Kacheln den vertikalen Balken. Machen Sie ihn insgesamt 1200 Pixel breit, um zu verhindern, daß rechts horizontal wiederholt wird.

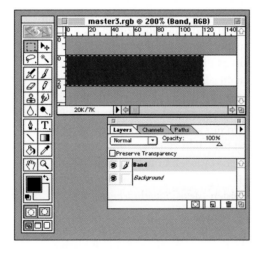

6.3 So sieht der gekachelte Hintergrund im Browser aus.

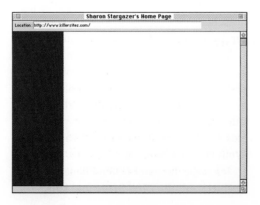

es in dem dunkelsten Blau des Farbwürfels. Dies entspricht dem RGB-Wert von 0, 0, 51 oder hexadezimal ausgedrückt: ("#000033"). *(Wem das unklar ist, der sollte vor dem Weiterlesen bitte „Der Farbwürfel" in Kapitel 3 lesen).*

Ich exportiere das Dokument als ein GIF, wobei ich Interlacing und Transparenz ausschalte. Obwohl es ziemlich breit ist, läßt sich dieses 1 Bit tiefe Bild auf lumpige 374 Byte komprimieren.

Nun zum HTML. Ich tippe den folgenden Code in ein neues Dokument, öffne es mit Netscape – et voilà! [6.3]

```
<HTML>
  <HEAD>
    <TITLE>
      Sharon's Home Page
    </TITLE>
  </HEAD>
  <BODY
BGCOLOR="#FFFFFF"
  TEXT="#000000"
  LINK="990000"
  ALINK="#FFFFFF"
  VLINK="666666"
  BACKGROUND="./
spine.gif">
  </BODY>
</HTML>
```

Ein Banner der 3. Generation

Ich würde gern einen roten Kreis in den Vordergrund stellen, der auf der Grenze zwischen Blau und Weiß zentriert ist. Dadurch unterbricht der Kreis den Verlauf des blauen Balkens und wird über die anderen Elemente gehoben. Optisch wird er dadurch zu einem exponierten Objekt, das das Auge anzieht wie ein brennendes Zündholz. Ich werde Sharons Namen darüberstellen, damit man sofort weiß, wessen Seite es ist.

6.4 Ein Kreis, ungeglättet (links) und geglättet (rechts).

```
<HTML>
  <HEAD>
    <TITLE>
      Sharon Stargazer's Home Page
    </TITLE>
  </HEAD>
  <!-- Seitenparameter -->
  <BODY BGCOLOR="#FFFFFF" BACKGROUND="spine.gif">
    <!-- Anfang Positionierung Roter Kreis -->
    <IMG VSPACE=15 HSPACE=20 WIDTH=80 HEIGHT=80
    SRC="redcircle.gif">
    <BR>
    <IMG VSPACE=15 HSPACE=80 WIDTH=80 HEIGHT=80
      SRC="redcircle.gif">
    <BR>
    <IMG VSPACE=15 HSPACE=140 WIDTH=80 HEIGHT=80
      SRC="redcircle.gif">
    <!-- Ende Positionierung Roter Kreis -->
  </BODY>
</HTML>
```

6.5 Beachten Sie die Verwendung von HSPACE zur Kontrolle der horizontalen Position des Kreises.

(Mir gefällt das besser als **<H1>**, aber das ist nur meine persönliche Meinung.) Ich beginne mit einem Kreis von 80 Pixel Durchmesser – zwei Drittel der Breite des blauen Balkens. Dies sollte ihm ein ausgewogenes Aussehen geben – nicht zu mager, aber auch nicht übermächtig. Ich erstelle ein neues Photoshop-Dokument mit 120 x 120 Pixel – etwas größer als der Kreis. Mit dem entsprechenden Auswahlwerkzeug (das in der Standardeinstellung auf *Glätten* gestellt ist) ziehe ich auf einer neuen Ebene einen roten Kreis. [6.4]

121

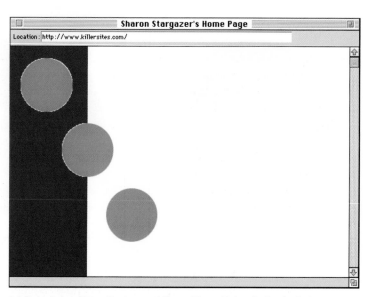

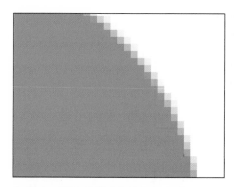

6.7 Dieses Bild enthält viele Farben, um die Kanten weich aussehen zu lassen.

6.6 Steht der geglättete Vordergrund über größeren Farbverläufen, bedarf es genauester Ausrichtung und einschneidender Farbänderungen.

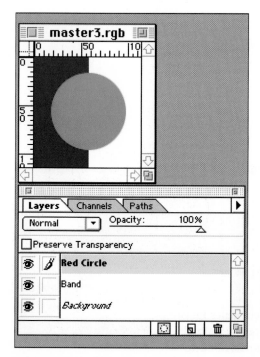

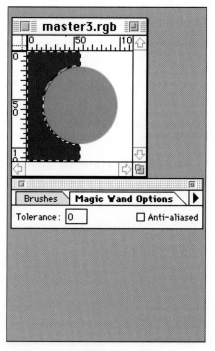

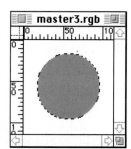

6.10 Markieren Sie alles außer dem Kreis, und kehren Sie dann die Auswahl um.

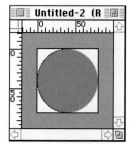

6.8 Stellen Sie jedes Bild auf eine eigenen Ebene, und passen Sie den Kreis genau ein.

6.9 Zuerst werden die Ebenen reduziert, dann wird der blaue Bereich erst ausgewählt und anschließend gelöscht.

6.11 Plazieren Sie die Auswahl in eine neue Datei.

Ich exportiere diesen Kreis als GIF und lege reines Weiß als die transparente Farbe fest. Indem ich die **H S P A C E**- und **V S P A C E**-Argumente verwende, kann ich das GIF in verschiedenen Positionen betrachten [6.5, 6.6].

Was passiert da? Da GIFs nur eine Transparenzstufe unterstützen, sieht die Form durch die fast weißen Pixel (die in Wirklichkeit Tonwerte von Rosa sind) vor weißem Hintergrund ganz gut aus, nicht aber vor blauem. Ich habe den Kreis vor reinem Weiß geglättet, aber der halbe Hintergrund ist blau [6.7]. Das ist das Problem.

Um das GIF ordentlich zu glätten, erstelle ich eine neue Ebene, ziehe ein blaues Rechteck und positioniere den Kreis darüber [6.8].

Beachten Sie: Das Problem mit dem Glätten würde nicht auftreten, wenn wir 256 Transparenzstufen (8 Bit) hätten – GIFs ermöglichen es uns, nur eine Farbe (1 Stufe) transparent zu machen.

Ich reduziere die Ebenen. Nun möchte ich die großen blauen und weißen Bereiche loswerden, um den geglätteten Kreis wieder in mein anderes Dokument übernehmen zu können. Dazu bedarf es dreier Arbeitsschritte. Zuerst markiere ich den blauen Bereich mit dem Zauberstab *ohne Glätten* und einer Toleranz von Null [6.9].

Als zweiten Schritt füge ich die weiße Fläche zur Auswahl hinzu, indem ich mit der Umschalttaste und dem Zauberstab auf den weißen Bereich klicke [6.10]. Ich kehre die Auswahl um und erhalte so den geglätteten Kreis.

Der dritte Schritt besteht lediglich noch im Kopieren und Einfügen des Kreises in ein neues Dokument. Dieses ist gerade groß genug für das kopierte Bild [6.11] – ist ja auch unsinnig, zusätzlich unsichtbare Pixel mitzuschicken.

Unter Verwendung der in Photoshop 4.0 enthaltenen Web-Farbpalette – sie entspricht dem Farbwürfel – reduziere ich dieses Bild auf acht Farben *(siehe*

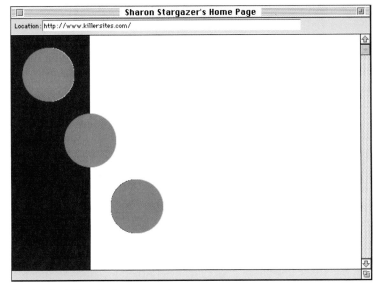

6.13 Auf die richtige Plazierung kommt es an.

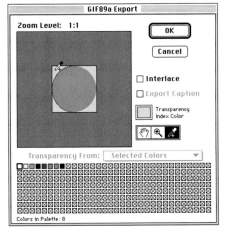

6.12 Mit dem GIF89a-Exportmodul von Photoshop kann man eine einzige Farbe als Transparenz definieren.

123

6.14 Serifenlose Schriften sind auf dem Bildschirm generell besser lesbar.

„*Verminderung der Dateigröße*" *in Kapitel 3)*. Damit wird automatisch auf die Farben Schwarz, Weiß und Rot sowie vier dazwischenliegende Farben aus dem Farbwürfel reduziert. Dadurch bleiben zum Glätten gerade noch genug Rottöne. Dann exportiere ich es als GIF und lege wieder Weiß als die transparente Farbe fest [6.12].

Ich ersetze den alten Kreis durch den neuen (dabei verwende ich denselben Dateinamen, um das Getue mit HTML zu vermeiden) und schaue mir das Ganze wieder an [6.13].

Leider ist das Glätten von Vordergrundbildern nicht immer so einfach – tatsächlich wird alles nur noch komplizierter. Nun aber möchte ich als nächstes Sharons Namen vor den Kreis setzen. Ich kehre zu Photoshop zurück und erweitere die Bildgröße auf der rechten Seite um ein paar hundert Pixel, um Platz zu schaffen.

Um das saubere Aussehen der Seite zu ergänzen, experimentiere ich mit ein paar serifenlosen Schriftarten und setze den Namen dabei in Groß- und Kleinbuchstaben. Gill Sans Fett mit einer Laufweite von +6 ist eine meiner Favoritinnen [6.14]. Serifenlose Schriften sind in der Regel eine gute Wahl, weil viele der Serifen-Schriften Merkmale haben, die durch Glätten ziemlich verschwom-

men wirken (*weitere Informationen finden Sie in Kapitel 5, „Schriften darstellen"*).

Der Text

Nun zu den Tabellen. Auf der Seite befinden sich zwei Haupttabellen, eine für die Überschrift und die andere für den Text. Beide sind ziemlich ähnlich – die linke Zelle der Überschriftentabelle ist 70 Pixel breit, während die linke Zelle der Texttabelle 135 Pixel breit ist. Statt mit 1-Pixel-GIFs zu arbeiten, verwende ich geschützte Leerzeichen für den Zwischenraum zwischen diesen Tabellen und den fetten Unterüberschriften.

Schauen Sie sich den Code für diese Tabelle genau an [6.15]. Sie werden sehen, wie ich vertikalen Raum für das Seitenlayout verwende und Bullets (Blickfangpunkte) durch gute Typographie ersetze. Wenn Sie so eine Seite aufbauen, können Sie die Breite der linken Zellen anpassen und gleichzeitig die entsprechenden Änderungen sehen. Jede Modifikation ist sauber und einfach.

Zum Schluß erstelle ich ein GIF mit Sharons Unterschrift in einer Schriftart namens Shelley (*siehe „Retuschieren per Hand" in Kapitel 5*) und füge es in die Seite ein. Das gibt einen netten Touch, der nicht viel Arbeit macht. Eine andere Möglichkeit wäre gewesen, Sharons

```
HTML>
   <HEAD>
     <TITLE>
        Sharon Stargazer's Home Page
     </TITLE>
   </HEAD>
   <BODY LEFTMARGIN=0 TOPMARGIN=0 BGCOLOR="#FF3300"
   TEXT="#666666" LINK="#CC0000" ALINK="#FF3300"
   VLINK="#330099" BACKGROUND="./images/spine.gif">
      
     <BR>
      
     <BR>
     <TABLE BORDER="0" CELLPADDING="0" CELLSPACING="0"
     WIDTH="431">
     <TR>
        <TD WIDTH="70">
           
        </TD>
        <TD ALIGNMENT=LEFT WIDTH="361">
           <IMG SCR="./images/header.gif" ALIGHN=TOP
           WIDTH="361" HEIGHT="86" BORDER="0" VSPACE="5">
        </TD>
     </TR>
   </TABLE>
   <BR>
   <!-- Anfang der Tabelle -->
   <TABLE BORDER=0 CELLPADDING=0 CELLSPACING=0 WIDTH=485>
     <TR>
        <TD WIDTH=135>
            
           <BR>
        </TD>
        <!-- Diese "leere" Zelle nutzt das br als Fueller -->
        <TD WIDTH=350>
           Hey! What are you doing looking at your computer?
           You should be out looking at the stars. This
           month, look for Mars near the horizon just after
           sunset. It's the big red one!
           <BR>
            
           <BR>
            
           <BR>
           <B>
             News Flash
           </B>
           <BR>
            
           <BR>
           I am having an astronomy party! Come as your
           favorite constellation! Read my
             <A HREF="./me/invite.html">
```

6.15 Die Tabelle für diese Seite ist einfach. Der linke Rand ist 135 Pixel breit. (Betrachten Sie dazu auch die Illustration 6.16 auf der nächsten Seite.)

125

```
digital invitation</A>
to see if you're invited! (hint: if you're in
the Milky Way, you're invited.)
<BR>
 
<BR>
 
<BR>
<B>
    <A HREF="./me/index.html">
    About Me</A>
</B>
<BR>
 
<BR>
Everything you ever wanted to know about me and
my life looking at the stars. You'll find some of
my favorite
<B>
    <A HREF="./me/people.html">
    people</A>
</B>
here, too. You'll also see work by other
researchers,
  <A HREF="./me/mills.html">
  Dan Mills</A>
,
  <A HREF="./rosenblatt/index.html">
  Stacy Rosenblatt</A>
,
  <A HREF="./keller/index.html">
  Tatjana Keller</At>
,
  <A HREF="./shulman/index.html">
  Rebecca Shulman</A>
, and
  <A HREF="./powers/index.html">
  Richard Powers</A>
  . Check them out!
<BR>
 
<BR>
 
<BR>
<B>
  <A HREF="./space/index.html">
  Space: The Final Frontier</A>
</B>
<BR>
 
<BR>
Some day I will find my own comet and name it
<B>
```

```
      Comet Stargazer
    </B>
    . Until then, you can read some of my papers on
      <A HREF="./waves/index.html">
      interstellar gravity waves.</A>
    <BR>
     
    <BR>
    <B>
      <A HREF="./poems/index.html">
      Space Poetry</A>
    </B>
    <BR>
     
    <BR>
    Images of space come in several flavors. I have a
    large collection of
      <A HREF="poems/index.html">
      space poetry</A>
    that grows every day. Submit your own poem for my
    collection!
    <BR>
     
    <BR>
     
    <BR>
    I hope you'll come back for more space goodies
    soon!
    <P>
    Ciao,
    <BR>
     
    <BR>
    <IMG SRC="./images/signature.gif" ALIGN=TOP
    WIDTH="213" HEIGHT="38" BORDER="0">
  </TD>
  </TR>
  </TABLE>
 </BODY>
</HTML>
```

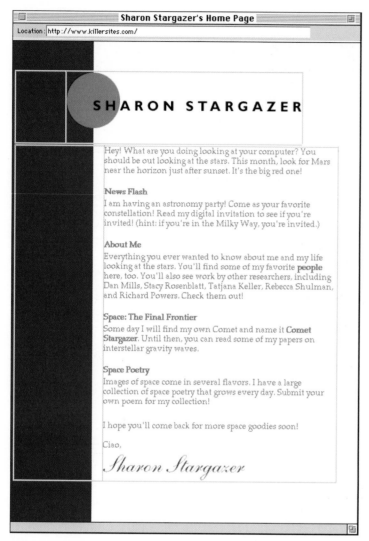

6.16 Das sieht doch schon ganz gut aus.

6.17 Viele copyrightfreie Bilder finden sich in Sites der US-Regierung, wie z.B. hier bei der NASA. Sie sollten aber unbedingt zuvor die Bestimmungen lesen.

eigene Unterschrift einzuscannen, aber Sharon – oh weh! – existiert gar nicht.

Den Rahmen aufmöbeln

Nun, da die Seite steht [6.16], bin ich soweit, sie zu verbessern. Mir gefällt das Aussehen zwar so, aber es ist nicht besonders astronomisch. Um mich inspirieren zu lassen, schaue ich kurz zur NASA-Site und finde dort eine altbekannte, eindrucksvolle Aufnahme der Erde [6.17].

Die Copyright-Bestimmungen der NASA sagen, daß ich das Bild für Sharons Seite verwenden darf. Die Erde soll den roten Kreis ersetzen und der blaue Balken mit Hilfe von ein paar Sternen das All repräsentieren.

Nun kommt der schwierige Teil: die Erde von ihrem Hintergrund zu trennen, so daß ich sie sauber glätten kann. Wenn ich ein Bild aus einer Fotografie freistelle, verwende ich lieber das Auswahlwerkzeug als den Zauberstab. In einem Foto sind in der Regel zu viele feine und unregelmäßige Farbabstufungen.

Ich stelle eine weiche Auswahlkante mit einem Pixel ein [6.18], schneide sie aus, füge sie in ein neues Dokument ein

und reduziere die Erde auf die Größe des roten Kreises: 80 Pixel im Quadrat [6.19].

Ich importiere die Erde in mein Haupt-RGB-Dokument im Photoshop. Ich füge das Bild ein, wobei Photoshop 4.0 automatisch eine neue Ebene erstellt. (Wenn ich das Bild indiziere, reduziert Photoshop alle vorhandenen Ebenen auf eine Ebene.) Ich speichere mein Hauptdokument, blende den roten Kreis ab, reduziere auf eine Ebene, indiziere das Bild und exportiere es als ein neues Dokument. Da ich das Erdbild mit weicher Auswahlkante ausgeschnitten habe, wird es automatisch das dunkelblaue Weichzeichnen links und das weiße rechts übernehmen [6.20]. Holen Sie die Schrift zurück und – hoppla! [6.21]

Nun haut das mit der Schrift nicht hin. Sie braucht eine neue Farbe. Da gibt es einen netten Trick: Über das entsprechende Icon dupliziere ich mir schnell die Ebene. Hier markiere ich nur das Bild, wähle ein schönes Ocker aus dem Farbwürfel aus *(der bequem in meiner Farbauswahl abgelegt ist; für Details siehe „Der Farbwürfel" in Kapitel 3)* und fülle die Auswahl damit. Die Schrift ändert ihre Farbe. Ich blende die schwarze Lage ab und schaue mir das Ergebnis an [6.22].

Sehen Sie das Problem? Der Kontrast zum Hintergrund reicht nicht aus. Ich habe noch ein paar andere Farben ausprobiert, aber die wirkliche Lösung ist das Hinzufügen eines Schlagschattens, um den Namen vom Hintergrund abzusetzen. Bei Schrift lasse ich einen Schlagschatten oft nach links unten fallen, weil das die führenden Kanten, die Grundlinien und den Fuß der Buchstaben deutlich gegen den Schatten hervorstechen läßt [6.23]. Andererseits fallen die meisten Schlagschatten nach rechts unten,

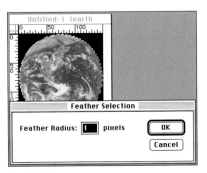

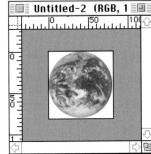

6.18 Wählen Sie eine weiche Auswahlkante.

6.19 Der Ersatz für den Kreis.

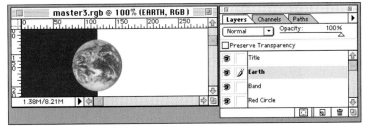

6.20 Auch die Erde hat ihre eigene Ebene.

6.21 Die Schrift wird über die Erde plaziert.

6.22 Der ockerfarbene Text ist zwar schon etwas besser als vorher, aber ...

6.23 ... ein Schlagschatten macht den Text besser lesbar.

129

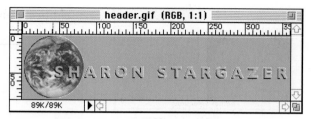

6.24 Knallgrün ist die Schlüsselfarbe für dieses Bild. Sehen Sie die Blitzer bei Erde und Schrift?

6.25 Der fertige Kopf.

d.h., die „virtuelle" Lichtquelle befindet sich links oben. Die Entscheidung liegt bei Ihnen.

Jetzt, da Erde und Schrift gut aussehen, reduziere ich die Ebenen, schneide sie aus und füge sie in ein neues Dokument ein. Anders als beim roten Kreis kann ich jetzt nicht gefahrlos Weiß als meine transparente Farbe bestimmen, wenn ich das GIF exportiere. Warum? Es besteht die Möglichkeit, daß ein paar Pixel in den Wolken weiß sind – wie der Hintergrund. Das ist besonders wahrscheinlich, nachdem ich die Anzahl der Farben reduziert habe, um gleichfarbige Bereiche zu vergrößern und so die Komprimierbarkeit zu erhöhen (siehe „Verminderung der Dateigröße" in Kapitel 3). Wenn ich nun Weiß als transparente Farbe bestimme, könnten die Wolken „Löcher" bekommen. Statt dessen muß ich eine Schlüsselfarbe auswählen, die nirgendwo im Bild auftaucht, und sie als transparent festlegen (siehe „Das GIF-Format" in Kapitel 3). Da mein Bild bereits indiziert ist und alle Farben des Bildes in der Palette vorhanden sind und bereits verwendet werden, kehre ich zu meiner RGB-Version zurück. Ich verwende den Zauberstab (Toleranz = 0, kein Glätten), um sowohl den blauen als auch den weißen Hintergrund zu markieren, und ersetze sie durch ein strahlendes Grün [6.24]. Dies ist die Schlüsselfarbe (Chroma-Key).

Ich mache das GIF wie vorhin, wähle jetzt aber Grün statt Weiß als transparente Farbe, speichere das Bild erneut, lade im Browser neu und voilà – das Grün ist verschwunden und die Erde strahlt mich an [6.25].

6.26 Die Funktionen Kacheln und Bilderschlauch in Painter schaffen die Grundlage für meinen Sternenhimmel. Letzteres ist ein sehr mächtiges Werkzeug: Übertreiben Sie es nicht!

6.28 Die Erde hat sich bewegt! Verschiedene Browser haben momentan noch unterschiedliche Offsets: die gleiche Seite im Internet Explorer betrachtet.

Geglättete Ebenen

Um auf einer Ebene im Photoshop alles zu markieren, dabei aber Transparenz und geglättete Ränder zu bewahren, wählen Sie einfach alles aus und *springen* dann mit den Pfeiltasten ein Pixel nach links, eins nach rechts. Dadurch wird alles markiert und kann gefüllt werden.

Eine andere ebenso gute Mac-Methode ist, die Optionsbox *Transparente Bereiche schützen* anzuklicken und dann einfach mit der Kombination *Wahltaste-Löschen* (oder am PC *Alt-Backspace*) auf die gesamte zu füllende Ebene anzuwenden. Wählen Sie Ihre eigene Lieblingsmethode.

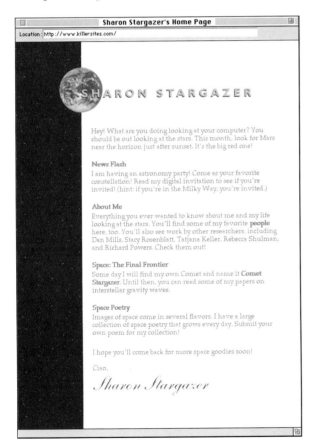

6.27 Die fertige Seite, eigentlich fertig, bis auf ...

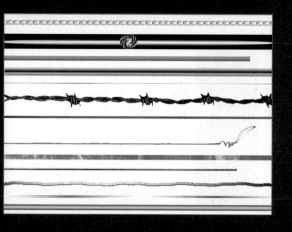

Todsünde
Nummer ZWEI

Horizontale Linien

Horizontale Linien sind nur ein schwacher Ersatz für saubere Hierarchie und gute Organisation der vertikalen Leerräume auf Webseiten.

Es gibt Millionen von solchen Strichen auf dem Web, die nichts anderes bewirken, als Platz zu verbrauchen und den natürlichen Fluß einer Seite zu stören. Sie schaffen keinen Zwischenraum; sie sind Barrieren.

Nur auf überfüllten Titelseiten bei Zeitungen sind sie nützlich – dort, wo so wenig Platz vorhanden ist, daß ordentlicher Leerraum zu „teuer" wäre. Zeitungen müssen auf diese Art von Kompromiß zurückgreifen, Webseiten nicht.

Der letzte Federstrich

Um meine ursprüngliche Idee zu vollenden, versehe ich den blauen Hintergrund mit einem Sternenmuster. Das erweist sich als ziemlich schwierig. Sterne sind nicht weiß. Sie haben lauter verschiedene Farben. Wenn das Sternenmuster zu gleichmäßig oder der Hintergrundstreifen zu kurz ist, werden die Wiederholungen auffallen. Ist er zu groß, braucht er lange zum Laden. Ein vernünftiges Muster bei nur 25 Pixel Höhe zu erhalten, ist mit dem richtigen Werkzeug ein Kinderspiel.

Bei gekachelten Hintergründen müssen Sie für saubere Übergänge die Ränder genau im Auge behalten. Zum Glück hat Fractal Design Painter eine Kachelfunktion, die das automatisch macht. Mit dem „*Bilderschlauch*", gefüllt mit kleinen Sternen, und der Funktion *Kacheln* erhalte ich schnell einen guten Ausgangspunkt für mein Sternenfeld [6.26].

Painter macht den Großteil der Arbeit, die Perfektionierung bedarf nur noch weniger Handgriffe. Natürlich, jetzt, da ich schon eins produziert habe, können Sie einfach meins von der Buch-Site nehmen, es verwenden oder bearbeiten, statt es von Grund auf selbst zu bauen.

Sehen Sie sich das Ergebnis an und vergleichen Sie es mit der grauen Ursprungsseite [6.27].

Hintergrundausrichtung

Nun zum lustigen Teil: ein Browser-check auf verschiedenen Systemen [6.28].

Das ist eine herbe Enttäuschung. Meine ganze gewissenhaft geplante Bildplazierung und Hintergrundkorrektur ist für die Katz', wenn ich

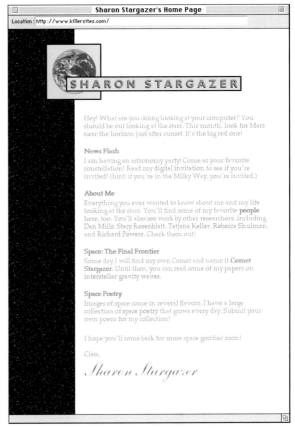

6.29 Sharon könnte das zwar gefallen, mir aber nicht.

6.30 Ohne Glätten gibt es keine Offset-Probleme.

die Hintergrund- und die Vordergrund-bilder nicht genau plazieren kann, zu-mindest in der Horizontalen. Die mei-sten Browser haben zur Zeit noch unter-schiedliche „Offsets", sowohl horizontal als auch vertikal *(siehe „Offsets" in Kapitel 4)*. Das zerstört meine Arbeit vollständig. Es gibt aber zwei Lösungen:

1. Ändern Sie den Hintergrund so, daß keine Farbübergänge vorhanden sind.

Wegen des Browser-Offsets ist es eigent-lich unmöglich, geglättete Bilder über Hintergründe zu stellen, die zwei oder mehr gewichtige Farbbereiche haben. Wenn Sie die Erde vollständig über das dunkelblaue Sternenmuster stellen oder

das Sternenmuster breiter machen, reicht es, wenn sie nur zu Dunkelblau glätten, da die Sterne zu klein sind, um ernsthafte Probleme zu verursachen. Sharon selbst würde wohl mit dieser Version sogar ganz zufrieden sein [6.29].

Ich sträube mich gegen solche Seiten, so-lange sie nicht überwiegend thematisch sind und nicht viel Text haben. Ja, es sieht „cool" aus, ist aber schwer zu lesen. Es funktioniert hier überhaupt nur, weil das Dunkelblau dominiert, es nur wenige helle Pixel gibt und die vertikale Hierarchie einen gewichtigen Anteil hat. Wenn Sie nicht viel Text auf Ihrer Homepage haben, könnte das eine Lösung sein. Ich bevorzuge dunklen Text auf hellem Hintergrund.

133

6.31 Internet Explorer bot uns als erster Browser die Möglichkeit, den Offset auf Null zu stellen. Hier sehen Sie die fertige Seite, links mit noch sichtbaren Rändern, rechts durch den Internet Explorer betrachtet. Netscape wehrt sich noch immer, `LEFTMARGIN="0"` zu unterstützen.

2. Glätten Sie keine Vordergrundbilder, die über größeren Farbübergängen stehen werden.

Statt dessen verwende ich ein Bild, das kein Glätten erforderlich macht. Meine Lösung ist die Umarbeitung des Banners in eine Form, die nicht geglättet wird. **[6.30]** *(Wegen Details siehe „Glätten" in Kapitel 3)*. Dieses Banner kann sich verschieben, wie es will, ohne daß es Probleme gibt.

Beachten Sie, daß ich der Versuchung widerstanden habe, ein großes, fettes Rechteck zu bauen und es zu füllen. Mit großen rechteckigen Bannern kann man

zwar auf recht einfache Weise Sites erstellen, nicht aber das Publikum begeistern.

3. Stellen Sie den Offset auf Null für die Browser der 3. und 4. Generation.

Internet Explorer 2.0 und später gibt mir die Möglichkeit, den Offset auf Null zu stellen – Netscape Navigator 3.0 nicht. Internet Explorer kann zwei wichtige Tags lesen: `LEFTMARGIN` und `TOP-MARGIN`, welche ich sofort auf Null stelle, und den HTML-Code baue ich ein wenig um. Durch den Internet Explorer betrachtet, sieht die Seite schließlich wie gewünscht aus. **[6.31]**.

```
<BODY LEFTMARGIN="0"
TOPMARGIN="0"
GCOLOR="#FFFFFF"
TEXT="#666666"
LINK="#CC0000"
ALINK="#FF3300"
LINK="#330099"
BACKGROUND= ./images/
spine.gif">
```

Ich würde am liebsten jede Seite ohne Offset gestalten (wirkliche typographische Ränder sind nicht das Gleiche wie Browserfenster-Offsets), aber Netscape läßt mich nicht. Ich muß klein beigeben und auf eine Lösung zurückgreifen, die nicht auf der perfekten Bündigkeit von Hintergrund und Vordergrund aufbaut.

Die Moral: Wenn die Ränder eines Vordergrundbildes geglättet sind, muß es genau plaziert werden – außer der Hintergrund ist einfarbig. Ungeglättete Bilder müssen nicht eingepaßt werden. Exakte Registerhaltung mit dem Hintergrund ist praktisch unmöglich, solange nicht mehr Surfer den Null-Offset sehen können.

Zusammenfassung

Ob Sie es glauben oder nicht, diese gesamte Seite hat weniger als 13 K. Es ist keine vollständige Site, aber es *ist* eine Homepage der 3. Generation. Beachten Sie, wie wenig HTML hier verwendet wurde. Die meiste Arbeit war im Photoshop zu leisten: der Kampf mit dem Glätten und der Transparenz. Die Seite läßt sich leicht auf den neuesten Stand bringen und am Leben erhalten und den Surfern wird sie gefallen.

Um bei einer ganzen Site die Navigation zu erleichtern, können Sie eine kleine Version der Erde auf jede Seite stellen und diese zur Titelseite zurücklinken.

Anwendung

Auf so eine Seite gehört Aktuelles. Ich würde z.B. „Die Astronomie-Site der Woche" oder „Das astronomische Geschehen der Woche" oben auf die Seite setzen, um regelmäßig Leute auf meine Site zu locken. Wenn genug Leute wegen der aktuellen Informationen kommen, werden sicher viele auch den Rest der Site durchsehen. Alle weiteren dringenden Nachrichten sollten im oberen Bereich der Seite zu finden sein, direkt unterhalb des Titels.

Wenn ich die Leute wirklich beeindrucken wollte, würde ich ein animiertes GIF der Erde einfügen, damit sie sich hinter Sharons Namen dreht *(siehe „Das GIF-Format" in Kapitel 3)*. Eine verkleinerte Version davon könnte dann als Navigationsmittel auf der ganzen Site dienen – klickt man auf den kleinen kreisenden Globus, kommt man zurück zur Titelseite.

Und um es völlig auszureizen, würde ich ein animiertes Hintergrund-GIF auf der Titelseite anbringen, damit die Sterne ganz dezent blinken. Es gibt nur ein kleines Problem bei der ganzen Sache: Während ich diese Zeilen schreibe, kann kein Browser animierte Hintergrund-GIFS anzeigen. Vielleicht ist das ja – im Interesse der Surfer – auch besser so.

Netscape Navigator 4.0 unterstützt jetzt animierte Hintergrund-GIFs. Ich fürchte, daß das zu noch weniger lesbaren Seiten führt – deshalb gehe ich auf diese Möglichkeit nicht ein, die dem `<BLINK>`-Tag entspricht.

KAPITEL 7

Eine private Site

Was Sie in diesem Kapitel erwartet:

Darstellung von Schriften

Bilder aufteilen und
wieder zusammenfügen

Eine Seite in Bereiche gliedern

Verschachteln von Tabellen

Eine einfache Metapher erstellen

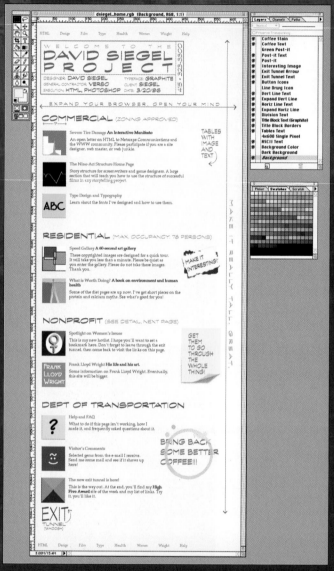

7.1 Machen Sie Ihre Fehler im Photoshop, statt in HTML. Wenn jedes Element seine eigene Ebene hat, bleibt man flexibel.

IN DIESEM KAPITEL geht es um die Entstehung meiner persönlichen Site und die Gestaltung eines netten Eingangs. Da ich mich immer schon sehr für Architektur interessiert habe – einige Schriftfonts, die ich erstellt habe, basieren auf den unverwechselbaren Handschriften von Architekten – wollte ich durch eine Blaupausen-Metapher den Eindruck erwecken, man würde auf einen Bauplan meiner Site schauen.

Über einen Kopf am oberen Rand des Plans erfahren Besucher gleich zu Anfang was hier abgeht. Es gibt vier Hauptsektionen: Beruflich, Privat, Nonprofit und verschiedene Infos zu meiner Site (die dann zu meiner „List of Links" führen). Sobald eine Seite mehr als etwa sechs Optionen enthält, sollten Sie eine hierarchische Gruppierung verwenden, um eine lange Liste mit gleichwertigen Links zu vermeiden. Ich nutze die Gelegenheit, die Metapher zu festigen, indem ich diese Sektionen mit eingängigen Sätzen etikettiere und eine Spezialgrafik mit einem Überraschungseffekt in jede Sektion stelle. Wenn eine Seite in solche Sektionen aufgeteilt ist, wird das Scrollen zum Abenteuer.

Die Strategie

Je weiter unten sich der Besucher auf der Seite befindet, desto stärker sollte mit der „Blatt Papier"-Metapher gespielt werden. Die beiden sich kreuzenden Pfeile, die sich über die Höhe und Breite der Seite erstrecken, geben ihr eine Art räumliche Begrenzung – genau wie Papier. Sie veranschaulichen den Haupttrick dieses Kapitels: Die Pfeile werden getrennt und in je ein eigenes GIF gespeichert und dann durch eine Tabelle wieder zusammengesetzt.

Ich könnte aus diesen Pfeilen ein riesiges Hintergrundbild machen, aber das würde sich auf den Systemen der meisten Surfer zu sehr ausdehnen *(siehe „Das GIF-Format" in Kapitel 3)*. Außerdem sollten einige Textlinks oben auf der Seite erscheinen, damit diejenigen, die schon einmal hier waren, gleich zu einer speziellen Seite weitergehen können.

Adobe Photoshop

Ich bereite erst einmal alles in Photoshop vor, damit das Design geklärt ist, bevor die Arbeit in HTML beginnt. Jedes Element erhält in Photoshop 4.0 automatisch seine eigene Ebene. Ich verwende mehr Ebenen als Elemente – einige dienen zum Ausprobieren [7.1]. Zum Beispiel habe ich zuerst versucht, den Text der „Make it real tall"-Grafik nach links zu kippen (wie Architekten es tun würden), aber ich glaube, daß es sich von oben nach unten besser lesen läßt, weil der Text so mit der Seite abrollt.

Die Blaupausen-Metapher

Als Hintergrundfarbe stelle ich mir ein helles Blau vor – die Farbe einer ausgebleichten Blaupause [7.2 A-C]. Durch Farbänderungen der Hintergrundebene in Photoshop bekomme ich ein Gefühl dafür, wie das Ganze sich auf dem Web verhalten wird (bedenken Sie, daß Farben auf PCs dunkler erscheinen als auf Macs).

Weil die Metapher davon sehr stark abhängt, würde ich gerne ein Hellblau nehmen, obwohl es sich nicht im Farbwürfel befindet. Was würden Betrachter mit einer 8-Bit-Auflösung sehen? Ein kurzer Test in Netscape und Internet Explorer mit 256 Farben zeigt, daß sie Weiß sehen werden. Würden sie statt-

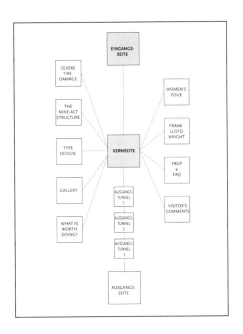

Vereinfachter Plan der Site.

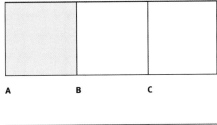

7.2 Hintergrundfarben: Das hellste Blau des Farbwürfels **(A)** ist zu dunkel; unser eigenes Blau **(B)** ist auf allen Systemen ganz akzeptabel. Es erscheint Weiß auf Systemen mit 256 Farben **(C)**, da die Hintergrundbilder dem Farbwürfel ohne Dithering angepaßt wurden (spart Zeit bei der Darstellung). Die Gitterstruktur **(D)** und die Interlaced-Muster **(E, F)** sind auch eine Überlegung wert. Die Gittermuster-Version ist am wirkungsvollsten.

A R204 G204 B255
HEX #CCCCFF
Hellstes Blau des Farbwürfels

B R237 G237 B255
HEX #EDEDFF
So sieht man es auf
Hi-Color-Systemen

C R237 G237 B255
HEX #EDEDFF
Bei einer Darstellung mit 256 Farben

D R204 G204 B255
HEX #CCCCFF
Übergittert mit
R255 G255 B255
HEX #FFFFFF

E R204 G204 B255
HEX #CCCCFF
Horizontal interlaced mit
R255 G255 B255
HEX #FFFFFF

F R204 G204 B255
HEX #CCCCFF
Vertikal interlaced mit
R255 G255 B255
HEX #FFFFFF

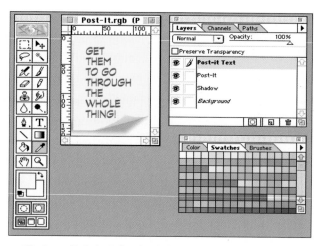

7.3 Für eine realistische Haftnotiz arbeite ich mit Ebenen und Pfaden.

7.5 Lieber genau messen und dann erst schneiden. Bei komplizierten Tabellen hefte ich gerne einen Ausdruck mit meinen Auszeichnungen an den Monitor.

7.4 Läßt sich prima einscannen und man verbraucht damit nur halb soviel Koffein wie beim Selbermalen.

dessen eine dunkle Gitterstruktur sehen, wäre das schlecht. Alternativ könnte ich auch ein eingeblendetes Hintergrundbild verwenden [D-F], doch das würde ein zusätzliches Bild bedeuten. Ich entscheide mich schlußendlich für BGCOLOR="#EDEDFF".

Ich wähle meinen Font, die Adobe-Multiple-Master-Schrift „Graphite" für den Kopf und alles „Handschriftliche" und generiere mit dem ATM spezielle breite und schmale Versionen von ihr. Da z.B. die Bereichsüberschriften die Hauptstützen der Seite sind, werden sie in einer extrafetten, extrabreiten Version von Graphite gesetzt. Als Schriftfarbe verwende ich ein dunkles Blau ("#000033") aus dem Farbwürfel – es muß ja nicht immer Schwarz sein. Da Schrift aus so vielen Leerflächen besteht, ist Text in hellen Farben nicht besonders geeignet – dunkler liest er sich besser.

Spezialeffekte

Ich gestalte meine eigene Haftnotiz zusammen mit dem realistischen Kaffeerand im Photoshop. Die Haftnotiz baut sich aus drei Ebenen zusammen. Die gelbe Ebene mit dem Text war ja kein Problem – im Gegensatz zum Schatten:

Der beste Weg, einen solchen Schatten zu erzeugen, ist mit der Pfad-Funktion im Photoshop. Man zeichnet damit die gewünschte Form und füllt dann den Pfad mit einer weichen Auswahlkante von vier Pixeln. Ich verändere den Pfad so lange, bis ich den korrekten Schatten habe [7.3].

Der Kaffeerand war ziemlich einfach. Ich habe eine (echte) Kaffeetasse genommen, einen Kaffeeabdruck auf ein Blatt Papier gemacht, das Ganze eingescannt (ist das Schummeln?) und Farbe, Transparenz und Kontrast angepaßt. [7.4]. Erst einmal mit dieser Technik vertraut, können Sie auch Logos für Spitzenunternehmen gestalten.

Als Letztes entstanden die Buttons für jeden Bereich, die zu den einzelnen Zweigen meiner Site führen. Ich entscheide mich für ein Quadrat von 74 x 74 Pixel mit einem 3D-Rand von einem Pixel, so daß es sich ein wenig von der Seite abhebt (1 Pixel Abschrägung ist das äußerste, was ich dulde – gedankenloses 3D-Gehabe ist auf dem Web zu einer richtigen Plage geworden). Im Grunde handelt es sich dabei lediglich um einen Schattierungseffekt – ich möchte, daß die Schatten nach links unten gehen. Beachten Sie, daß die Ränder der Buttons für einen guten Schattierungseffekt aufgehellt und abdunkelt wurden – nicht jedoch übermalt [7.8 C].

Farben reduzieren

Nun kann ich die Seitenelemente erstellen. Zuerst drucke ich die Seite aus und ziehe mit Lineal und Stift Rahmen, um zu entscheiden, wo die einzelnen Tabellenzellen hinkommen [7.5]. Ich habe den waagrechten Pfeil geteilt – der Kreuzungspunkt liegt nun im GIF des senkrechten Pfeils.

Jetzt, da ich weiß, welche Bilder benötigt werden, entstehen die GIFS in zwei Durchgängen: Ich indiziere alle Bilder, die nur aus Blau und Weiß bestehen, aus Konsistenzgründen in einem Durchgang. Dann gehe ich zurück und indiziere den Rest. Zuerst blende ich alle Ebenen aus, die außer Blau noch andere Farben enthalten [7.6]. Dann reduziere ich die Ebenen und wechsle in den Modus „Indizierte Farben". Dabei verwende ich eine flexible Farbtabelle bei abgeschaltetem Dithering.

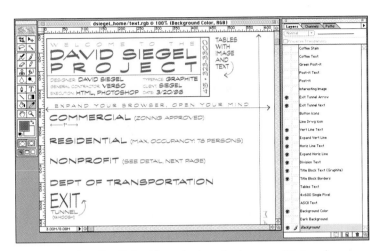

7.6 Bilder mit denselben Farben können in einem Durchgang geglättet werden.

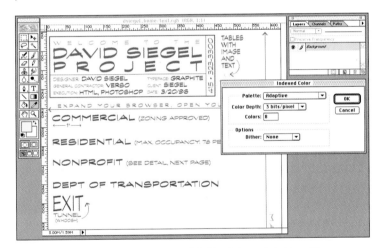

7.7 A 3 Bit Tiefe reicht vollkommen, wenn Schrift auf einem einfarbigen Hintergrund geglättet wird (*siehe „Glätten" in Kapitel 3*).

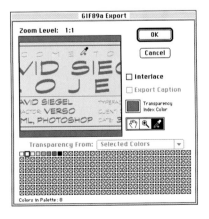

7.7 B Für das Exportieren definiere ich das Hellblau des Hintergrunds als Transparenzfarbe.

7.8 A-C Beginnen Sie beim Indizieren mit wenigen Farben und arbeiten Sie sich hoch.

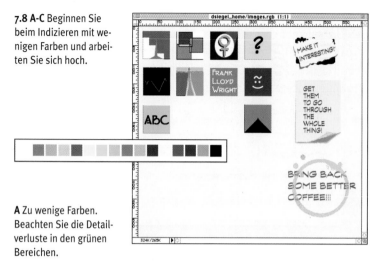

A Zu wenige Farben. Beachten Sie die Detailverluste in den grünen Bereichen.

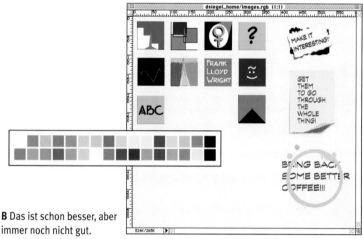

B Das ist schon besser, aber immer noch nicht gut.

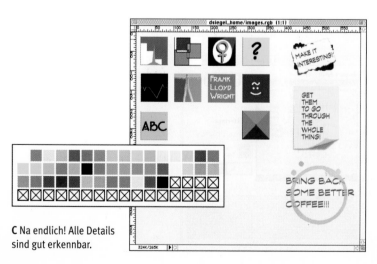

C Na endlich! Alle Details sind gut erkennbar.

Denken Sie daran, daß man für das Glätten des Übergangs von einer Vollfarbe zu einer anderen nur vier oder fünf Zwischentöne braucht *(siehe „Glätten" in Kapitel 3)*. Ich verkleinere dieses Bild auf eine Palette von 3 Bit (8 Farben) – Weiß, Blau und sechs Zwischentöne **[7.7 A]**. Das reicht allemal. Ich exportiere die GIFs ohne Interlacing, weil es hier den (zugegebenermaßen kleinen) Preis nicht wert ist **[7.7 B]**. In diesem Fall ist es okay, die Web-Palette zu verwenden, da darin von dunklem Blau bis Weiß alle benötigten Zwischentöne enthalten sind.

In Photoshop läßt sich mit Hilfe der Web-Palette schnell reduzieren, so daß alle aus der Farbtabelle nicht verwendeten Farben automatisch entfernt werden.

Nun zum Rest der Bilder. Ich kann diese Bilder zusammen oder einzeln indizieren, aber zusammen geht es schneller und schadet wirklich nicht. Vergessen Sie nicht: Paletten sind kleine Dinger; was zählt, ist die Komprimierbarkeit. Ich blende alle Ebenen mit blauer Schrift aus und den Rest ein **[7.8 A-C]**. Die Vorgehensweise mit der flexiblen Farbtabelle funktioniert auch hier, nur mit mehr Farben. Wie immer beginne ich mit wenigen (16 ist ein guter Anfang) und arbeite mich hoch, um die kleinste akzeptable Anzahl zu finden (44 Farben). Je weniger Farben, desto größer werden die zusammenhängenden Bereiche und damit die Komprimierbarkeit.

In der Haftnotiz sind noch ein paar Unsauberkeiten entlang des Übergangs zwischen Gelb und Grau. Der Schatten soll gut aussehen, aber ich will nicht noch mehr Farben einsetzen. Gelegentlich nehme ich ein paar solcher Scharten in Kauf, wenn das Dokument anders nicht klein genug wird **[7.9 A-C]**. Für diese Reduktion der flexiblen Farbpalette verwende ich De-Babelizer, da Photoshop weniger genau arbeitet.

7.9 A-C Experimentieren Sie mit verschiedenen Bit-Tiefen, bis eine paßt.

Zen der Schlagschatten

Schlagschatten werden im allgemeinen miß-verstanden und viel zu häufig eingesetzt. Sie helfen zwar auch dabei, Objekte leicht von der Seite abzuheben – wie oben in der Haftnotiz –, aber ihren festen Platz in der Palette des Desi-gners erhalten sie hauptsächlich als Mittel zur Hervorhebung von schwachen Kanten. Bei dunkler Schrift auf hellem Hintergrund ist das in der Regel jedoch unnötig.

Durch Schlagschatten wird kontrastarmer Vorder- und Hintergrund besser unterschie-den. Die meisten Schatten fallen nach rechts unten – wie auch bei den Betriebsystemen Mac und Windows. Im Falle von Text ist jedoch die linke Seite eines Buchstabens wichtiger, weil das Auge diese Kanten sucht, wenn es von links nach rechts über eine Zeile geht.

Aus diesem Grund fallen bei mir Schatten oft nach links unten. Für jede Situation gibt es eine „beste Lösung" – wählen Sie mit Bedacht aus.

7.10 Beginnen Sie eine schwierige Seite, indem Sie erst mal die äußere Tabelle festlegen *(beachten Sie den* HTML-*Code auf der nächsten Seite).*

7.11 Kommentare helfen Ihnen dabei, den Überblick zu behalten, während die Seite wächst. Geben Sie immer die HEIGHT- und WIDTH-Größen der Bilder mit an!

```
<!-- Seitenparameter -->
<HTML>
  <HEAD>
    <TITLE>
      David Siegel's Home Page
    </TITLE>
  </HEAD>
  <BODY BGCOLOR="#EDEDFF" TEXT="#000055" LINK="#CC0000"
ALINK="#FF3300" VLINK="#005522">

    <!-- Anfang Äußerste Tabelle -->
    <TABLE BORDER=1 CELLSPACING=0 CELLPADDING=0
    HEIGHT=1442>

    <!-- DIE ÄUSSERSTE TABELLE HAT NUR EINE ZEILE - DAS IST DIE
    LINKE SPALTE DAVON -->
    <TR>
      <TD WIDTH=570 HEIGHT=1442 VALIGN=top> <IMG VSPACE=0
      HSPACE=0 WIDTH=455 HEIGHT=174
      SRC="./newhome/back_legend.gif"><IMG VSPACE=0
      HSPACE=0 WIDTH=570 HEIGHT=37
      SRC="./newhome/arrow_horiz.gif"></TD>

    <!-- DIESE ZELLE ENTHÄLT DEN RECHTEN TEIL DES PFEILS -->
    <TD ALIGN=left VALIGN=top><IMG VSPACE=0 HSPACE=0
    WIDTH=42 HEIGHT=1418
    SRC="./newhome/arrow_tall_vert.gif"></TD>

    </TR>
  </TABLE>
 </BODY>
</HTML>
```

HTML

Ich habe die Tabellen bereits per Hand vorgezeichnet; nun muß ich sie nur noch in HTML erstellen. Das ist einfach, wenn man systematisch vorgeht, den Code sorgfältig kommentiert (so daß man sich nicht verfranst), und wenn man jeden Schritt sofort überprüft.

Ich versuche, verschachtelte Tabellen möglichst zu vermeiden. Sie werden langsamer dargestellt und sind schwierig zu debuggen. Außerdem lassen sich derartige Tabellen nur schwer pflegen,

besonders, wenn sie mit einer Tiefe von drei oder vier verschachtelt sind.

Die äußere Tabelle

Bei der Konstruktion von verschachtelten Tabellen gehe ich von außen nach innen vor. Die komplette Seite sitzt in einer großen Tabelle, deren einziger Job es ist sicherzustellen, daß die großen Pfeilgrafiken zusammengefügt werden und fixiert bleiben. Wenn die äußere Tabelle erst einmal steht, ist der Rest einfach [7.10, 7.11].

7.12 Dieses Grundmodul wird in die Haupttabelle eingefügt.

Den Pfeil ordentlich einzupassen ist nicht schwer, da ich das Bild nur auseinandergeschnitten habe und jetzt einfach wieder zusammensetze. Beachten Sie das **ALIGN="left"** für den langen vertikalen Pfeil. Ohne diesen Befehl wäre zwischen den beiden Pfeilen ein Bruch zu sehen, der meinen Trick verraten würde.

Die inneren Tabellen

Mit dem Einsetzen der Zellinhalte nimmt die Seite Gestalt an. Ich sehe sozusagen das Licht am Ende der Tabelle, nachdem ich die Pfeile zusammengefügt habe. Gleich danach kommt das Bild für den Sektionstitel „Commercial Section". Der Inhalt jedes Bereichs kommt dann jeweils in eine zweispaltige eigene Tabelle [7.12].

Ich setze diese ein und wiederhole das Ganze für die anderen Sektionen – langsam baut sich die Seite auf [7.13].

7.13 Beachten Sie die CE LLP ADDI NG -Einstellungen und die 1-Pixel-GIFs zur Kontrolle der Zwischenräume.

Todsünde Nummer DREI

Störende Hintergrundbilder

Hintergründe sind im Web schon fast zur Epidemie geworden. Tapeten sind ja ganz nett, aber Handschrift an der Wand zu lesen, kann zu Augenschäden führen.

Leute verwenden Hintergrundbilder, um die Seite mit einem „Thema" zu versehen oder auch ganz einfach, weil sie „diese ganzen leeren Flächen füllen wollen". Es ist diese Hinterhofdesign-Denkschule, die statt „Killersites" nur Mörderisches produziert. Hintergründe haben mehr Schaden im Web angerichtet , als so manches andere.

Gedankenlose Designer verlieren ihre Selbstkontrolle, die Pixel fliegen durch die Gegend und die Surfer haben den Schaden. Der einzig wahre Hintergrund ist einfarbig oder zumindest fast einfarbig: Schließlich ist buntes Geschenkpapier ja auch kein guter Schreibblock.

Die vier Überraschungsgrafiken plaziere ich rechts neben meine inneren Sektionstabellen. Das Verfahren mit den zusammengesetzten Tabellen ermöglicht es mir, den rechten Rand für jedes Bild individuell einzustellen. Die kleinen Tabellen machen es außerdem leicht, einzelne Bereiche zu kopieren und einzufügen, wenn ich einen neuen Punkt einbauen will *(den HTML-Code dazu finden Sie auf der Buch-Site)* [7.14].

Das war schon alles. Ich füge noch ein paar Textlinks an den Anfang und das Ende und die Besucher können kommen.

Diese Seite ist natürlich nicht ganz so flexibel, wie ich das gerne hätte. Jedes Mal wenn ich einen Punkt dazustelle, muß der rechte Pfeil neu gemacht werden (tatsächlich habe ich diesen verflixten Pfeil mittlerweile schon sieben- oder achtmal verlängert).

Zuletzt werden die Textlinks an Kopf und Fuß der Seite vom Rest getrennt, indem durch geschützte Leerzeichen ( ) horizontaler Leerraum entsteht. Beachten Sie, daß ich keine senkrechten Striche aus dem ASCII-Code verwende! Die sind genauso schrecklich wie die horizontalen Linien. In der Vergangenheit hatten diese Striche eine Funktion. Sie trennten Einträge wie meine Textlinks, wenn diese auf Suchmaschinen dargestellt wurden. Wenn eine Suchmaschine meine Seite aufgreift und die ersten ein, zwei Zeilen darstellt, schaut der Eintrag etwa so aus: „HTML DESIGN FILM TYPE HEALTH WOMEN WRIGHT HELP". Hätte ich senkrechte Separatoren verwendet, sähe es so aus: „HTML | DESIGN | FILM | TYPE | HEALTH | WOMEN | WRIGHT | HELP".

Ich gebe zu, daß die zweite Version besser ist, doch gibt es einen Weg, dieses Problem zu umgehen. Im nächsten

7.14 Wenn mir die Seite dann gefällt, schalte ich die Ränder aus – und ab ins Web damit.

Kapitel zeige ich Ihnen, wie man einen speziellen Code einfügen kann, den nur die Suchmaschinen sehen. Sie können dort alles hineinschreiben, ohne die Gestaltung der Seite zu beeinflussen.

Tatsächlich habe ich hier mit 1-Pixel-GIFs gearbeitet, aber nur an einer kleinen Stelle: in jedem Unterabschnitt zwischen den Unterüberschriften und dem nachfolgenden Text. Ich wollte etwas Leerraum zwischen diesen Elementen haben – und deshalb habe ich mit Hilfe des 1-Pixel-GIFs jeweils 2 Pixel vertikalen Leerraum eingefügt. Geringer geht es nicht, es sei denn, Sie arbeiten mit GIF-Text. Ich denke, daß sich der Aufwand und die geringe, zusätzliche Ladezeit lohnen, um diese Seite typographisch perfekt zu machen.

Eine Visitenkarte zur Begrüßung

Die Hauptseite ist ein guter Ankerpunkt, aber für eine Ziel-URL ziemlich groß. Ich möchte die Leute ein bißchen darauf vorbereiten, was sie erwartet. Meine private Site hat zwar in Wirklichkeit einen komplexen Eingang, ich möchte aber in diesem Kapitel eine einfache, elegante Möglichkeit vorstellen, die für jede private Site verwendbar ist: eine Visitenkarte, die ganz allein auf eine Seite gescannt (oder von Grund auf in Photoshop aufgebaut) wird [7.15]. Man klickt auf die Karte, um einzutreten.

Der Ausgang meiner Site – auf den vom Fuß meiner Kernseite aus gelinkt wird – führt die Surfer durch eine Liste mit Links wieder zurück in die Strömun-

7.15 Eine schön gestaltete Visitenkarte stellt einen sehr guten Eingang dar.

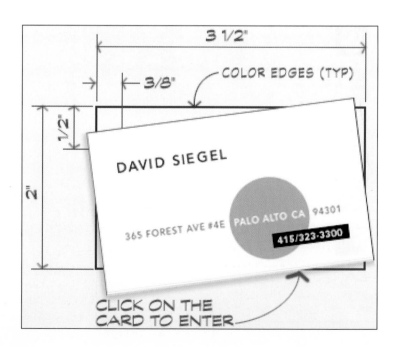

gen des Web. *(Kapitel 10, „Kreative Designlösungen", beschäftigt sich mit den Besonderheiten meines Ausgangstunnels.)*

Zusammenfassung

Die gesamte Seite hat weniger als 60 K. Die Blaupausenmetapher zieht Sie aus dem Web heraus in eine andere, jedoch bekannte Welt. Ich habe das erreicht, indem ich Bilder auftrenne und mit Hilfe von Tabellen wieder zusammenschweiße. Die Seite lädt sich schnell, wirkt aber riesig. Bilder zu zerteilen kann hilfreich dabei sein, die lästigen Beschränkungen von Tabellen zu umgehen, wenn man Text und Bild mischen will.

Beachten Sie, daß ich keinen „NEWS"-Bereich habe. Da die Seite ein paar Sekunden zum Laden benötigt, stelle ich in der Regel ein paar interessante Punkte an den Anfang der Seite, damit die Leute in der Zwischenzeit etwas zu lesen haben. Obwohl ich es nicht gezeigt habe, ist dies eine wirksame Art, Leuten zu sagen, was es Neues gibt, während sie warten und man so ihre Aufmerksamkeit hat. Wie sagt das Sprichwort? „Der Inhalt ist König!"

Anwendung

Das Design von Matthew Butterick für sein Online-Magazin *Dex* demonstriert eine großartige Anwendung dieser Haupttechnik: wie man ein großes Bild aufschneidet, um eine Killer-Homepage zu gestalten [7.16]. Matthew gibt dem scrollenden Besucher einen optischen Leckerbissen, indem er die Illusion einer nahtlosen Darstellung von Spielkarten erzeugt. Besuchen Sie die Site und Sie werden sehen, wie wirkungsvoll das ist!

7.16 Tabellenränder einschalten und das Rätsel von DEX ist endlich gelöst.

KAPITEL 8

Ein Schaufenster

Was Sie in diesem Kapitel erwartet:

Client-Side-Image-Maps

GIF versus JPEG

Ein Histrogramm beeinflussen

Ein Template erstellen

Frames

Formulare

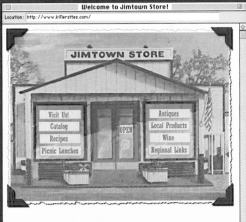

8.1 Bekanntes Material, unendliche Möglichkeiten

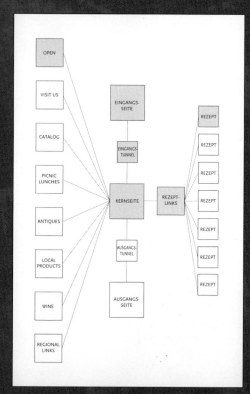

Diagramm der Site

JIMTOWN STORE ist ein ländlicher Tante-Emma-Laden in Kaliforniens malerischem Alexander Valley. Hervorragendes Essen, regionale Produkte, die Farben der Weingegend und eine interessante Geschichte machen es zu einer kulturellen und epikureischen Sehenswürdigkeit. Zum einen sichert sich Jimtown Store über das Web seinen festen Platz auf dem Reiseplan von Besuchern der Sonoma-Region, zum anderen birgt es eine Chance zum Aufbau einer Adressenliste für seinen expandierenden Versandhandel. Es bietet den Besitzern – John Werner und Carrie Brown – eine Möglichkeit, mit dem Web in Berührung zu kommen, die Nachfrage zu beurteilen und auch überregional auf sich aufmerksam zu machen.

Neben der Entstehungsgeschichte einer Site der 3. Generation zeigt dieses Kapitel auch, wie ich mit Kunden zusammenarbeite. Nach dem ersten Meeting mit John und Carrie nehme ich einige Fotos, Broschüren, mit Ideen vollgekritzelte Papierservietten und einiges Insiderwissen über die Bedürfnisse und Vorstellungen mit. (*Hinweis: Bedenken Sie, daß es sich hier um eine Übung für den Aufbau eines Original-Prototyps handelt. Die aktuelle Site wurden zwischenzeitlich diverse Male von ihren Besitzern überarbeitet.*)

Dieses Kapitel wurde gegenüber der ersten Ausgabe überarbeitet; der HTML-Code wurde geändert und an die Möglichkeiten der 3.0-Browser angepaßt. Geschützte Leerzeichen ersetzen jetzt die 1-Pixel-GIFs und die Rahmen haben keine Ränder mehr.

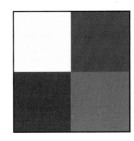

8.2 Die Farbpalette von Jimtown

8.3 Das gemalte Bild bringt die Gemütlichkeit von Jimtown besser zum Ausdruck als jedes Glanzfoto.

Die Strategie

Jimtown Store hat sich bereits eine starke optische Identität mit der Ladenfront, die an eine alte Tankstelle erinnert, und dem hausgemachten Aussehen, das sich bis zu seinen Produkten, Verpackungen und seinem Druckmaterial erstreckt, aufgebaut. Durch Einscannen von Fotografien, Broschüren und Landkarten kann ich diese Aktivposten als Ausgangspunkte verwenden. Diese Strategie eignet sich für die meisten Kleinunternehmen, weil diese oft einiges in Broschüren und Flugblätter investiert haben [8.1].

Modem-freundliches Design

Die Herausforderung bei der Optimierung von Druckmaterial für das Web liegt nicht nur im technischen Bereich. Tatsächlich ist die größere Herausforderung konzeptioneller Art – das Einbinden der Bilder in eine zusammenhängende Metapher. Im Site-Design der 2. Generation dienen Bilder häufig nur zu Dekorations- oder bestenfalls noch zu Illustrationszwecken. Im Site-Design der 3. Generation werden Bilder zu strukturellen Elementen einer Site. Da diese Bilder große Bedeutung haben, muß ich sicherstellen, daß sie die Systeme der Betrachter nicht über Gebühr beanspruchen. Ich werde also eher einige Zeit damit verbringen, ein paar Schlüsselbilder gut zu gestalten, als zu viele einzubringen.

Mit der Frame-Funktion werde ich außerdem eine erweiterbare Rezeptseite erstellen, obwohl ich normalerweise

153

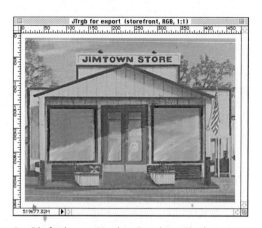

8.4 Die fertige RGB-Version. Beachten Sie den vergrößerten Eingangsbereich.

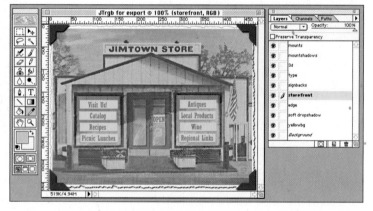

8.5 Die Tafeln sind einfach Rechtecke mit Schatten.

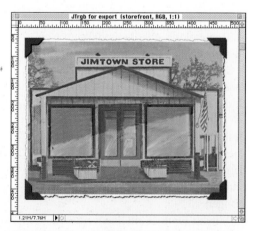

8.6 Der Rand und die Fotoecken müssen fast auf einen hellen Hintergrund.

Frames eher selten benutze – ich finde sie häßlich und sie erschweren das Navigieren. Sie können aber recht hilfreich sein, wenn man eine große, wachsende Datenbank, etwa mit Produkten oder Rezepten, aufbauen will.

Das, was Jimtown Store eindeutig kennzeichnet, ist die Ladenfront selbst, in sonnigem Gelb mit grünen Zierleisten. Diese Farben tauchen auch überall im Druckmaterial wieder auf und bieten sich deshalb ganz automatisch bei der Zusammenstellung der Farbpalette an. Das Rot und Blau des Ladeninnenraums setzt nette Akzente [8.2].

Die Metapher

Meine erste Idee für einen Eingangstunnel war, einen Ort zu schaffen, an dem sich alle Jims des Web registrieren lassen können – und dann so was wie einen „Jim-Club" bilden. Das wäre gut für die Jims gewesen, aber nicht fürs Geschäft. Stattdessen entschließe ich mich, irgendetwas zu machen, das auf der Landkarte zeigt, wo sich Jimtown befindet. Ich spiele mit vielen Metaphern erst mal auf dem Papier. Dann bemerke ich die altmodischen Karten mit dem Büttenrand, die mit Fotoecken in die Broschüren eingesetzt sind, und das bringt mich auf eine Idee: Ich präsentiere den Laden einfach über eine Reihe von Postkarten – einige mit Landkarten, einige mit dem Laden. Zufällig passen die Größe einer Postkarte und ihr Seitenverhältnis von 4:3 sehr gut ins Browser-Fenster.

Erste Phase: Photoshop

Diese Site wird eine Menge Arbeit in Photoshop erfordern. Ich muß drei Postkarten machen, die gut zusammenpassen und sich schnell laden lassen. Mein

Ausgangsmaterial, die Fotos und Karten sind leider nicht gerade ideal – besonders die Farben, die ich an den Farbwürfel anpassen muß.

Das Ankerbild erstellen

Unter den vielen Fotografien des Ladens fand ich auf einer Tafel ein Bild im Stil der naiven Malerei [8.3]. Ein schlichtes Gemälde ist den Fotografien eindeutig vorzuziehen. Ich werde sehr viel ändern müssen, um auf das Postkartenformat zu kommen, und das geht bei gemalten Bildern wesentlich einfacher als bei Fotos.

Die Schaufenster haben gelbe Hängeschilder – sie werden von den Besitzern ausgewechselt, um auf verschiedene Spezialitäten und Delikatessen hinzuweisen. Daraus werde ich meine Navigation bauen: In die Fenster kommen anklickbare Schilder.

Nach umfassenden operativen Eingriffen im Photoshop – Eingang, Türen und Fenster vergrößern, um Platz für die Schilder zu schaffen, den Lastwagen abschleppen und den Platz, den er verdeckt hat, mit „Veranda" füllen sowie generelle Schönheitsoperationen vornehmen – kann der Laden eröffnet werden [8.4].

In die Fenster zeichne ich einfache rechteckige Schilder und fülle sie mit einem Gelb aus dem Farbwürfel. Ich setze den Text in einer Schriftart namens Rockwell Condensed und verwende dazu ein Rot aus der Jimtown-Palette [8.5].

Ich stutze das Bild auf ein Verhältnis von 4 zu 3 zurecht – das ergibt horizontal etwa 470 Pixel. Es bedarf also nur noch einiger Pixel Rahmenbehandlung, damit es gemütlich in die Standardbreite des Browser-Fensters paßt. Das wird meine Postkartengröße. Auf einer neuen Ebene male ich per Hand einen Bütten-

Todsünde Nummer VIER

Der unendliche Ladevorgang

Gespräche zwischen Freunden können längere Schweigepausen überleben, aber nur wenige Webseiten können sich lange Ladezeiten leisten.

Eine gute Faustregel: In einer Site sollten die meisten Seiten unter 30 K bleiben, ein paar können 30–50 K haben und nur höchstens eine oder zwei können bis zu 70 K wiegen. Größere Seiten sollten entweder einem 500-Kilo-Gorilla gehören oder auf Diät gesetzt werden.

Wenn Sie Ihre Besucher zwingen wollen, Mittagspause zu machen, während Ihre Seite lädt, dann füllen Sie sie mit 8 Bit tiefen, geditherten GIFS im Vordergrund – und vergessen Sie nicht ein enormes JPEG mit hoher Qualität im Hintergrund.

Durch kluges Wiederverwenden von Elementen können Sie große Brocken aufteilen; sind Elemente einmal heruntergeladen, befinden sie sich im Cache und lassen sich beinahe augenblicklich neu laden.

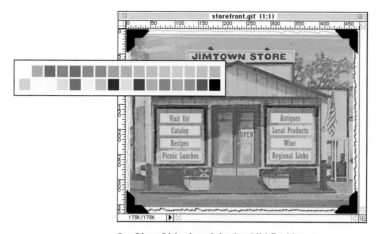

8.7 Ohne Dithering sieht das Bild fleckig aus.

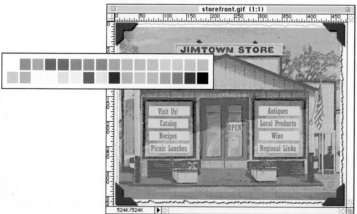

8.8 Photoshop bezieht jeden ausgewählten Bereich in die Erstellung des Histogramms ein (oben). So lassen sich die entstehende Palette und das Bild beeinflussen (unten).

rand und kopiere ihn für die anderen drei Seiten. Weil es noch zu flach wirkt, kommt auf einer weiteren Ebene ein Schlagschatten dazu. Außerdem mache ich ein paar altmodische Fotoecken mit dem vorher schon ausgewählten Dunkelblau. Weil ich gerade schon bei den Farben bin, bestimme ich auch gleich das Gelb der Jimtown-Palette als Hintergrundfarbe [8.6].

Für die Darstellung der Schrift halte ich mich an den Farbwürfel, sowohl für Hintergrund als auch Vordergrund (*siehe „Dithering beim Benutzer" in Kapitel 5*).

Verringern der Dateigröße

Die gemalten Abstufungen des Bildes werden sicherlich unter der Übertragung auf den Farbwürfel leiden. Das ist gleich eine gute Übung zum Thema Bildkomprimierung. Wenn ich keinen akzeptablen Kompromiß zwischen Dateigröße und Bildqualität finde, muß ich mit diesem Bild, und vielleicht gar mit der Metapher, wohl wieder zum Zeichenbrett zurück. Deshalb bringe ich auch erst dieses Bild zur Vollendung, bevor ich mit dem Rest der Site beginne.

Bevor ich Bilder indiziere und als GIFS exportiere, speichere ich immer eine Sicherungskopie der Datei, um mich vor mir selbst zu schützen. Sie können sich nicht vorstellen, wieviel Zeit ich verloren habe, weil ich unvorsichtigerweise meine Photoshop-RGB-Datei mit allen Ebenen durch indizierte Bilder überschrieben habe. (Ich glaube, daß man nach dem Tod in den Himmel kommt und dort einen Computer erhält mit allen Dateien, die man verloren hat.)

Ich indiziere das Bild mit einer flexiblen 5-Bit-Farbtabelle bei abgeschaltetem Dithering und exportiere versuchsweise ein GIF [8.7].

Zwei Probleme: Die Qualität ist schlecht, das Bild hat aber fette 50 K. Bei so wenigen Farben würde Dithering zwar die Qualität erhöhen, aber auch kleinere Bereiche gleicher Farbe schaffen. Eine größere Palette hätte denselben Effekt. Sowohl Dithering als auch eine größere Palette verringern die Komprimierbarkeit des GIF. Was ich also brauche, ist eine *bessere* Palette – eine, die für unwichtigere Bereiche wie den Himmel wenige Farben vergibt, aber wichtige Bereiche wie die Ladenfront bewahrt. Das kann ich erreichen, indem ich *das Histogramm beeinflusse (siehe „Vermindern der Dokumentengröße" in Kapitel 3)*.

Dazu kehre ich zum RGB-Modus zurück und wähle mit der Umschalttaste große Flächen mit den Schlüsselfarben Gelb und Grün, Rot und Dunkelblau. Auch die Büttenränder und die Fotoecken müssen hier dazu, weil es wichtig ist, daß sie die korrekten Farben haben. Ich indiziere erneut (5 Bit, flexible Farbtabelle, kein Dithering) und exportiere als neues GIF [8.8].

Mist. Das waren gerade mal 4 K weniger und an der Bildqualität hat sich kaum was geändert. Das Bild ist schlecht komprimierbar, weil die gleichfarbigen Bereiche noch zu kurz sind. Eine weitere Reduktion der Palette (auf beispielsweise 25 Farben) würde das Malerische des Bildes völlig zerstören.

In Kapitel 3, „GIF- und JPEG-Tools wählen", finden Sie einige Power-Tools, mit denen ich dieses Bild noch mehr hätte reduzieren können.

Bei Bildern wie diesem bietet sich das JPEG-Kompressionsverfahren an. Ich kehre zu meiner letzten RGB-Kopie zurück und speichere sie im JPEG-Format, und zwar mit verschiedenen Kompressions-

8.9 Eine JPEG-Komprimierung mit niedriger Qualität reduziert die Datei deutlich.

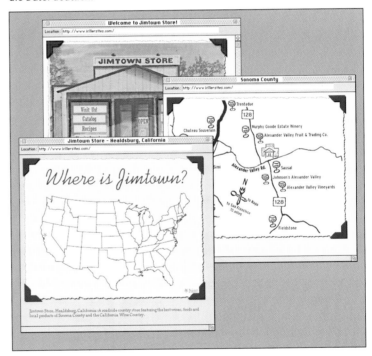

8.10 Links auf den Karten werden von einem Hot Spot zur nächsten Karte führen

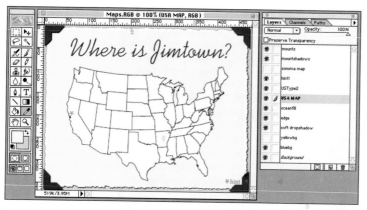

8.11 Beachten Sie, wie ich die Ebenen dazu verwende, zwischen verschiedenen Alternativen zu entscheiden.

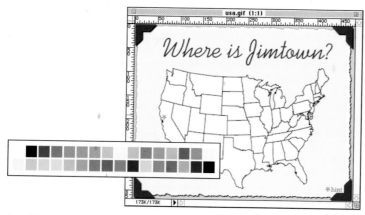

8.12 Ein guter Splash Screen sollte unter 25 K liegen. Mit 19 K ist dieses Bild genau richtig.

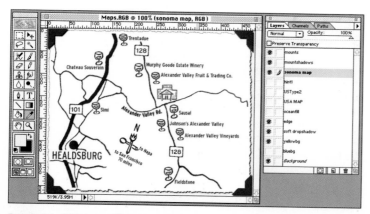

8.13 Es ist nicht genug Platz, um zu zeigen, wo Jimtown in bezug auf San Francisco liegt.

raten. Ich entscheide mich für das Bild mit dem Qualitätsfaktor 25% des Originals, was einer *niedrigen Bildqualität* (hohe Kompression) entspricht [8.9].

Das Bild hat jetzt mit 33 K schon bedeutend weniger. Es sieht auch insgesamt nicht schlecht aus – viel besser als die GIF-Versionen. Der einzige Nachteil ist, daß die Schrift verschwimmt und nicht mehr gut aussieht. Scharfe Kanten und Schrift sind die ersten Opfer der JPEG-Kompression *(siehe „Das JPEG-Format" in Kapitel 3)*.

Welches Bild soll ich nehmen? Ich tendiere zum JPEG, da die Dateigröße von 33K schon verlockend ist. Wenn sich der Kunde an der verschwommenen Schrift stört, kann ich mit besserer Qualität sichern und immer noch besser als ein 48K-GIF sein. Es wäre schön, wenn man beide Methoden kombinieren könnte, aber ohne Z-Achsen-Ebenen geht das nicht *(siehe Kapitel 13, „Ausblick")*.

Da ich mit dem Bild zufrieden bin, widme ich mich jetzt dem Eingang mit den Landkarten im Postkartenformat.

Das Bild hatte ich erstellt, bevor es die HVS-Tools gab, mit denen man JPEGs noch weiter reduzieren kann. In Kapitel 3 finden Sie mehr über die HVS-Farbreduzierung.

Wo ist Jimtown?

Der Eingang ist eine einfache Abfolge von zwei Landkarten im Postkartenformat, welche den Weg zum Laden weisen. Außerdem geben sie einen Vorgeschmack und helfen, Name, Logo und Standort von Jimtown einprägsam zu machen. Im schlimmsten Fall werden sich Surfer, nachdem sie die Site besucht haben, wenigstens an den Namen und die Lage von Jimtown erinnern [8.10].

Die Karte der USA erstellen

Ich kehre zu meinem Hauptdokument in Photoshop zurück und blende alle Ebenen außer dem Postkartenumriß, den Fotoecken und dem Hintergrund aus. Aus einer Clipart-Sammlung nehme ich eine EPS-Grafik der USA und füge sie als Pixelbild aus dem Illustrator in eine neue Ebene ein. Zuerst öffne ich die Landkarte im Illustrator und speichere sie. Dann entferne ich die Grenzen der Bundesstaaten und fülle den Umriß des Landes mit Weiß. So erhalte ich einen Hintergrund auf einer eigenen Ebene und kann jetzt die Staatsgrenzen ohne Probleme auswählen und einfärben. Ich wähle für die Linien jenes Blau, das ich für die Fotoecken verwendet habe [8.11]. Die beiden Ebenen geben mir genau die Landkarte, die ich haben wollte.

Die Schrift ist in *Kaufmann* gesetzt, ein sehr beliebter Font, der an die handgeschriebenen Tafeln im Laden erinnert. Ich möchte Grün auf Gelb für die Schrift auf der Karte benutzen. Für den Hintergrund der Karte selbst wähle ich ein helles Blau aus dem Farbwürfel. Das Jimtown-Gelb bietet hier nicht genügend Kontrast zur Karte, die ja selbst zum Großteil gelb ist. Ein großer Tip in roter Farbe verdirbt zwar das „Wo ist Jimtown?"-Spiel, zieht aber Besucher in die Site.

Indiziert auf eine flexible Farbtabelle mit 5 Bit ohne Dithering hat das bildschirmfüllende Bild grade mal schlanke 19 K [8.12]. Mit Interlacing (das bei einem Bild dieser Größe ruhig ein paar zusätzliche Kilobyte kosten darf) wächst die Seite auf 23 K an. Ein animiertes GIF mit einer kleinen Verzögerung, bevor der rote Hinweis sichtbar wird, wäre ein netter Touch. Leider würde es die Seite für einen guten Eingang zu groß machen.

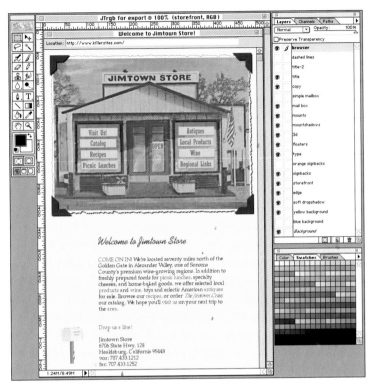

8.14 Ein Modell der Site in Photoshop aufzubauen, ist der beste Weg, dem Kunden die Anfangsstadien zu zeigen.

Selbst wenn man es in kleine Bereiche aufteilt, wäre es über 20 K groß. Kleiner ist besser, deshalb bleibt es, wie es ist.

Die Karte von Sonoma erstellen

Die zweite Landkarte entsteht aus einer Fotokopie einer Broschüre. Ich scanne sie erst ein und baue dann jedes Element per Hand nach: Die Schrift wird neu gemacht, die Weinglas-Icons kommen aus einer anderen Jimtown-Broschüre dazu, und eine Gabel und ein Löffel bilden eine Kompaßrose. Ich stelle sicher, daß sich die Leute orientieren können, indem ich auf San Francisco verweise, da auf der Karte dafür kein Platz ist. Das Ladenfront-Logo in dem gleichen Rot wie der Hinweis nimmt schon die nächste Seite

```
<HTML>
  <HEAD>
    <TITLE>
       Jimtown Store template
    </TITLE>
  </HEAD>
  <!-- Seitenparameter -->
  <BODY BGCOLOR="#FFFFCC" TEXT="#003300"
  LINK="#990000" VLINK="#000033" ALINK="#FFFFCC">
  <!-- Vertikaler Keil -->
   
  <BR> 
  <BR> 
  <BR>
  <!-- Anfang der Tabelle -->
  <TABLE WIDTH=480 BORDER=0 CELLPADDING=0
  CELLSPACING=0>
    <TR>
      <!-- Leere linke Zelle -->
      <TD WIDTH=107>
          
      </TD>
      <!-- Anfang der Zelle mit Texten und Bildern -->
      <TD WIDTH=320>
      </TD>
      <!-- Ende der Zelle mit Texten und Bildern -->
      <!-- Leere rechte Zelle -->
      <TD WIDTH=53>
          
      </TD>
    </TR>
  </TABLE>
  <!-- Ende der Tabelle -->
  <!-- Vertikaler Keil -->
  <BR> 
  <BR> 
  <BR> 
  <BR> 
  <BR> 
  <BR>
  </BODY>
</HTML
```

8.15 Das Grundgerüst der Jimtown Site in HTML (oberhalb) und auf dem Browser (oben links).

vorweg und winkt die Besucher durch den Eingangstunnel [8.13]. Diese gesamte Seite kommt auf unter 20K.

Das endgültige Modell

Nachdem diese drei Bilder jetzt soweit fertig sind, ist es an der Zeit, die Kernseite auszukleiden. Ich modifiziere den Text der Jimtown-Broschüre und setze eine Überschrift in grüner Kaufmann unter die Karte – alles im Photoshop. Sie dient gleich als Modell für die Überschriften der einzelnen Bereiche. Ich entwende einen Briefkasten aus einem Foto der Ladenfront und stelle ihn freischwebend an das Seitenende [8.14].

Um das jetzt alles für das Treffen mit dem Kunden vorzubereiten, verwende ich sogar ungeglättete Schrift und modelliere das Browser-Fenster in Photoshop, damit alle drei Seiten so aussehen, als hätte ich sie mit HTML gemacht. Da einige Ebenen noch Elemente enthalten, die ich nicht benutzt habe, kann ich John meinen Entscheidungsprozeß aufzeigen.

Zweite Phase: HTML

Diese Site benötigt kein einziges 1-Pixel-GIF. In kann die komplette Site mit Tabellen und geschützten Leerzeichen aufbauen. Rahmen verwende ich ausschließlich für die Rezeptseite.

Tabellenarbeit kann hart sein, daher zahlt sich ein gutes Template aus, das dem Gestaltungsraster möglichst aller folgenden Seiten einigermaßen entspricht. Umsichtige Planung, Konsistenz und eine saubere Ausführung werden Ihnen den Tag retten – vielleicht sogar mehrere. (Mehr über die Planung und das Projektmanagement finden Sie in *Secrets of Successful Web Sites*.)

Die Postkarten sind 480 Pixel breit – das wird die absolute Breite meines Layouts. Ich zerteile die 480 in neun Einheiten: Zwei geben einen linken Rand, sechs benötige ich für den Text und eine für den rechten Rand. In Pixeln ausgedrückt sind das 107, 320 und 53. Diese Aufteilung ist eine der Formeln, für die sich der große Typograph Jan Tschichold einsetzt, auch wenn er dabei an Bücher mit einander gegenüberliegenden Textseiten gedacht hat.

Das Template

Der HTML-Code für diese Tabelle ist recht einfach. Schnell auf eine Seite geschrieben, bildet er ein Template dieser Site [8.15]. Die Tabellenabmessungen sind alle absolut (Pixel anstelle von Prozent). Ich möchte, daß der Text in einem festen Verhältnis zu den Bildern steht; beide sind Teil der Gestaltung. Die Kopfzeile des Template spiegelt die Jimtown-Palette wider:

```
<BODY BGCOLOR="#FFFFCC"
TEXT="#003300"
LINK="#990000"
VLINK="#000033"
ALINK="#FFFFCC">
```

Der Text ist dunkelgrün, die Links sind dunkelrot und besuchte Links werden dunkelblau wie die Fotoecken. Rot ist für Links sehr gut geeignet. Besuchte Links dürfen zwar noch erkennbar sein, aber im Gegensatz zu noch unbesuchten sollten sie nicht mehr ins Auge springen. Die Farbe für aktive Links ist das Gelb des Hintergrunds – es bietet ein optisches Feedback, ohne eine neue Farbe einzuführen.

8.16 Die Kernseite.

Die Kernseite

Ich beginne mit der Kernseite, weil diese sicherlich das umfangreichste Layout und die kniffligsten Navigationsmerkmale aufweist [8.16]. Da das Gerüst der Tabelle sowieso auf der Postkartenbreite von 480 Pixel basiert, muß ich die Karte selbst nicht mit einfügen. Sie befindet sich oben links und die dreispaltige Tabelle schließt sauber darunter an [8.17].

Den Briefkasten plaziert man, indem man eine neue Zeile definiert, das Bild in der Randzelle zentriert und am Kopf ausrichtet.

Ich hätte gerne etwas Platz zwischen dem Text und der Kontaktadresse. Hier würden die meisten Gestalter wohl einen waagerechten Strich einfügen, aber mit größter Anstrengung kann ich dieser Versuchung widerstehen. Statt dessen füge ich einfach eine Leerfläche ein, bevor ich mit der nächsten Tabellenzeile beginne. Es gibt dafür verschiedene Möglichkeiten. Statt ein 1-Pixel-GIF zu verwenden, füge ich hier einige `<BR>`-Tags, getrennt durch geschützte Leerzeichen ` `, in die Zelle ein und habe somit nach unten hin Platz geschaffen. Die geschützten Leerzeichen verhindern, daß die `<BR>`s in einigen Browsern zusammengezogen werden.

Ich bat John und Carrie um einen Absatz, der alle neun Bereiche der Site abdeckt, damit jedes Stichwort als Textlink dienen kann. Ich habe somit eine verbale Einführung und gleichzeitig eine Absicherung für den Fall, daß ein Besucher die anklickbaren Schilder in den Fenstern nicht erhält oder sein Browser noch keine *Client-Side-Image-Maps* unterstützt.

8.17 Das Verhältnis 2:6:1 ist in die < T D >-Tags der Tabellen integriert.

```
<HTML>
  <HEAD>
    <TITLE>
      Welcome to Jimtown Store!
    </TITLE>
  </HEAD>
  <!--Seitenparameter-->
  <BODY BGCOLOR="#FFFFCC" TEXT="#003300" LINK="#990000"
  VLINK="#000033" ALINK="#FFFFCC">
    <IMG SRC="./storefront.jpg" ALT="Image of Jimtown
    Store, with links to other points in the site"
    WIDTH="480" HEIGHT="368" BORDER="0">
    <BR>
    <!--Vertikaler Keil-->
     
    <BR>
     
    <BR>
     
    <BR>
    <!--Anfang Texttabelle-->
    <TABLE WIDTH=480 BORDER=1 CELLPADDING=0
    CELLSPACING=0>
      <TR>
        <!--Leere Zelle-->
        <TD WIDTH=107>
        </TD>
        <!--Textzelle-->
        <TD WIDTH=320>
          <IMG SRC="./welcome.gif" ALT="Welcome to
          Jimtown Store!" WIDTH="320" HEIGHT="28"
          BORDER="0">
          <BR>
           
          <BR>
          <A HREF="./open.html">
          <font size=-1>
            COME ON IN
          </font></A>
          ! We're located seventy miles north of the
          Golden Gate in Alexander Valley, one of
          Sonoma County's premium wine-growing
          regions. In addition to freshly prepared
          foods for
        <A HREF="./picnic.html">
          picnic lunches</A>
          , specialty cheeses, and home-baked goods,
          we offer selected
        <A HREF="./local.html">
          local products</A>
          and
        <A HREF="./wine.html">
          wine</A>
          , toys and eclectic American
```

```
              <A HREF="./antiques.html">
                antiques</A>
                for sale. Browse our
              <A HREF="./recipes.html">
                recipes</A>
                , or order
              <A HREF="./catalog.html">
                  <I>
                    The Jimtown Crier
                  </I></A>
                , our catalog. We hope you'll
              <A HREF="./visit.html">
                visit us</A>
                on your next trip to the
              <A HREF="./regional.html">
                area</A>
                .
              <BR>
               
              <BR>
          </TD>
          <!--Leere Zelle-->
          <TD WIDTH=53>
               
          </TD>
        </TR>
      <TR>
        <!--SYMBOLBILD FÜR BRIEFKASTEN-->
        <TD WIDTH=107 VALIGN=TOP ALIGN=CENTER >
          <A HREF="./mailto:jw@jimtown.com">
          <IMG SRC="./mailbox.gif" ALT="mailbox icon"
          WIDTH="54" HEIGHT="87" BORDER="0"></A>
        </TD>
        <TD WIDTH=320>
          <A HREF="./mailto:jw@jimtown.com">
          Drop us a line!</A>
        <BR>
        <BR>
        Jimtown Store
        <BR>
        p 145;
        <FONT SIZE=-1>
        6706 State Hwy. 128
        <BR>
        Healdsburg, California 95448
        <BR>
        vox: 707.433.1212
        <BR>
        fax: 707.433.1252
      </FONT>
      <BR>
      </TD>
      <!--Leere Zelle-->
      <TD WIDTH=53>
```

```
         
      </TD>
    </TR>
  </TABLE>
  <!--Ende Texttabelle-->
  <BR>
   
  <BR>
   
  <BR>
 </BODY>
</HTML>
```

```
  <!-- Die image map -->
  <IMG SRC="./storefront.jpg" ALT="Image of Jimtown Store, with links to
  other points in the site" WIDTH="480" HEIGHT="368" BORDER="0"
  USEMAP="#storemap" ISMAP>
  <!-- Anfang der client-side image map -->
  <MAP NAME="storemap">
    <AREA SHAPE=rect COORDS="298,241,384,262" HREF="regional.html">
    <AREA SHAPE=rect COORDS="300,217,386,237" HREF="wine.html">
    <AREA SHAPE=rect COORDS="298,192,385,211" HREF="local.html">
    <AREA SHAPE=rect COORDS="300,167,386,187" HREF="antiques.html">
    <AREA SHAPE=rect COORDS="181,156,278,292" HREF="open.html">
    <AREA SHAPE=rect COORDS="71,242,157,263" HREF="picnic.html">
    <AREA SHAPE=rect COORDS="70,217,157,238" HREF="recipes.html">
    <AREA SHAPE=rect COORDS="69,193,154,213" HREF="catalog.html">
    <AREA SHAPE=rect COORDS="70,168,157,188" HREF="visit.html">
  </MAP>
  <!--Ende der client-side image map-->
```

8.18 Die Client-Side-Image-Map ist Teil der Kernseite

8.19 Machen Sie die Hot-zonen ruhig etwas größer, um Fehlern durch unge-naues Klicken vorzubeugen.

Erstellen einer Client-Side-Image-Map

Diese einfache Site braucht keine auf-wendige Navigation. Die Ladenfront dient als Übersichtsplan. Dieses Bild hat neun „Hot-Zonen", alle ein wenig größer als das jeweilige Schild [8.18]. So ein Bild mit anklickbaren Bereichen wie dieses wird *Image-Map* genannt.

Eine eingehende Besprechung von Image-Maps würde den Rahmen dieses Buches sprengen. Wichtig dabei ist nur, immer *Client-Side-Image-Maps* zu ver-wenden. Dabei wird in den HTML-Code der Seite eine sogenannte Map-Datei plaziert, damit der Browser des Benut-zers (client) weiß, welche Datei er holen muß, wenn der Surfer mit der Maus geklickt hat. Im Gegensatz dazu mußte bei altmodischen *Server-Side-Image-Maps*

immer erst der Server befragt werden, um das Klicken richtig deuten zu kön-nen. Resultat: Solche Maps sind langsam und können nicht offline getestet oder vorgeführt werden.

Die meisten dieser Werkzeuge gehen davon aus, daß Sie ein GIF als Ihr Map-Bild verwenden – und lesen deshalb nur GIFS. In unserem Fall ist das Bild der Ladenfront aber ein JPEG. Hier muß man also tricksen: Ich speichere eine Kopie als GIF, öffne diese mit einem Image-Map-Programm, erstelle die Map und schmeiße dann das GIF weg. Dem Brow-ser ist es nämlich egal, was für ein Bild ich verwende.

Nachdem die Kernseite jetzt fertig ist, kommt der Rest der Site dran. Das Grundgerüst wird mehrfach kopiert und es werden die jeweiligen Dateinamen ver-geben, die ich in der Map verwendet habe.

166

Die Innenseiten

Alle Bilder der Innenseiten haben 320 x 240 Pixel – der maximalen Breite der Textspalte entsprechend und um die Proportionen der Postkarte beizubehalten [8.20]. Ich kann nun Bilder sowohl im Hoch- als auch im Querformat einsetzen. Sich an feste Größen zu halten, macht Konstruktion und Wartung leichter.

Kernorientierte Navigation

Freie Navigation ist für die meisten dieser Seiten nicht notwendig. *Freies Navigieren* bedeutet, daß man von jeder Seite auf beliebige andere springen kann. So etwas ist für eine Kernseite nötig, aber auf den inneren Seiten zu aufwendig. Stattdessen ermutige ich zu häufiger Rückkehr auf die Kernseite. Dieses Hin- und Herspringen ist unproblematisch, da die Seite im Browser gespeichert bleibt. Diesen Vorgang nennt man „caching". Bilder aus dem Cache werden sehr schnell wieder geladen.

Das kleine rote Jimtown-Icon gibt am Fuß der inneren Seiten ein perfektes Symbol für eine solche Rückkehr ab [8.21]. Alles andere wäre zu aufwendig. Und wie kommt ein Betrachter wieder zum Ausgang zurück – zur „Where is Jimtown?"-Karte? Nun – er kann entweder die Rückwärtstaste des Browsers verwenden oder die URL eingeben. Mir ist wichtiger, daß die Besucher die Homepage in ihre Favoritenliste aufnehmen, als daß sie zum Eingang zurückkommen.

Ich durchforste den Text nach Gelegenheiten zu Links auf die anderen Seiten. Alles, was auf fremde Sites hinüberlinkt, kommt auf die Ausgangsseite *Links der Region*, damit die Leute meine Site nicht zu früh verlassen.

8.20 Das Modell für eine Innenseite

8.21 Das Jimtown-Logo ist ein perfektes Rückkehr-Symbol.

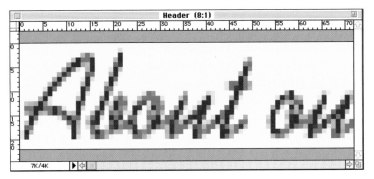

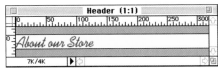

8.22 Ich benötige sieben Farben, um die Schrift darzustellen: Grün, Gelb und fünf Zwischenfarben (Mitte). Alle Überschriften sind 320 Pixel breit (unten).

8.23 Nehmen Sie immer ein Formular als Vorbild und modifizieren Sie es nach Bedarf.

```
<HTML>
  <HEAD>
    <TITLE>
      Jimtown Store Catalog
    </TITLE>
  </HEAD>
  <!-- Seitenparameter -->
  <BODY BGCOLOR="#FFFFCC" TEXT="#003300" LINK="#990000"
  VLINK="#000033" ALINK="#FFFFCC">
    <!-- Vertikaler Keil -->
     
    <BR>
     
    <BR>
     
    <BR>
    <!-- Anfang Formular -->
    <FORM METHOD="POST" ACTION="http://foo.bar.com/
    cgi-bin/scripts/form">
      <!-- Anfang Tabelle -->
      <TABLE BORDER=1 CELLSPACING=6 CELLPADDING=0
      WIDTH=480>
        <!-- Erste Zeile-->
        <TR>
          <TD WIDTH=107>
             
        </TD>
        <!-- Beschreibender Text-->
        <TD WIDTH=320>
          <IMG SRC="./catalog.gif" ALT="Order our
          Catalog" WIDTH="320" HEIGHT="28" BORDER="0">
          <BR>
          <BR>
          <FONT SIZE=-1>
            HERE AT THE STORE
          </FONT>
          we'd like to make it easy for you to get
          more info or actually buy things from our
          catalog,
          <I>
            The Jimtown Crier
          </I>
          . Leave us some of your vitals and we'll
          mail you a copy.
          <BR>
           
          <BR>
           
          <BR>
        </TD>
        <TD WIDTH=53>
           
        </TD>
      </TR>
```

```
<!-- Zweite Zeile -->
<TR>
  <TD ALIGN=RIGHT>
    Name:
  </TD>
  <TD>
  <INPUT TYPE="text" NAME="namefield"
  SIZE="24" VALUE="">
  </TD>
</TR>
<!-- Dritte Zeile -->
<TR>
  <TD ALIGN=RIGHT>
    Address:
  </TD>
  <TD>
    <INPUT TYPE="text" NAME="addressfield1"
    SIZE="32">
  </TD>
</TR>
<!-- Vierte Zeile -->
<TR>
  <TD ALIGN=RIGHT>
    Address:
  </TD>
  <TD>
    <INPUT TYPE="text" NAME="addressfield2"
    SIZE="32">
  </TD>
</TR>
<!-- FÜNFTE ZEILE -->
<TR>
  <TD ALIGN=RIGHT>
    City:
  </TD>
  <TD>
    <INPUT TYPE="text" NAME="cityfield"
    SIZE="24">
         State:
    <INPUT TYPE="text" NAME="statefield"
    SIZE="4">
  </TD>
</TR>
<!-- Sechste Zeile -->
<TR>
  <TD ALIGN=RIGHT>
    Zip Code:
  </TD>
  <TD>
    <INPUT TYPE="text" NAME="zipfield"
    SIZE="12">
  </TD>
</TR>
```

```
          <!-- Siebente Zeile -->
          <TR>
            <TD ALIGN=RIGHT>
              Phone:
            </TD>
            <TD>
              <INPUT TYPE="text" NAME="phonefield"
              SIZE="16">
            </TD>
          </TR>
          <!-- Achte Zeile -->
          <TR>
            <TD ALIGN=RIGHT>
              Fax:
            </TD>
            <TD>
              <INPUT TYPE="text" NAME="faxfield"
              SIZE="16">
            </TD>
          </TR>
          <!-- Neunte Zeile -->
          <TR>
            <TD ALIGN=RIGHT>
              Email:
            </TD>
          <TD>
              <INPUT TYPE="text" NAME="emailfield"
              SIZE="24">
            </TD>
          </TR>
          <!-- Zehnte Zeile -->
          <TR>
            <TD>
             
          </TD>
          <TD>
               
              <BR
               
              <BR>
              <INPUT TYPE=IMAGE BORDER=0 SRC="submit.gif"
              VALUE="Send">
            </TD>
        </TR>
    </TABLE>
    </FORM>
    <BR>
    <A HREF="./core.html" NAME="Jimtown Storefront">
      <IMG SRC="./home.gif" ALT="Return to the Jimtown
    Storefront" WIDTH="74" HEIGHT="60" VSPACE=18 HSPACE=100
    BORDER="0"></A>
```

```
<!-- Vertikaler Keil -->
<BR>
 
<BR>
 
<BR>
 
<BR>
 
<BR>
 
<BR>
</BODY>
</HTML>
```

Überschriften erstellen

Um die Titel für eine Site wie diese zu erstellen, wäre es am besten, jede Überschrift von vornherein zu kennen. Ich bekomme konsistente Ergebnisse, wenn ich alle Überschriften auf einer Seite zusammenfasse, die Farben reduziere und die GIF-Bilder von dieser Masterseite aus mache. *(Für Details zu dieser Vorgehensweise siehe Kapitel 5, „Schrift darstellen".)*

Die Überschriften-GIFS bestehen alle aus 24 Punkt Kaufmann Script. Das ist groß genug, daß ich sie gleich direkt eintippen kann und nicht erst den Umweg über einen höheren Schriftgrad gehen muß. Ich habe die magere und die fette Version ausprobiert – aber mir schwebt etwas zwischendrin vor. Nachdem ich alle Überschriften eingetippt habe, markiere ich das ganze Dokument, halte die Wahltaste fest und drücke einmal auf die „Pfeil nach unten"-Taste. Damit erhalte ich eine Kopie der gesamten Seite um einen Pixel nach unten versetzt, wodurch die Schrift ein klein wenig fetter wirkt.

Diese kurvenreiche Handschrift benötigt mehr Farben als eine serifenlose Antiqua, um sauber dargestellt zu werden. Nach ein paar Versuchen lande ich bei einer Reduktion auf sieben Farben [8.22].

Nachdem das Bild indiziert ist, erstelle ich eine rechteckige Auswahl mit fester Größe und versuche, jeden Schriftblock auf die gleiche Weise auszuwählen: keine gelben Pixel auf der linken Seite und höchstens ein oder zwei oben. Ich stelle jedes ausgeschnittene Bild in ein neues Dokument und indiziere es erneut. Ich versuche, gleichmäßig zu arbeiten. All meine Überschriften-GIFS sind 320 Pixel breit, unabhängig von der Länge des Texts. Der Grund ist in erster Linie Bequemlichkeit, denn so kann ich die Überschriften vertauschen und anpassen, ohne jedes Mal neue Ausmessungen eintippen zu müssen.

Natürlich brauchen Kunden *immer* zusätzliche Überschriften, nachdem die erste Site fertig ist. Um zusätzliche Überschriften zu machen, tippe ich sie in die große RGB-Überschriftenseite ein, indiziere sie wiederum und exportiere dann die neuen Überschriften als GIFS.

171

8.24 In dieser Tabelle ist
CELLSPACING="6"
für die weißen Flächen
verantwortlich.

Das Bestellformular

Die meisten Formulare auf dem Web sind häßlich – es scheint, als ob die funktionalen Ansprüche eines Formulars irgendwie selbst den gewissenhaftesten Designer zum Aufgeben zwingten. Da sich die verschiedenen Browser-Felder, die vom Benutzer auszufüllen sind, sehr unterschiedlich am Bildschirm darstellen, kann das Layout tatsächlich eine Herausforderung sein. Wenn Sie aber Formulare in Tabellen stellen und die Unterschiede der verschiedenen Browser im Hinterkopf behalten, können Sie gute Formulare gestalten [8.23].

Die Formularelemente können Sie genauso plazieren wie alles andere auch. Diese Tabelle hat dieselben Proportionen wie die restlichen Seiten: 2:6:1. Statt der Leerräume in der ersten Spalte mache ich jedoch die Legende der Formularelemente rechtsbündig. Diese Vorgehensweise verstärkt den linken Rand der Seite.

Browser stellen Formulare unterschiedlich dar

Formulare sind das verflixte Etwas, das sich nun wirklich von Browser zu Browser, von Oberfläche zu Oberfläche stark unterscheidet. Besonders die Breite der vom Benutzer auszufüllenden Felder kann enorm variieren. Wenn Sie den Eintragsbereich zu breit definieren, kann Ihre Tabelle umbrechen. In der Regel sind die Eintragsbereiche auf PC-Browsern breiter als auf Macintosh-Browsern.

Da ich auf einem Mac gestalte, muß ich meine Felder also entsprechend kürzen.

Ich verwende Cellspacing, um die Elemente ein wenig voneinander zu trennen, wie Sie bei angeschalteten Tabellenrändern sehen können [8.24].

Mac-Gestalter sollten sich ihre Formulare immer auch unter Windows ansehen.

Statt den häßlichen Submit-Knopf zu akzeptieren, den die Browser vorgeben, mache ich meinen eigenen, meistens in einer dunklen Farbe und hervorstechendem Text [8.25].

Was geschieht, wenn Leute ein Formular absenden? Formulare schicken die Daten, die der Benutzer eingetragen hat, zu einem Programm, das auf einem Web-

8.25 Mac (links) und PC (rechts) stellen die Formularelemente unterschiedlich dar.

8.26 In ganz wenigen Situationen können Frames nützlich sein, wie z.B. eine Rezeptsammlung, von der es nirgendwohin weitergeht.

```
<HTML>
  <HEAD>
    <TITLE>
       Recipes
    </TITLE>
  </HEAD>
  <FRAMESET ROWS="90,*" FRAMEBORDER="0"
  BORDER="0" FRAMESPACING="0">
    <FRAME SRC="./top_frame.html" BODER="0"
    MARGINWIDTH="0" MARGINHEIGHT="0">
    <FRAMESET COL="140,*" FRAMEBORDER="0"
    BORDER="0" FRAMESPACING="0">
      <FRAME SRC="./left_frame.html" BORDER="0"
      MARGINWIDTH="0" MARGINHEIGHT="0">
      <FRAME NAME="RIGHT"
      SRC="./right_frame_01.html" BORDER="0"
      MARGINWIDTH="0" MARGINHEIGHT="0">
    </FRAMESET>
  </FRAMESET>
</HTML>
```

Dieser Frameset unterteilt die Seite in drei Rahmen, jeder mit seiner eigenen HTML-Datei

8.27 Um ein Rezept alleine zu sehen, klicken Sie in das Rezeptfenster und wählen dann *Datei, Neuer Web-Browser* mit diesem Link.

Server läuft. Das muß Sie nicht einschüchtern. Manchmal sind diese Programme kompliziert, aber in diesem Fall schickt das Programm die Antworten einfach per E-Mail zu John Werners Internet-Adresse.

Das Formular wird nicht funktionieren, solange auf Ihrem Server kein spezielles Programm läuft, das den Rücklauf von Formularen empfängt. Es sprengt den Rahmen dieses Buches zu erklären, wie man diese Programme schreibt, aber ich möchte mal behaupten, daß es relativ leicht ist. Eine Menge technischer Bücher erklärt die Vorgehensweise detailliert. Ihr Service-Provider wird Ihnen entweder dabei helfen, eins zum Laufen zu bringen oder jemanden zu finden, der so etwas kann. *Ich persönlich weiß nicht, wie man diese Sachen schreibt. Da sind Leute in meinem Studio, die das können.*

Die Rezepteseite: Frames

Mein Ziel ist es, aus den Rezepten ein wichtiges Element der Site zu machen, um Leute von anderen Koch- oder Sonoma-Sites zu der wachsenden Rezeptliste delikater Hausmannskost herüberzulocken, die von der Jimtown-Mannschaft geliefert werden. Mit Frames werden die Rezepte leicht zu lesen und auf Wunsch ausdruckbar sein. Grundsätzliche Vorgehensweise ist, die Titel im linken Frame aufzulisten und die Rezepte selbst rechts darzustellen. *(Für Details siehe „Frames und Framesets" in Kapitel 4.)* Beachten Sie den Unterschied: Frames sind nicht wirklich HTML. Man kann sie sich als Fenster vorstellen, durch das Sie auf HTML-Dokumente blicken. [8.26].

Die Maße meiner Frames korrespondieren mit den Rändern, die ich über die ganze Site hinweg verwendet habe. Am linken Rand sitzt der schmale Frame mit dem Inhaltsverzeichnis (Links) und rechts der Frame mit den jeweiligen Rezepten (Targets). Jetzt ist alles nur noch eine Sache der korrekten Verknüpfung des Inhaltsverzeichnisses mit den Rezepten. Verwenden Sie den Befehl `<BASE TARGET="right">` im linken Dokument, um die Rezeptdatei rechts einzublenden.

Jedes Rezept wird in eine eigene Datei gespeichert. Um in den Frame zu passen, müssen die Rezepte einen etwas schmaleren linken Rand haben als die restlichen Seiten [8.27, 8.28].

Das Home-Icon links oben verknüpfe ich mit der Kernseite. Die Syntax dieses Schalters ist sehr wichtig, weil er die Frames auflösen muß [8.29].

Das Schöne an dieser Frame-Technik ist die Einfachheit, mit der man neue Rezepte anfügen kann und so die Feinschmecker aus dem ganzen Web

```
<HTML>
  <HEAD>
    <TITLE>
      Menu
    </TITLE>
  </HEAD>
  <!-- Seitenparameter -->
  <BODY BGCOLOR="#FFFFCC" TEXT="#003300"
  LINK="#990000" VLINK="#000033"
  ALINK="#FFFFCC">
    <TABLE BORDER=0 CELLPADDING="0"
  CELLSPACING="0" WIDTH="320">
      <TR>
        <TD WIDTH="20" ROWSPAN="3" NOWRAP>
           
        </TD>
        <TD>
          <IMG SRC="../head_brie.gif"
          ALT="About our Store" ALIGN=TOP
          WIDTH="267" HEIGHT="28"
          BORDER="0" VSPACE="20">
        </TD>
      </TR>
      <TR>
        <TD Width="267">
          Our most-requested sandwich is
          one good hours after being made.
          The heady, olive-scented oil
          marinates into the bread,
          improving its flavor. (Great
          with greens and seasonal
          tomatoes).
          <BR>
           
          <BR>
          1/3 baguette
          <BR>
          2 Tbls Jimtown's Olive Salad
          <BR>
          3 oz Brie cheese (rind removed)
        </TD>
      </TR>
      <TR>
        <TD>
          <IMG SRC="../spoonfork_2.gif"
          ALT="About our Store" ALIGN=TOP
          WIDTH="70" HEIGHT="72"
          BORDER="0" HSPACE="60"
          VSPACE="20">
          <BR>
        </TD>
      </TR>
    </TABLE>
  </BODY>
</HTML>
```

8.28 Ein Beispiel für einen Rezept-Code.

Suchmaschinen

Suchmaschinen schicken *Spinnenprogramme* aus, die durch das Web kriechen, Schlüsselbegriffe von Sites sammeln und sie in riesige Datenbanken stellen. Ich fülle eine Site wie diese gerne mit Stichwörtern, die ihre Chance vergrößern, gefunden zu werden. Zusätzlich zu einer guten Beschreibung im TITLE-Tag, welche bei den meisten Suchmaschinen registriert wird, gibt es zwei grundsätzliche Vorgehensweisen, die beide dazu dienen können, Ihre Site bekanntzumachen.

Bei der *sichtbaren Methode* stellen Sie an den Fuß Ihrer Eingangsseite einen knappen Satz, der den Inhalt zusammenfaßt. Das ist eine gute Idee, solange es nicht den beabsichtigten Effekt der Eingangsseite – z.B. geheimnisvoll zu sein – total stört.

Die *unsichtbare Methode* verwendet versteckte Tags, mit denen Sie den Suchmaschinen genau erzählen können, wovon die Seite handelt. Das eignet sich besonders für visuell ausgelegte Sites, die nicht viele Worte in HTML auf die Vorderseite stellen wollen. Stichwörter in das ALT-Tag eines Bildes einzufügen, ist eine Möglichkeit, allerdings ignorieren einige Suchmaschinen diese. Der verläßlichere Weg ist, „Meta"-Tags zu verwenden.

Den Code für die geeigneten *description-*, *keywords-* und *distribution-* Meta-Tags für Jimtown finden Sie unten. Tragen Sie Ihre Sitebeschreibung in die Tags ein, stellen Sie sie an den Kopf Ihrer ersten Seite, und überprüfen Sie gelegentlich die Suchmaschinen, ob man Sie schon gefunden hat. Es lohnt sich immer, diese Tags zu verwenden.

```
<META NAME="DESCRIPTION" CONTENT="Ein gut ge-
fuhrter Laden an der Landstraße, der das beste
der Kuche aus Sonoma fahrt. Lokale Weine,
selbstgemachte Spezialitaten, Kase, Picknick-
korbe, frisch gerosteter Kaffee, Fruchte aus
dem Napatal, frische Backwaren, Antiquitaten,
Reiseinformationen fur das Weinland und der
beste Olivensalat in Healdsburg, Alexander
Valley oder Sonoma-Gebiet.">

<META NAME="KEYWORDS" CONTENT="Healdsburg Napa
Alexander Valley Sonoma Touren Essen Wein Land
Weinberg Champagner Espresso Laden Delikates-
sen Mittagessen Abendessen Picknick Obst Brot
Kase Antiquitaten Oliven Salat Sandwich">

<META NAME="DISTRIBUTION" CONTENT="weltweit">
```

anzieht. Es ist viel einfacher, ein Dutzend Rezepte nacheinander anzusehen, als es das mittels reinem HTML wäre. Auf solche Weise angewendet, können Frames eine gute gestalterische Entscheidung darstellen.

Klappentext

Um die Eingangsseite aufzubauen, füge ich der ersten Seite noch ein paar Dinge hinzu, die Surfer und Suchmaschinen helfen werden, uns zu finden. An den Fuß der ersten Seite stelle ich einen kurzen Informationstext [8.30].

Dieser Klappentext erzählt auch den Suchmaschinen eine ganze Menge über die Site – ebenso wie der <TITLE> am Kopf der Seite. Ich füge drei spezielle „Meta"-Tags für die Suchmaschinen hinzu: *description*, *keywords* und *distribution* (Beschreibung, Suchbegriffe und Verteilung; *siehe Kasten nächste Seite*).

Zusammenfassung

Internet-Projekte für Händler können ein zielorientierter Job sein – sofern Sie mit einem guten Plan beginnen, sich nicht zu sehr verbeißen und sich auf gute Qualität konzentrieren. Wenn Sie erst ein Konzept und ein paar gute Templates entwickelt haben, lassen sich die Sites recht schnell erstellen. Konsistenz und durchdachte Struktur bei Tabellen, Farben und Typographie setzen Zeichen und verleihen der Site den einprägsamen Charakter, ohne sich dabei zu sehr auf Bildmaterial zu stützen. Diszipliniertes Vorgehen vereinfacht auch die Konstruktion und Pflege von Sites.

Ich halte es für wichtig, daß Versandfirmen eher heute als morgen ins Web gehen. Net Equity auf dem Web aufzubauen ist schwer; das beste Rezept, sich

```
<TD>
  <A HREF="./core.html" TARGET="_PARENT">
  <IMG SRC="./ home.gif" ALIGN=TOP
  WIDTH="74" HEIGHT="60" BORDER="0"
  VSPACE="2"></A>
</TD>
```

8.29 Der „Zurück"-Knopf bringt den Betrachter wieder zur Kernseite. Beachten Sie die Verwendung von TARGET="_PARENT", das die Frames wieder verschwinden läßt.

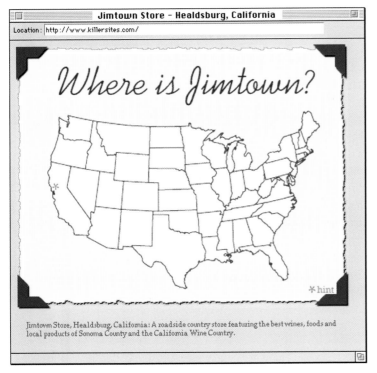

8.30 Ein Klappentext sagt Suchmaschinen und Kurzbesuchern, was noch kommt.

Verwendung von Anführungszeichen

Frühere Versionen von Netscape haben oft ein Auge zugedrückt, wenn man vergaß, Dateinamen und Argumente in Anführungszeichen zu setzen. Neuere Versionen sind damit strenger – verwenden Sie also immer Anführungszeichen bei Dateinamen und Sprungzielen sowie Farben und anderen Tag-Spezifikationen.

von der Konkurrenz zu unterscheiden, heißt Qualität. Meiner Erfahrung nach sind die Leute schon bereit, eine Kreditkartennummer in eine Webseite einzutippen, um etwas, das sie wollen, einfach zu bekommen. Listen Sie Ihre Händler auf, erstellen Sie eine Seite mit den Frequently Asked Question (FAQ = häufig gestellte Fragen), sammeln Sie das Feedback auf und lesen und beantworten Sie E-Mail. Ich empfehle, das Terrain mit einem kleinen, gut präsentierten Angebot zu testen und abzuwarten, was geschieht.

Testen Sie Ihre Ideen an potentiellen Surfern – sowohl auf Papier als auch im Photoshop, bevor Sie sie in HTML übertragen. Da die Erstellung von Sites eine Menge Arbeit macht und ihre Wartung teuer sein kann, sollten Geschäftsinhaber kleine Schritte machen, indem sie erst ein breites Fundament legen und dann mit der Zeit neue Dinge hinzufügen.

Anwendung

Diese generelle Vorgehensweise läßt sich auf jede Ladenfront übertragen. Kleine Betriebe sparen gerne Geld. Hier wurde eine Möglichkeit aufgezeigt, bestehende Materialien in eine unwiderstehliche Site einzuarbeiten. Wenn Sie ein gutes Foto Ihrer Ladenfront haben, können Sie es wie ich in eine Image-Map umwandeln. Statt Schilder in die Fenster zu stellen, können Sie unter Verwendung von Photoshop auch Wörter in die Scheiben „gravieren" oder jedes andere Schild erstellen, das zu dem Geschäftszweig paßt, für den Sie arbeiten.

177

```
eamble html ><img border=0
ght=5  SRC="animations/d1.gif"></     td

eamble html ><img border=0
ght=5  SRC="animat ls/     ></     td

eamble html ><i
ght=5  SRC="an                1.gif"></     td
n -->

img BORDER=0  id
 "dot black  if"          d>

10 of  ble
```

KAPITEL 9

Eine Fotogalerie

Was Sie in diesem Kapitel erwartet:

Animierte GIFs in Tabellen einfügen

Simulierte Zufälligkeit

Verzeichnisstruktur

Vorausgeladene Bilder

Erwartungen aufbauen

Eine Kontaktabzug-Metapher aufbauen

Bildbearbeitung über den Farbwürfel hinaus

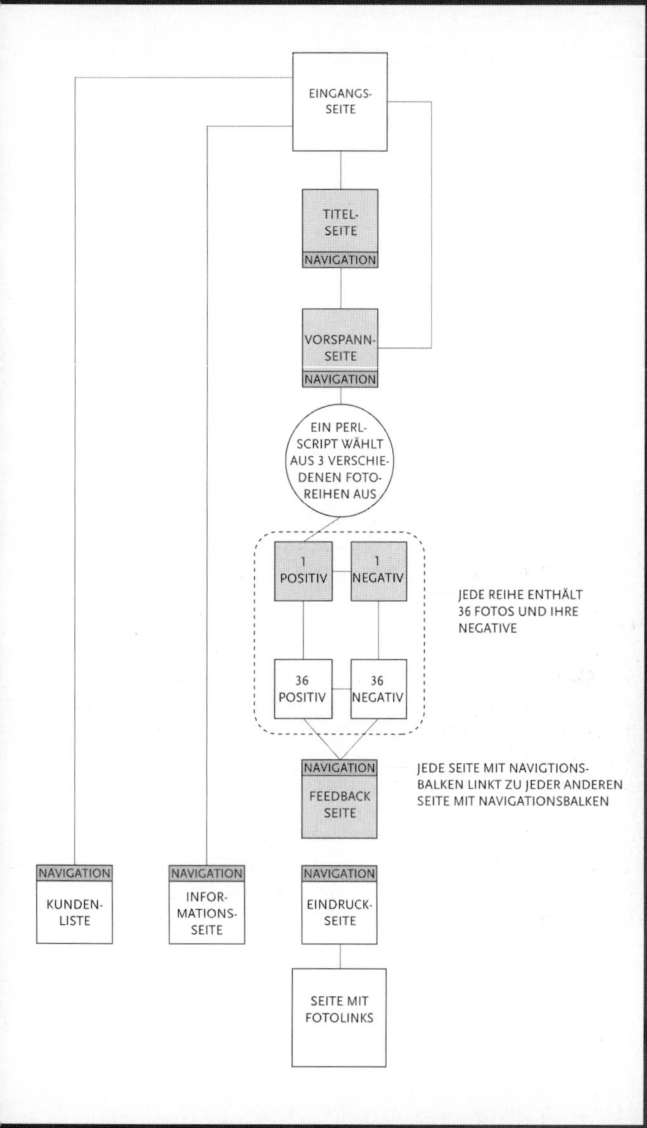

Site-Diagramm

The diagram contains the following boxes and labels:

- EINGANGS-SEITE
- TITEL-SEITE / NAVIGATION
- VORSPANN-SEITE / NAVIGATION
- EIN PERL-SCRIPT WÄHLT AUS 3 VERSCHIE-DENEN FOTO-REIHEN AUS
- 1 POSITIV
- 1 NEGATIV
- 36 POSITIV
- 36 NEGATIV
- JEDE REIHE ENTHÄLT 36 FOTOS UND IHRE NEGATIVE
- NAVIGATION / FEEDBACK SEITE
- JEDE SEITE MIT NAVIGTIONS-BALKEN LINKT ZU JEDER ANDEREN SEITE MIT NAVIGATIONSBALKEN
- NAVIGATION / KUNDEN-LISTE
- NAVIGATION / INFOR-MATIONS-SEITE
- NAVIGATION / EINDRUCK-SEITE
- SEITE MIT FOTOLINKS

DOUG MENUEZ ist einer der vielseitigsten und interessantesten Fotografen der USA. In den 70er und 80er Jahren arbeitete er als Fotojournalist für *Time* und *Newsweek*. Er befaßte sich sowohl mit redaktionellen und dokumentarischen Inhalten als auch mit Mode- und Werbefotografie. Seit zehn Jahren fotografiert er das Leben an der digitalen Front, bannt Leute in High-Tech-Firmen aus aller Welt auf Zelluloid.

Doug kam in mein Studio mit dem Wunsch nach einer bahnbrechenden, provokativen Site, die Texte mit Bildern so kombiniert, daß sie seine Sichtweise der digitalen Revolution den Surfern vermittelt, die an Fotografie und Fotojournalismus interessiert sind. Er wollte die Unterschiede und Parallelen zwischen den digitalen Reichen und den Habenichtsen aufzeigen – den Leuten, die technische Innovationen benutzen, und den anderen, die sie in anderen Teilen der Welt herstellen.

Dougs wichtigstes Anliegen war die Bildqualität. Wir entschieden uns zur Optimierung der Site für Besucher mit 28,8-Kbps-Modems und Grafikkarten mit HiColor-Chip. Und wir beschlossen, uns nicht um den Farbwürfel und die Websurfer mit nur 256 Farben zu kümmern – das würde Schwarzweißbilder auf wenige Grautöne beschränken und die Bildqualität leiden lassen.

„Inhalt auf jeder Seite!", wie der berühmte Zeitschriftendesigner Roger Black sagen würde. Während Doug und ich uns unterhielten, wurde uns klar, daß es die Fotografien selbst sein sollten, die die Site bilden – im Gegensatz zum üblichen Konzept einer Eingangstür, gefolgt von einem Vorzimmer und dann verschiedenen Galerieräumen. Wir suchten eine zurückhaltende Metapher, die weder architektonisch noch literarisch war.

Schließlich beschlossen wir, eine lockere Interpretation eines Kontaktbogens zu verwenden und durch animierte GIFS am Eingang aufzuwerten. Außerdem sollte den Surfer bei jedem Besuch eine neue Fotoreihe erwarten.

Dieses doch sehr technische Kapitel ist viel verständlicher, wenn Sie sich die Site auf dem Web ansehen, bevor Sie weiterlesen – sie basiert auf animierten GIFS und einem Perl-Skript, das auf dem Server läuft, um zufällig generierte Bilder darzustellen (www.menuez.com).

Die Strategie

Digital Moments ist eine lineare Reise mit einem dramatischen Eingang, einer einfachen Introseite, 36 Bildern, einem Paralleluniversum hinter den Kulissen und einer Abschlußseite, die Besuchern die Möglichkeit gibt, ihre Gedanken zur Ausstellung und deren Bedeutung niederzuschreiben.

Ich wählte die Zahl 36 als Thema, um Besucher durch 36 Bilder zu führen – als seien sie in Dougs Privatgalerie und würden einen Kontaktbogen ansehen. Eigentlich sind es insgesamt 56 Bilder, aber ich wollte, daß Besucher immer nur eine „Filmrolle" mit 36 Bildern auf einmal sehen. Diese Site wird ein Zufallsskript verwenden, um 36 verschiedene Bilder pro Besuch zu präsentieren. Es gibt keinen Grund, die Benutzer wählen zu lassen, welches Bild sie als nächstes sehen wollen. Ich möchte diese Auswahl für sie treffen.

Die Zahl 36 am Anfang teilt Besuchern mit, wie lang ihre Reise sein wird – sie weckt Erwartungen für den Trip. Es gibt keine Möglichkeit, alle 56 Bilder auf einmal zu sehen. Man kann noch einmal durch die Ausstellung gehen, wenn man eine andere Auswahl aus dem Gesamtangebot sehen will.

Der Reiz der Site liegt in der Zufälligkeit – darin, daß das Gefühl vermittelt wird, man befände sich auf einem Spaziergang ohne bestimmtes Ziel. Um die Besucher gleich zu Beginn richtig einzustimmen, bediene ich mich einer Idee von Ray Guillettes Titelseite mit animiertem GIF für seine bahnbrechende Site „Sound Traffic Control".

Um das Gefühl eines Kontaktbogens zu vermitteln, verwende ich eine Abwandlung der Randmarkierungen am Film als Navigationselement. Als zusätzliche Möglichkeit können Besucher auf die großen Bilder klicken, um auf deren Rückseite zu gelangen: Dort befindet sich eine umgedrehte, negative Version des Bildes mit Notizen des Fotografen über die Umstände, unter denen die Aufnahme gemacht wurde. Dieses Paralleluniversum bereichert die Site und erlaubt einen ungewöhnlichen Blick hinter die Kulissen. Ich wurde durch Suza Scaloras bezaubernde „Mythopœia"-Site hierzu inspiriert *(alle erwähnten Sites sind auf der Buch-Site aufgelistet).*

Eingang, Erkundung, Ausgang

Die Site hat eine Begrüßungsseite, die Ihnen ein wenig über die Galerie erzählt, Sie vor dem bevorstehenden Runterladen warnt, Sie bittet, Unterstreichungen auszuschalten, und Sie zum Eintreten verführt. Die nächste Seite – die mit den animierten GIFS – ist die *Titelseite*. Ich möchte, daß jeder, der diese Seite sieht, die URL seinen Freunden schickt.

Die nächste Seite ist der Vorspann, in den ich einen kurzen Kommentar aus der Sicht eines Kurators setze. Die *Erkundungssektion* ist die Reise durch die 36 Fotos. Es gibt keinen freien Zugang – keine Möglichkeit, über eine Abkürzung zur letzten Seite zu gelangen – Sie müssen durch die gesamte Sequenz gehen,

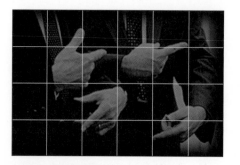

9.1 Diese drei Bilder und das schwarze Rechteck werden die Ebenen des animierten GIF.

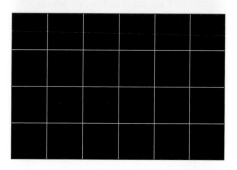

um ans Ende zu gelangen.

Zum Abschluß hätte Doug gerne einen Bereich, wo Besucher ihre Eindrücke für alle sichtbar hinterlassen können. Das ist eine Möglichkeit, eine Gemeinschaft zu schaffen und Reaktionen zur Site zu bekommen.

Die Titelseite

Zuerst muß die Site statisch funktionieren, ohne Skript für die zufällige Auswahl. Wie üblich ist es am besten, zuerst im Photoshop zu prüfen, was möglich ist und was nicht. Wenn ich die erste Seite und eine der Galerieseiten machen kann, weiß ich, daß die Sache funktioniert. Ich fange gern mit dem schwierigen Teil an – in diesem Fall der Titelseite.

Die meisten Tricks zur Beschränkung auf 256 Farben (in anderen Kapiteln besprochen) werden hier nicht funktionieren, denn hier ist Treue zum Original wichtiger als der Farbwürfel. Obwohl ich

davon ausgehen kann, daß Besucher die Site mit zigtausend Farben ansehen werden, kann ich nicht annehmen, daß sie rasend schnelle Netzverbindungen und riesige Monitore haben.

Ich beginne mit 70 Bildern von Doug auf einer Kodak-Photo-CD. Die hochauflösenden Versionen sind hervorragend – mit Sicherheit gut genug für meine Zwecke. Um Dougs Bilder auf Webseiten zu verwenden, muß ich die Größe und Auflösung dieser großen Dokumente reduzieren. Ich wähle und bearbeite ca. 40 Bilder, was für den Anfang erst mal ausreicht.

Die animierten GIFs

Um die Animation zu erzeugen, gestalte ich zuerst die Titelseite im Photoshop und verwende dabei mehrere Ebenen. Ich brauche nur drei Hauptbilder (zwei vollständige Bilder und eins, das aus vier kleineren Aufnahmen besteht), die auf-

182

geschnitten werden, um die Gitterele-
mente zu bilden. Ich zeichne das Gitter
auf einer anderen Ebene und gebe gerade genug Raum, daß man vom Bild ein
bißchen sieht, aber eben nicht zuviel.
Außerdem erhöhe ich den Kontrast, was
mir später die Kompression der Dokumente erleichtern wird. Ich helle auch
noch etwas auf, weil ich weiß, daß PCs
sie dunkler darstellen werden als mein
Macintosh. Um das Ganze ein wenig
aufzulockern, füge ich noch eine vierte
Ebene hinzu. Diese enthält ein einfaches
schwarzes Rechteck – die Quadrate werden somit scheinbar hie und da in den
schwarzen Hintergrund verschwinden.
Das Arbeiten mit einem großen schwarzen Hintergrund hilft wirklich, die Seite
so darzustellen, wie ich sie mir vorgestellt habe [9.1].

Doug gefallen weiche Ränder – ich
wünschte, ich könnte animierte JPEGS
bauen, weil JPEG die beste Art ist, Fotos
zu speichern, und weiche JPEGS lassen
sich wirklich gut komprimieren. Leider
sind animierte JPEGS heute noch nicht
möglich.

Ein kleines Experiment mit der Gitter-
größe auf einer eigenen Ebene macht
schnell klar, daß ich ein 6 x 4-Gitter verwenden sollte, in welchem jede Zelle 55
Pixel im Quadrat ist – der kleinste Raum,
der noch genug vom Bild zeigt.

Bevor ich die animierten GIFs zusam-
menbaue, muß ich die Farben reduzieren und für die Bilder eine gemeinsame
Farbpalette festlegen. Ich habe ein wenig
damit herumexperimentiert, das Histogramm auf 32 Farben festzusetzen. Das
führte aber nicht dazu, daß die Bilder
perfekt aussahen. Ich mußte auf 40 Farben hochgehen, um einen Farbtonbe-
reich zu erhalten, der für Systeme mit
Tausenden von Farben genügt, und um
Streifen und anderes zu verhindern. Ich
hätte es mit 16 Farben und Dithering

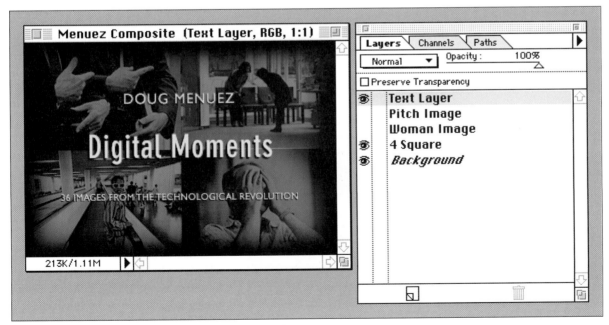

9.2 Erstellen Sie eine Textebene mit möglichst wenigen Farben.

9.3 Das Zerschneiden in gleichgroße Quadrate zum Erstellen animierter GIFS.

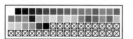

9.4 Die drei Hauptbilder haben eine gemeinsame (reduzierte) Palette von 38 Farben.

versuchen können, aber das erzeugt eine störende optische Unruhe. Diejenigen mit 8-Bit-Systemen sehen eh nur Dithering.

Mit dem Gitter als Anhaltspunkt und dem Auswahlwerkzeug mit einer festen Größe von 55 x 55 Pixel zerschneide ich die Bilder in Quadrate. Und das Ganze gleich noch mal mit dem schwarzen Rechteck. Der Trick ist, die Schrift in die sechs Bilder selbst einzufügen – sie scheint dann über der Fläche zu schweben, während sich die Bilder im Hintergrund ändern. Der Effekt ist ziemlich dreidimensional und dynamisch [9.2].

Ich habe eine Schriftart ausgewählt, die sich DIN Neuzeit Grotesk Bold Condensed nennt. Sie paßt zu der Seite und hat einen Bauhaus-/Retrolook. Um sie gut abzusetzen, entscheide ich mich für ein blasses Grün aus dem Farbwürfel. Die Unterüberschrift ist in Gill-Sans-Großbuchstaben gesetzt (ich liebe ihre Versalien, verwende dagegen die Kleinbuchstaben selten). Ich stelle die Schrift auf eine eigene Ebene und erzeuge eine separate Schattenebene, die ich herumschiebe, bis ich den gewünschten Effekt erhalte.

Wenn alles paßt, kommen die animierten GIFS an die Reihe. Ich schalte für jeden Frame einfach die entsprechende Hintergrundebene ein und speichere die Datei als GIF-Bild. Ich möchte jedes 55 x 55-Pixelquadrat speichern und die GIFS vom entsprechenden Programm erzeugen lassen – das bringt höhere Farbkonsistenz bei Verarbeiten der Bilder. Da ich bereits eine 40-Farben-Palette habe, steht dem Zusammenbau der animierten GIFs nichts mehr im Wege (siehe „Animation" in Kapitel 3 für Tips und benötigte Tools).

Für jedes Bild reduziere ich erst die Ebenen und zerschneide es anschließend in gleich große Teile. Dazu stelle ich die Abmessungen des Auswahlwerkzeugs auf eine feste rechteckige Größe. Wenn Sie keinen ganz bestimmten Effekt beabsichtigen, ist es eine gute Idee, alle GIFS innerhalb einer Animation auszugleichen [9.3] und dieselbe Palette zu verwenden [9.4].

Nun baue ich alle animierten GIFS zusammen, bevor ich sie miteinander in eine Tabelle packe. Für jedes animierte GIF lade ich alle erforderlichen Bilder in das GIF-Erzeugungsprogramm und wähle die Option „Optimieren", um möglichst kleine Dateigrößen zu erhalten.

Wenn ich diese Dokumente fertig habe, gebe ich ihnen verschiedene Verzögerungszeiten und überlasse das Timing dem Zufall. Ich sorge dafür, daß sie alle verschiedene Laufzeiten haben, damit das Ganze immer weiterläuft, aber nicht wie eine schnöde Schleife aussieht [9.5].

Leider ist das Gesamtgewicht aller animierten GIFs knappe 100 K. Nachdem ich verschiedene Möglichkeiten in Erwägung gezogen habe – einschließlich einer Neugestaltung –, verwerfe ich eins der Hauptbilder und verwende zwei Fo-

Frames					
4 frames	Length: 0.40 s		Size: 57x57		
Name	Size	Position	Disp.	Delay	Transp.
Frame 1	57x57	(0; 0)	N	80	–
Frame 2	57x57	(0; 0)	N	120	–
Frame 3	57x57	(0; 0)	N	80	–
Frame 4	57x57	(0; 0)	N	200	–

onesquare.gif
4/4   Frame 4

9.5 Verschiedene Verzögerungen lassen den Wechsel der Quadrate zufällig erscheinen.

toebenen statt drei. Das bedeutet, daß ich jedes animierte GIF erneut von vorne aufbauen muß. Wie hätte ich das vermeiden können? Indem ich die Größe jedes GIF gemessen und es mit 24 multipliziert hätte – dann wüßte ich, daß jedes animierte GIF unter 3 K sein müßte. Die Dokumente, die ich erstellte, haben jedoch ca. 4 K.

Glücklicherweise ist das Verwerfen einer Ebene nur eine Frage des Neuerstellens des animierten GIF; das dauert nicht lange. Jetzt ist die Seite unter 60 K.

Die 4 x 6-Tabelle

Nachdem ich jetzt alle Elemente habe, ist die einzige Möglichkeit sie zu testen, eine Tabelle zu bauen und den Effekt auszuprobieren. Ich werde eine Tabelle mit sechs Spalten und vier Reihen brau-

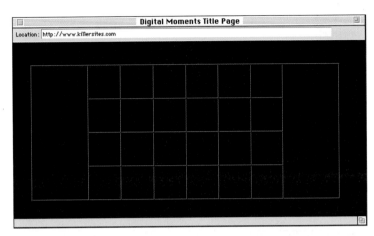

9.6 Positionieren Sie die Tabelle, machen Sie jede Zelle 55 Pixel breit und verwenden Sie in der Entwicklungsphase CELLPADDING=0 und CELLSPACING=0 für eine dünne Tabellenbegrenzung.

GifWizard

GifWizard ist ein Online-Hilfsprogramm, das sich Ihrer animierten GIFs annimmt und sie optimiert. Dieses Programm läßt sich nicht herunterladen; es kann aber frei benutzt werden. Geben Sie einfach an, wo sich Ihre Bilder befinden (im Web oder auf Ihrer Festplatte), und GifWizard wird Farben reduzieren, skalieren, dithern und eine Analyse Ihrer animierten GIFs vornehmen. Außerdem können Sie in einer Galerie diverse größenreduzierte Bilder auswählen und für Ihre Web-Site verwenden.

Gestörte GIFS

Leider ist es bei so vielen animierten GIFS auf einer einzigen Seite leicht möglich, daß sie nicht alle geladen werden. Aktuelle Änderungen der Web-Protokolle helfen, daß alle Bilder einer Seite zusammen ankommen – aber es wird noch eine Weile dauern, bis sich der neue Standard HTTP 1.1 überall durchgesetzt hat. Ein flotter Server mit guter Web-Verbindung ergibt wirklich einen deutlichen Unterschied. Reduzieren Sie das Ganze auf ein 3 x 3- oder 2 x 2-Raster, wenn Sie zu viele gestörte GIFS erhalten.

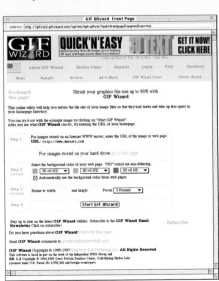

GifWizard ist ein freies Tool für die Optimierung Ihrer animierten GIFs.

It all goes together.

9.7 Lassen Sie die animierten GIFS ablaufen und korrigieren Sie das Timing.

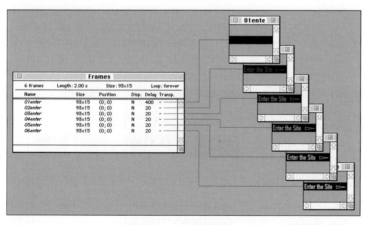

9.8 Eine höfliche Erinnerung wird langsam eingeblendet; sie wird ganz am Ende am hellsten.

chen plus einer zusätzlichen Spalte, um sie nach rechts zu schieben. Der Trick besteht darin, die Zellen lückenlos aneinander anzuschließen *(siehe „Der Trick mit der unsichtbaren Tabelle" in Kapitel 4)* [9.6].

Diese Seite besteht aus vier Reihen in einer großen Tabelle. Jede Reihe hat eine linke Randzelle (ein schwarzes blindes GIF), sechs Zellen mit animierten GIFS und eine rechte Randzelle. Ich verknüpfe jedes animierte GIF mit der Vorspannseite, damit die Besucher in die Ausstellung treten, egal wohin sie klicken. Ich zentriere diese Tabelle für den Fall, daß Betrachter große Monitore haben.

Nach dem Beseitigen von kleineren Pannen funktioniert es eigentlich [9.7]. Es ist schon ein großartiges Gefühl, die Seite zum ersten Mal auf meinem Bildschirm zu sehen. Kleine Korrekturen an den Laufzeiten lassen die Seite hübsch und zufällig aussehen.

Grün heißt „Go"

In der gesamten Site soll Grün die Navigationsfarbe sein. Alles Grüne ist ein Link, der zur nächsten Seite weist. Nachdem man die Hauptanimation angesehen hat, blendet sich ein kleiner grüner Pfeil ein, der Besucher in die Site hineinzieht. Das wird mit einem animierten GIF in sechs Bildern realisiert.

Ich plaziere den Text und den Pfeil in eine separate Ebene über einem schwarzen Hintergrund, dann speichere ich sechs identische Kopien. Während ich die erste Kopie so lasse, wie sie ist, arbeite ich meinen Weg rückwärts durch die anderen, verwende in steigendem Maße den gaußschen Weichzeichner und vermindere den Sättigungsgrad. Der letzte Frame muß vollständig schwarz sein. Statt linear vorzugehen, ziehe ich nichtlineare Umwandlungen vor, indem ich in der Nähe des Titels in kleinen Schritten arbeite und zum Schwarz hin den Effekt verstärke, so daß sich beim Abspielen die Einblendeffekte beschleunigen [9.8].

Im GIF-Builder auf dem Macintosh vereine ich die fünf Bilder in der entgegengesetzten Reihenfolge und setze die Verzögerung für das erste Bild auf vier Sekunden. Das hilft (auch wenn es das nicht garantiert), daß der Titel erscheint, *nachdem* das Hauptbild geladen worden ist. Das Ganze ist dann eine einfache Animation; ich stelle sie so ein, daß sie einmal abgespielt wird und beim letzten Bild anhält, damit der Surfer in die Site gelangen kann.

Zuletzt füge ich noch einen einfachen Navigationsbalken am Fuß der Seite hinzu. Der Navigationsbalken besteht aus sieben Textbildern, die in Gill Sans gesetzt wurden. Meiner Regel folgend sind die anklickbaren Links grün, aber die der gegenwärtigen Seite grau. Da ich alle diese 14 Bilder im voraus herstelle, habe ich alles, was ich brauche, um die Navigationsbalken für die ganze Site zu bauen *(siehe das Diagramm am Anfang des Kapitels)*. Ich sorge dafür, daß sie sich unterhalb der ersten 480 Pixel auf dem Bildschirm befinden, denn so werden die meisten Leute sie überhaupt nicht wahrnehmen.

Die Eingangsseite

Da die Titelseite groß ist, ist es sinnvoll, eine kleine Begrüßungsseite an den Anfang der Site zu stellen, die Besuchern sagt, daß die Site grafikintensiv ist, daß sie Unterstreichungen abstellen sollen, ihr Browser-Fenster vergrößern und so weiter. Das Dinosaurierbild erzeugt Aufmerksamkeit und wird (so hoffe ich) die Besucher in die Site ziehen. Die

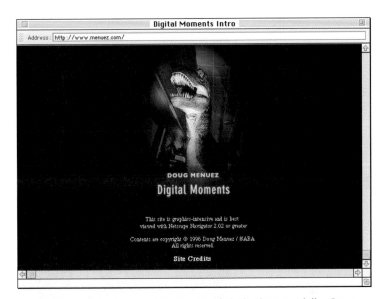

9.9. Die Begrüßungsseite sagt den Leuten, daß Sie einen speziellen Raum betreten werden. Außerdem wird darauf hingewiesen, daß die nächste Seite viele Grafiken enthält.

9.10 Nach der Reduktion dieses großen Bildes auf 8 Farben hat es 16 K.

9.11 Die Site zeigt die 36 Bilder in einer bestimmten Reihenfolge. Hier sehen Sie einen "Zug" der Galerie. Das erste Bild ist immer das mit Steve Jobs.

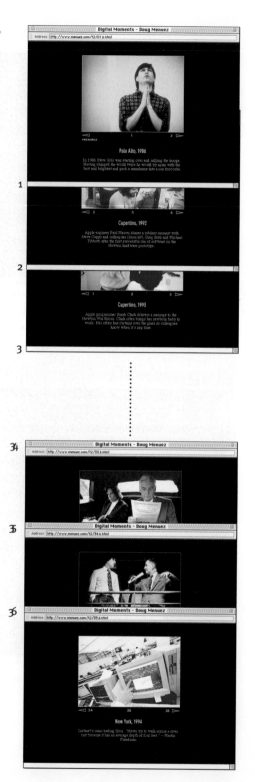

Eingangsseite ist auch ein guter Platz für einen Link zu den Site Credits (Dank und Hinweise auf diejenigen, die die Site gestaltet bzw. ermöglicht haben) [9.9].

Der Vorspann

Doug wollte einen Vorspann, der die Rolle der Worte übernimmt, die oft mit Siebdruck an der Wand angebracht sind, wenn man einen Galeriebereich betritt. Ich erstelle die Seite mit Hilfe eines einzigen Bildes von einem Text, der in DIN Neuzeit Grotesk gesetzt ist. Nachdem ich die Farben reduziert habe *(siehe „Schrift darstellen" in Kapitel 5)*, „wiegt" das gesamte Bild nur 16 K. Ich habe das zusätzliche Bild am Fuß hinzugefügt, um Besuchern mitzuteilen, daß sie eine andere Welt betreten werden [9.10].

Ich möchte die Besucher darauf hinweisen, daß sie gleich 36 Bilder sehen werden, und so beginne ich die Navigationsgrafik auf dieser Seite. Wieder blendet sich der Pfeil ein, um weiterzuwinken.

Zu guter Letzt findet sich ein kleiner Punkt in der linken unteren Ecke der Seite. Ich hoffe, daß Sie genau hinschauen müssen, um ihn zu sehen, weil Sie ihn eigentlich gar nicht sehen sollten. Denn dabei handelt es sich um das Hauptbild der nächsten Seite, das auf ein einziges Quadratpixel reduziert wurde. Leider macht `WIDTH="0"` es nicht noch kleiner. Der Code für dieses Bild ist:

```
<IMG HEIGHT= 1" WIDTH= 1"
SRC= images/0.0jobs. b.jpg >
```

Während Besucher den Vorspann lesen, lädt sich dieses Bild leise auf ihre Festplatte. Wenn sie dann klicken, um

auf die nächste Seite zu gelangen, erscheint das Bild blitzschnell am Monitor.
Während sie die erste Seite ansehen,
werden die Bilder sowohl von Seite 2 als
auch das seitenverkehrte von Seite 1 in
dieser Reihenfolge hochgeladen. Wohin
auch immer sie klicken – es erwartet sie
immer schon das nächste Bild und so
müssen sie nicht warten. Mit etwas
Glück werden sie es nicht bemerken.
Sie werden nur glauben, daß ich den
schnellsten Server der Welt habe.

So etwas nennt man einen *Preload*.
Er ist eine der benutzerfreundlichsten
Eigenschaften, die Sie einer linearen Site
wie dieser geben können. Einschließlich
dem Preload wiegt diese Seite weniger
als 34 K – und Sie lesen den Vorspann,
während das meiste davon hochgeladen
wird. Wegen dieser Preloads ist es wichtig, für keines der Bilder auf dieser Seite
die Einstellung *interlaced* zu verwenden.

Die inneren Seiten

Jedes der 35 inneren Bilder ist im selben
Stil gehalten [9-11]. Jede Seite hat ein
Bild von hoher Qualität, das sich schnell
laden läßt, ein Titel-GIF und eine Bildunterschrift in grauem ASCII [9-12]. Nachdem das große Bild auf acht Farben
reduziert wurde, hat es nur noch 16 K.

Um beim Anwachsen des Projekts
den Überblick zu behalten, ziehe ich alle
72 JPEG-Bilder in den Ordner „images"
mit lokalen Namen wie „images/
tokyo95.b .jpg". Die negative Version des
Fotos hat den Pfad „images/
tokyo95.w.jpg". Der Schrägstrich sagt
nur, daß das Foto dem Ordner „images"
entnommen werden soll. Ich richte noch
einen weiteren Ordner mit der Bezeichnung „titles" ein, in dem ich alle 112
Titel-GIFs speichere [9-13].

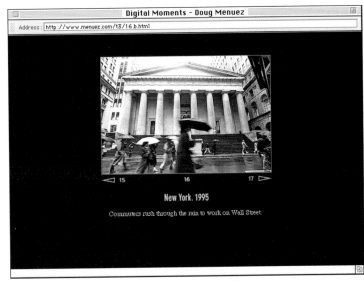

9.12 Eine exemplarische innere Seite. Beachten Sie
das Preload am Fuß der Seite.

Bestätigung

In ihrem wundervollen Buch *Wayfinding in Architecture: People,
Signs and Architecture* (McGraw Hill, 1992) zeigen die Autoren Paul
Arthur und Romedi Passini auf, daß Menschen drei Arten von Zeichen
brauchen: 1. Sie befinden sich hier (Standort) 2. Wie kommen sie
zum gewünschten Ziel 3. Sie sind gerade auf dem Weg. Die ersten
beiden sind auf den meisten Webseiten automatisch enthalten. Das
dritte Zeichen – eine Bestätigung – ist sehr hilfreich, wenn Sie die
Besucher auf eine Reise durch Ihre Site einladen. Haben Sie z.B. fünf
Hauptbereiche, wäre es vielleicht nicht schlecht, wenn Sie sicher-
stellten, daß die Besucher zu jedem Zeitpunkt genau wissen, wo sie
jetzt gerade sind (Bereich und Seite).

Web-Designer sollten diese Zeichen, die *Bestätigung*, ruhig öfter
verwenden. In der Galerie-Site geben die Rahmennummern unter jedem Bild an, wie weit Sie fortgeschritten sind. Diese Information
kann für Surfer, die unbewußt eine Technik verwenden, die *kognitive
Orientierung* heißt, sehr hilfreich sein, um sich in Ihrer Site zurecht-
zufinden.

189

9.13 Wenn Ihre Dateien logische Namen haben, behalten Sie immer den Überblick.

```
<!-- Seitenparameter -->
<HTML>
   <HEAD>
      <TITLE>
         Digital Moments Title Page
      </TITLE>
   </HEAD>
<BODY BGCOLOR=#000000 TEXT=#CCCCCC ALINK=#FFFFFF
VLINK=#CCCCCC>
   <CENTER>
      <IMG BORDER=0 WIDTH=524 HEIGHT=30 SRC="./resources/
      dot_black.gif">
      <BR>
      <!-- Anfang der Titel-Tabelle -->
      <TABLE BORDER=1 CELLSPACING=0 CELLPADDING=0
      WIDTH=524>
         <!-- Anfang der 1. Zeile der Tabelle -->
         <TR VALIGN=top>
           <!-- Linker Rand -->
           <TD ROWSPAN=4><IMG BORDER=0 WIDTH=97 HEIGHT=1
           SRC="./resources/dot_black.gif"></TD>
           <!-- a 1 -->
           <TD><A HREF="preamble.shtml"><IMG BORDER=0
           WIDTH=55 HEIGHT=55 SRC=./animations/a1.gif">
           </A></TD>
           <!-- b 1 -->
           <TD> <A HREF="preamble.shtml"><IMG BORDER=0
           WIDTH=55 HEIGHT=55 SRC=./animations/b1.gif">
           </A></TD>
           <!-- c 1 -->
           <TD><A HREF="preamble.shtml"><IMG BORDER=0
           WIDTH=55 HEIGHT=55 SRC=./animations/c1.gif">
           </A></TD>
           <!-- d 1 -->
           <TD><A HREF="preamble.shtml"><IMG BORDER=0
           WIDTH=55 HEIGHT=55 SRC=./animations/d1.gif">
           </A></TD>
           <!-- e 1 -->
           <TD><A HREF="preamble.shtml"><IMG BORDER=0
           WIDTH=55 HEIGHT=55 SRC=./animations/e1.gif">
           </A></TD>
           <!-- f 1 -->
           <TD><A HREF="preamble.shtml"><IMG BORDER=0
           WIDTH=55 HEIGHT=55 SRC=./animations/f1.gif">
           </A></TD>
           <!-- Rechter Rand -->
           <TD ROWSPAN=4><IMG BORDER=0 WIDTH=97 HEIGHT=1
           SRC="./resources.dot_black.gif"></TD>
         </TR>
         <!-- Ende der 1. Zeile der Tabelle -->
      </TABLE>
   </CENTER>
</BODY>
</HTML>
```

Bildbearbeitung

Mein größtes Anliegen an jede dieser inneren Seiten ist es, die Hauptbilder so klein wie möglich zu bekommen und trotzdem die Details zu erhalten. Ich entscheide mich für eine Breite von 298 und eine Höhe von 215 Pixeln. 215 Pixel ist gerade so hoch, daß ich ein Bild bequem in ein Browser-Fenster unterbringe, das voller Menüleisten ist. Die 298 waren notwendig, um die Proportionen des Films zu erhalten.

Nachdem Sie ein Bild verkleinert haben, sollten Sie stets den Filter „Unscharf maskieren" anwenden. Er holt die feinen Details zurück, die durch die Größenveränderung unscharf geworden sind. Es ist wichtig, diesen Filter zum Korrigieren, nicht zum Manipulieren zu verwenden – wenn man es übertreibt, wird das Bild kantig aussehen. Wenn ich ein Bild um einen hohen Prozentsatz verkleinern muß, mache ich das schrittweise – abwechselnd verkleinernd und scharfzeichnend, um feine Details zu bewahren.

Graustufenbilder verlangen eine volle Bandbreite von Farbabstufungen. Besonders möchte ich, daß Schwarz ganz schwarz ("#000000") ist. Weil manche Bilder an den Rändern schwarz sind, entschließe ich mich, einen dünnen grauen 50%-Rahmen zu verwenden, um den Rand jeder Fotografie anzuzeigen. Dies wird auch auf der Rückseite hilfreich sein, wo Schwarz zu Weiß wird. Ich speichere die Bilder als JPEGS in einem Bereich mittlerer Qualität.

Nun erstelle ich die Titel-GIFS. Ich setze jeden Titel in DIN Neuzeit Grotesk und verwende ein helles Grau, damit ich der Navigationsfarbe nicht in die Quere komme.

Fotografische Bilder bearbeiten

Fotografie und künstlerische Bilder stellen eine besondere Herausforderung dar. Weil Abbildungstreue wichtiger ist als Ladegeschwindigkeit, plädiere ich oft für bessere Qualität (größere Dateien). Hier ein paar Tips, um die besten Ergebnisse zu erzielen:

Beim Scannen sollten Sie versuchen, den größtmöglichen Tonwertumfang zu erlangen. Achten Sie besonders darauf, daß weder Lichter ausbrechen noch Tiefen zuwachsen. Eine schlechte Quelldatei können Sie niemals retten. Es empfiehlt sich hier, sorgfältig zu arbeiten und der Scansoftware den Vorzug zu geben, die aus dem Original das meiste herausholt.

Empfindliche Bilder sollten so groß und mit so hoher Auflösung wie nur möglich gescannt werden. Korrigieren Sie die Farben im großen Format und lassen Sie sie dann auf die endgültige Größe und Auflösung herunterberechnen.

Verwenden Sie generell den Filter „Unscharf maskieren" nach der Größenveränderung oder dem Resampling (Veränderung der Auflösung), um die Details und die Schärfe zu erhalten.

Als allgemeine Regel sollten die Lichter nicht in ein volles Weiß ausbrennen, außer wenn es sich um Lichter in glänzenden Objekten wie Chrom oder Lichtquellen handelt. Andersherum sollten die Tiefen nicht vollständig schwarz sein, bis Sie zum dunkelsten Bereich in einer Fotografie gelangen (tiefste Grauwerte sind auf dem Bildschirm schwer zu erkennen).

Korrigieren Sie Ihre Bilder, bevor Sie sie für das Web bearbeiten, mittels Gradationskurven und Tonwertkorrekturen in Photoshop soweit, daß sie einwandfreie Mitteltöne enthalten.

Denken Sie stets an die Probleme der Farbdarstellung über Plattformen hinweg. Bei Farbkorrektur auf dem Macintosh empfehle ich ein regelmäßiges Umschalten der Monitoreinstellungen, um die dunklere Windows-Oberflächendarstellung zu simulieren.

Wenn die Priorität auf Farbechtheit liegt, wird die Verwendung des standardisierten Farbwürfels und des GIF-Formats die Farben ungünstig verändern. Verwenden Sie statt dessen JPEG. Zwar verfälscht JPEG kleine Details, aber die Farbe bleibt im wesentlichen originalgetreuer zum gescannten Kunstwerk.

9.15 Eine zentrierte Tabelle gibt eine nette Vorlage für die inneren Seiten. Beachten Sie die beiden Preloads am Ende.

```
<!-- Seitenparameter -->
  <HTML>
    <HEAD>
      <TITLE>
         Digital Moments - Doug Menuez
      </TITLE>
    </HEAD>
    <BODY BGCOLOR=#000000" TEXT=#999999"> ALINK=#FFFFFF
VLINK=#CCCCCC>
    <!-- Oberer Rand vertikaler Keil -->
    <IMG BORDER=0 WIDTH=1 HEIGHT=30 SRC="../resources/
dot_black.gif">
    <BR>
    <CENTER>
      <!-- Anfang der Tabelle mit Bildern -->
      <TABLE BORDER=0 CELLSPACING=0 CELLPADDING=0
      WIDTH=524>
        <!-- Anfang der 1. Zeile der Tabelle -->
        <TR VALIGN=top>
          <!-- Linker Rand -->
          <TD ROWSPAN=7><IMG BORDER=0 WIDTH=112
          HEIGHT=1 SRC="../resources/dot_black.gif">
          </TD>
          <!-- DAS BILD FÜR DIESE SEITE -->
          <TD COLSPAN=5><A HREF="22.w.html"><IMG
          BORDER=0 WIDTH=300 HEIGHT=217 SRC="../images/
tokyo95.b.img.jpg"></A></TD>
          <!-- Rechter Rand -->
          <TD ROWSPAN=7><IMG BORDER=0 WIDTH=112
          HEIGHT=1 SRC="../resources/dot_black.gif"></TD>
        </TR>
        <!-- Ende der 1. Zeile der Tabelle -->
        <!-- Anfang der 2. Zeile der Tabelle -->
        <TR VALIGN=TOP>
          <!-- Leerer vertikaler Keil -->
          <TD COLSPAN=5 WIDTH=300><IMG BORDER=0 WIDTH=1
          HEIGHT=3 SRC="../resources/dot_black.gif"></TD>
        </TR>
        <!-- Ende der 2. Zeile der Tabelle -->
        <!-- Anfang der 3. Zeile der Tabelle -->
        <TR VALIGN=TOP>
        <!-- SCHALTFLÄCHE VORHERIGES BILD -->
        <TD ALIGN=left WIDTH=55><A HREF="21.b.html"><IMG
          BORDER=0 WIDTH=24 HEIGHT=13 SRC="../navigation/
          all.b.lt.gif"><IMG BORDER=0 WIDTH=24 HEIGHT=13
          SRC="../navigation/21.b.ltrt.gif"></A></TD>
          <!-- LEERES FÜLLMATERIAL -->
          <TD><IMG BORDER=0 WIDTH=89 HEIGHT=1 SRC="../re
          sources/dot_black.gif"></TD>
          <!-- Bildrahmen-Nummer -->
          <TD><IMG BORDER=0 WIDTH=26 HEIGHT=13 SRC="../
          navigation/22.b.ctr.gif"></TD>
          <!-- LEERES FÜLLMATERIAL -->
        <TD><IMG BORDER=0 WIDTH=89 HEIGHT=1 SRC="../
```

```
    resources/dot_black.gif"></TD>
      <!-- SCHALTFLÄCHE NÄCHSTES BILD -->
      <TD ALIGN=right WIDTH=55><A HREF="23.b.html"><IMG
      BORDER=0 WIDTH=24 HEIGHT=13 SRC="../navigation/
      23.b.ltrt.gif"><IMG BORDER=0 WIDTH=24 HEIGHT=13
      SRC="../navigation/all.b.rt.gif"></A></TD>
    </TR>
      <!-- Ende der 3. Zeile der Tabelle -->
      <!-- Anfang der 4. Zeile der Tabelle -->
      <TR VALIGN=TOP>
        <!-- Leerer vertikaler Keil -->
        <TD COLSPAN=5 WIDTH=300><IMG BORDER=0 WIDTH=1
        HEIGHT=10 SRC="../resources/dot_black.gif"></TD>
      </TR>
      <!-- Ende der 4. Zeile der Tabelle -->
      <!-- Anfang der 5. Zeile der Tabelle -->
      <TR VALIGN=TOP>
        <!-- Zelle mit dem Bild-Titel -->
        <TD COLSPAN=5 WIDTH=298 ALIGN=middle><IMG
        BORDER=0 WIDTH=120 HEIGHT=30 SRC="../titles/
        tokyo95.b.txt.gif"></TD>
      </TR>
      <!-- Ende der 5. Zeile der Tabelle -->
      <!-- Anfang der 6. Zeile der Tabelle -->
      <TR VALIGN=TOP>
        <!-- Leerer vertikaler Keil -->
        <TD COLSPAN=5 WIDTH=300><IMG BORDER=0 WIDTH=1
        HEIGHT=6 SRC="../resources/dot_black.gif"></TD>
      </TR>
      <!-- Ende der 6. Zeile der Tabelle -->
      <!-- Anfang der 7. Zeile der Tabelle -->
    <TR VALIGN=TOP>
      <!-- DER TEXT FÜR DIE SEITE -->
      <TD WIDTH=298 COLSPAN=5 ALIGN=MIDDLE>Japanese
      women bow in traditional greeting in the lobby of
      Apple Computer's Headquarters.</TD>
    </TR>
      <!-- Ende der 7. Zeile der Tabelle -->
    </TABLE>
    <!-- Ende der Tabelle -->
  </CENTER>
  <!-- Unterer Rand vertikaler Keil -->
  <IMG BORDER=0 WIDTH=1 HEIGHT=15 SRC="../resources/
  dot_black.gif">
  <BR>
  <!-- VORAUSLADEN DES NÄCHSTEN BILDES -->
  <IMG BORDER=0 WIDTH=1 HEIGHT=1 SRC="../images/
  zurich90.b.img.jpg">
  <BR>
  <!-- Vorausladen des negativen Bildes -->
  <IMG BORDER=0 WIDTH=1 HEIGHT=1 SRC="../images/
  tokyo95.w.img.jpg">
  </BODY>
</HTML>
```

9.14 Wenn man einer Tabelle eine leere Zelle hinzufügt und die Tabelle zentriert, erhält man zuverlässig einen linken Rand. Bei der Betrachtung auf einem größeren Bildschirm wird der linke Rand angepaßt.

Kontaktbogen-Navigation

Das Numerierungsschema des Kontaktbogens baut Erwartungen auf, ersetzt den gewöhnlichen Vorwärts-/Rückwärtsknopf und verleiht der Ausstellung so etwas wie Vertrautheit. Die kleinen Dreiecksbilder erinnern an die, die man auf Filmrollen findet. Ich erstelle die Dreiecke als getrennte GIFS, damit es nur zwei grüne Dreiecksgrafiken gibt, die man im Auge behalten muß – die Rahmennummern-GIFS können wiederverwendet werden. Ich kreiere die Nummern-GIFS und verwende dazu eine Schriftart namens Interstate, welche an die Buchstaben erinnert, die auf Filmen verwendet werden. Die Vorwärts-/Rückwärts-Bilder sind als Link grün, während die aktuelle Rahmennummer grau ist, da man sie nicht anklicken kann. Im Photoshop ändere ich die Farbe aller grünen GIFS zu einem dunklen Rot (die Negativfarbe meines Navigationsgrüns) und drehe sie horizontal, um die spiegelverkehrten Zahlen zu erhalten, die ich für die Rückseite verwenden werde.

Zentrierte Tabellen

Ich entscheide mich für eine zentrierte Tabelle, die die Bilder auf der Seite halten soll. Erst benutze ich ein blindes GIF, um 30 Pixel nach oben hin Platz zu schaffen und dort einen gleichmäßigen Rand zu erhalten. Ich erstelle eine Tabelle mit einer leeren Zelle auf der linken Seite und gerade genug Platz für das Bild auf der rechten Seite. Ich kann die gesamte Tabelle zentrieren. Dadurch sichere ich mir einen soliden linken Rand und gebe dem Bild gleichzeitig mehr Spielraum, wenn Betrachter breitere Bildschirme haben [9.14].

Diese zentrierte Tabelle mit festem linken Rand funktioniert hervorragend und ist eine exzellente Alternative zur vierspaltigen Tabelle für Textlayout *(siehe „Horizontale Leerräume" in Kapitel 4)*. Ich verwende den Trick mit der zentrierten Tabelle auf jeder Seite der Site [9.15].

Das letzte Set von Befehlen auf der Seite lädt die nächsten zwei Bilder im voraus. Beachten Sie, daß ich zuerst das nächste positive Bild hochlade, weil es am wahrscheinlichsten die nächste gewünschte Seite sein wird. Dann lade ich die negative Version vor. Dies garantiert die bestmögliche Performance, während der Besucher die Site durchwandert.

Die schlechte Nachricht: Surfer können Simultanverbindungen haben, die bewirken, daß diese zwei Bilder gleichzeitig hochgeladen werden. Obwohl ich die Reihenfolge des Hochladens der Seiten gern im Server festlegen würde – es geht nicht. Die Chance verbessert sich, wenn erst einmal ein Bild geladen wird, aber über die Reihenfolge der folgenden Bilder ist man sich nie sicher. Schade, aber das ist die Wirklichkeit.

Es bedarf einer Menge sich wiederholende Arbeitsschritte für diese Site. Obwohl es nicht schwierig ist, muß ich eine Liste mit allen Dokumentennamen anlegen, um spätere stundenlange Fehlerkorrektur zu vermeiden. (Ich klebe sie an meinen Monitor, um daran erinnert zu werden, wo alles hingehört.) Die inneren Seiten lassen sich recht einfach verknüpfen. Ich verwende das erste HTML-Dokument als Muster, kopiere es für jede neue Seite und ändere die Zahlen, damit sich alle miteinander verknüpfen. Nach dem Kopieren muß ich die folgenden Positionen in jedem Dokument ändern: die Vorwärts- und Rückwärtsverknüpfung, die Namen der GIFS, die vorhergehende, aktuelle und nächste Rahmen-

nummer angeben, den Namen des nächsten Dokuments (das nächste Foto), die Bildtaste (zur reversen Version), den Namen des Dokuments mit dem GIF für den Titel, den aktuellen Text für das Foto und die zwei Preloads.

Die erste innere Seite weist zurück zum Vorspann, während die letzte zur Feedbackseite verknüpft. (Die Vorspannseite hat den Namen „preamble.shtml" – später in diesem Kapitel erfahren Sie, warum in der Dateinamenerweiterung das „s" vor „html" steht). Ansonsten habe ich nur vor den Tippfehlern Angst, die Seiten falsch verknüpfen könnten. Ein schneller Durchlauf bringt sofort Klarheit über mögliche Fehler.

Die Rückseite

Sobald ich jedes positive Bild nach Aussehen und Ladeverhalten optimiert habe, verwende ich *Umkehren* und *Spiegeln* im Photoshop. Das bedarf nur sehr wenig zusätzlicher Zeit; der besondere Eindruck ist diesen Extraaufwand auf jeden Fall wert [9.16].

9.15 Die negativen Seiten fügen der Ausstellung eine weitere Dimension hinzu.

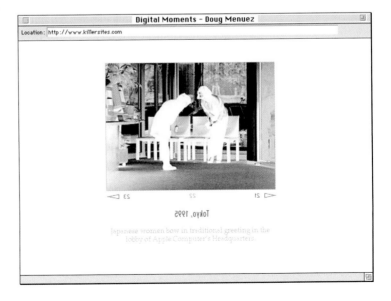

9.17 Ein simuliertes Formular. Tatsächlich modelliere ich die Formulare in Photoshop, um mit dem Layout herumzuspielen, ohne dabei von HTML beeinflußt zu sein.

Das Layout und die HTML-Struktur sind dieselben, aber ich muß daran denken, die Fotos rückwärts zu linken, so daß die Betrachter sich damit nach links bewegen können, um vorwärtszukommen (zum Rahmen 36), und nach rechts, um zurückzugehen. Ich arbeite mit Doug zusammen, damit die Kommentare für jedes Foto die gleiche Länge haben wie die Bildunterschrift. Wenn man nun zur Rückseite geht, sieht man die gleiche Menge grauen Textes für jede Fotografie. Ich finde die Tatsache gut, daß man eine Sekunde braucht, um zu realisieren, daß da hinten etwas Neues zu lesen ist.

Der Preload für diese Seite nimmt zuerst das nächste (linke) Bild, weil ich annehme, daß die Betrachter der Reihe nach fortschreiten wollen, dann nimmt es das Hauptbild für die gegenüberlie-

gende positive Seite, falls sie von einer anderen negativen Seite auf diese negative Seite gelangt sind.

Die letzten Handgriffe

Die Site ist 36 Bilder lang bzw. groß. Das ist einfach zuviel für die Besucher, es sei denn, sie sind ausgesprochene Fotofreaks. Beistimmt würden 18 Bilder besser sein, doch alles unter 36 würde die Metapher zerstören und wäre unprofessionell, da Fotografen nun einmal mit 36er-Filmen arbeiten. Da die Site bislang gut angenommen wurde und wir feststellen konnten, daß sich die Leute tatsächlich alle 36 Bilder anschauen, haben wir nichts gekürzt. Wir hätten es sofort getan, wenn sich die Leute anders verhalten, d.h. die Site vorzeitig verlassen hätten.

Doug wollte, daß Besucher die Kommentare anderer sehen und ihre eigenen Kommentare abgeben können, wenn sie wollen. Ich schlug eine Präsentation im Stil von Filmbewertungen vor, die die Kommentare der Besucher gegenüber von ihren Namen setzen würde [9.17].

Meine Navigationsleiste kommt oben hin und enthält ein graues Wort, um die Information zu geben, wo man sich gerade befindet.

Das Feedbackformular

Im Gegensatz zum Formular in Kapitel 8 ist dieses Formular direkt und einfach. Es ist nicht nötig, daß es über die ganze Seite geht und mehrere Felder enthält. Ein Kommentar und eine E-Mail-Adresse reichen vollauf. Ich habe es so gestaltet, daß Besucher wissen, daß sie noch in der Galerie sind und noch nicht zurück in der Welt des 08/15-Seitendesigns. Zuerst teilen sie ihre Reaktionen mit und dann können sie sehen, was andere Besucher gesagt haben. Auf beiden Seiten gebe ich ihnen die Möglichkeit, zur Informationsseite oder zum Eingang zurückzugehen.

Ich beginne niemals ein Formular ganz von vorn. Stets kopiere ich eins und arbeite damit. Es gibt viele gute Formulare auf dem Web, die man kopieren kann. (Siehe die Buch-Site für eine gute Liste. Die Buch-Site beinhaltet auch Informationen zu dem Perl-Skript, das dieses Formular zum Laufen bringt.) Dieses Dokument heißt feedback.html und das letzte Formular, das ausgewählte Kommentare präsentiert, wird comments.html heißen [9.18].

Die Konstruktion

Die Software-Konstruktion für diese Site bietet Herausforderungen, die über die Kompetenz des durchschnittlichen Grafikdesigners hinausgehen. Auch wenn Sie sich bei dem folgenden Material nicht vollständig zuhause fühlen sollten, dürfte die Grundidee doch klar werden. *Ich schreibe die Programme, die auf meinem Server laufen, nicht selbst, sondern arbeite mit meinem Webmaster zusammen, um die gewünschten Effekte zu erzielen. Je besser ich verstehe, was hinter den Kulissen geschieht, desto besser kann ich nach Lösungen suchen, die technisch durchführbar und robust sind.*

Hinweis: In dieser zweiten Ausgabe des Buchs hat sich der Basisansatz für die Konstruktion geändert. In der ersten Version wurde ein Unix-basierender „cron-event" benutzt, während in der vorliegenden Ausgabe der universellere CGI-Ansatz diskutiert wird. Diese Methode funktioniert auf mehr Servern und ist diejenige, die für die Site angewandt wurde.

Simulierter Zufall

Sobald ich die Site mit 36 verknüpften inneren Seiten aufgebaut hatte, startete ich bei mehreren Freunden einen Probelauf. Sie waren begeistert. Ich könnte an diesem Punkt aufhören und mir eine Menge Arbeit ersparen, aber die Idee ist ja, die Ausstellung so erscheinen zu lassen, als würde sie sich ständig verändern, mit 36 anderen Bildern bei jedem Besuch. Um dies zu erreichen, dachte ich über eine Möglichkeit nach, 36 Bilder aus einem Gesamtbestand von 56 scheinbar zufällig zu zeigen.

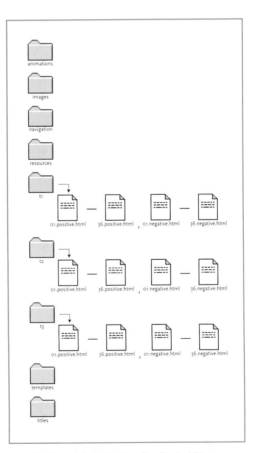

9.19 Die Verzeichnisstruktur für die drei Züge.

197

9.18 Dieses spezielle Formular macht nichts Außergewöhnliches. Es schickt nur eine E-Mail an Doug und läßt ihn entscheiden, was er auf seiner Kommentarseite anbringen möchte.

```
<!-- Anfang Formular -->
<FORM METHOD="post" ACTION="http://www.menuez.com/cgi-bin/
comment.cgi">
  <!-- Anfang Form Tabelle -->
  <TABLE BORDER=0 CELLSPACING=0 CELLPADDING=0 WIDTH=524>
    <!-- Start Zeile 1 der Tabelle -->
    <TR VALIGN=TOP>
      <!-- Linker Rand -->
      <TD ROWSPAN=12><IMG BORDER=0 WIDTH=85 HEIGHT=1
      SRC="./resources/dot_black.gif"></TD>
      <!-- Oberer Rand -->
      <TD COLSPAN=2><IMG BORDER=0 WIDTH=354 HEIGHT=1
      SRC="./resources/dot_black.gif"></TD>
      <!-- Rechter Rand -->
      <TD ROWSPAN=12><IMG BORDER=0 WIDTH=85 HEIGHT=1
      SRC="./resources/dot_black.gif"></TD>
    </TR
    <!-- Ende Zeile 1 der Tabelle -->
    <!-- Start Zeile 2 der Tabelle -->
    <TR>
      <TD ALIGN=left WIDTH=60>Name:</TD>
      <TD WIDTH=294><INPUT TYPE="text" NAME="name"
      SIZE="50"></TD>
    </TR>
    <!-- Ende Zeile 2 der Tabelle -->
    <!-- Start Zeile 3 der Tabelle -->
    <TR VALIGN=TOP>
      <!-- Leerer vertikaler Keil -->
      <TD COLSPAN=2><IMG BORDER=0 WIDTH=354 HEIGHT=10
      SRC="./resources/dot_black.gif"></TD>
    </TR>
    <!-- Ende Zeile 3 der Tabelle -->
    <!-- Start Zeile 4 der Tabelle -->
    <TR>
      <TD ALIGN=left WIDTH=60>Email:</TD>
      <TD WIDTH=294><INPUT TYPE="text" NAME="Email"
      size="50"><BR></TD>
    </TR>
    <!-- Ende Zeile 4 der Tabelle -->
    <!-- Start Zeile 5 der Tabelle -->
    <TR VALIGN=TOP>
      <!-- Leerer Vertikaler Keil -->
      <TD COLSPAN=2><IMG BORDER=0 WIDTH=354 HEIGHT=20
      SRC="./resources/dot_black.gif"></TD>
    </TR>
    <!-- Ende Zeile 5 der Tabelle -->
    <!-- Start Zeile 6 der Tabelle -->
    <TR VALIGN=TOP>
      <TD COLSPAN=2 WIDTH=354>I would like to be on a
mailing list announcing <BR>Doug Menuez's work: <INPUT
TYPE="radio" NAME="Mailing List?" VALUE="yes" CHECKED>Yes
<INPUT TYPE="radio" NAME="Mailing List" VALUE="no">No
</TD>
```

```
      </TR>
      <!-- Ende Zeile 6 der Tabelle -->
      <!-- Start Zeile 7 der Tabelle -->
      <TR VALIGN=TOP>
        <!-- Leerer vertikaler Keil -->
        <TD COLSPAN=2><IMG BORDER=0 WIDTH=354 HEIGHT=20
        SRC="./resources/dot_black.gif"></TD>
      </TR>
      <!-- Ende Zeile 7 der Tablle -->
      <!-- Start Zeile 8 der Tabelle -->
      <TR>
        <TD COLSPAN=2 WIDTH=354>Your Comments:<BR></TD>
      </TR>
      <!-- Ende Zeile 8 der Tabelle -->
      <!-- Start Zeile 9 der Tabelle -->
      <TR VALIGN=TOP>
        <!-- Leerer vertikaler Keil -->
        <TD COLSPAN=2><IMG BORDER=0 WIDTH=354 HEIGHT=5
        SRC="./resources/dot_black.gif"></TD>
      </TR>
      <!-- Ende Zeile 9 der Tabelle -->
      <!-- Start Zeile 10 der Tabelle -->
      <TR>
        <TD COLSPAN=2 WIDTH=354><TEXTAREA NAME="Comments"
        ROWS=15 COLS=53> WRAP=VIRTUAL></TEXTAREA></TD>
      </TR>
      <!-- Ende Zeile 10 der Tabelle -->
      <!-- Start Zeile 11 der Tabelle -->
      <TR VALIGN=TOP>
        <!-- Leerer vertikaler Keil -->
        <TD COLSPAN=2><IMG BORDER=0 WIDTH=354 HEIGHT=15
        SRC="./resources/dot_black.gif"></TD>
      </TR>
      <!-- Ende Zeile 11 der Tabelle -->
      <!-- Start Zeile 12 der Tabelle -->
      <TR>
        <TD COLSPAN=2 WIDTH=354><INPUT TYPE="submit"
        VALUE="Send Comment"><INPUT TYPE="reset"
        VALUE="Never Mind"></TD>
      </TR>
      <!-- Ende Zeile 12 der Tabelle -->
    </TABLE>
    <!-- Ende Text Tabelle -->
</FORM>
<!-- Ende Formular -->
```

Verzeichnisstruktur

Ich bevorzuge ein flaches Verzeichnissystem auf dem Server. Egal wie kompliziert die Site aufgebaut ist, es gibt in der Regel nur eine Verzeichnisebene (Verzeichnisse und Ordner sind dasselbe). Ich stelle das Quellverzeichnis und alle anderen Behälterverzeichnisse zusammen mit allen logischen Verzeichnissen der zweiten Ebene, auf die die Site zugreifen wird, in ihren oberen Bereich. Ich versuche, keine Verzeichnisse auf einer niedrigeren Ebene zu haben, außer wenn sie eine große Gruppe von Bildern beinhalten, die sich speziell auf das HTML nur für dieses Verzeichnis beziehen. **Ich stelle HTML-Dateien niemals tiefer als eine Ebene in der Hierarchie hinunter, um keine Zeit durch die Fehlerkorrektur der Dateireferenzen zu verlieren.** Ich habe fast alle HTML-Dateien in der zweithöchsten Ebene.

Fotos befinden sich im Bildverzeichnis, doch werden sie von HTML-Dateien eine Ebene tiefer, in den verschiedenen Zug-Verzeichnissen, aufgerufen, weshalb jedes Tag im HTML-Dokument so aussieht:

```
<IMG SRC="../images/
tokyo95.b.jpg">
```

Das "../" bedeutet "eins hoch und rüber" in der Verzeichnisstruktur. Ich muß mich auf die Titel-GIFs beziehen, indem ich **../titles/** statt **titles/** vor den Dateinamen schreibe. Weil ich ein Verzeichnis tiefer arbeite, muß ich auch "../" zu meiner Verzeichnisreferenz hinzufügen, sonst würde sie nicht funktionieren:

```
<IMG VSPACE=x
SRC="../resources/
dot_black.gif">
```

- animations
- biography.html
- clients.html
- comments.html
- feedback.html
- images
- index.html
- navigation
- photolist.html
- preamble.html
- resources
- t1
- t2
- t3
- templates
- titles

Es gibt zwei Wege, wie man auf einer Site wie dieser Zufallsseiten präsentieren kann: echter Zufall und scheinbarer Zufall. *Echter Zufall* läuft über ein Perl-Skript oder eine Datenbank, womit eine temporäre Auswahl von 36 Bildern erstellt wird. Diese Auswahl läuft immer dann an, wenn jemand die Titelseite betritt – man sieht also immer eine zufällige Auswahl von 36 aus 56 Bildern. Die *scheinbar zufällige* Art ist die, eine Anzahl von Sites im voraus zu bauen (und zwar so viele, daß die meisten Betrachter die begrenzte Anzahl nicht bemerken werden) und durch diese Sites zu führen.

Diese Vorgehensweise funktioniert in Situationen, in denen es vorzuziehen ist, ein wenig zusätzliche Arbeit in HTML zu investieren, statt zu programmieren. Stellen Sie es sich so vor, als würde man mehrere Züge bauen und dann einen Schalter verwenden, der jede Minute einen neuen Zug auf die Gleise schickt. Diese Strategie des „Zufalls für Arme" ist nicht nur erheblich leichter für den Designer, sondern auch für den Server (weniger CPU-Zyklen) und für die Support-Leute, weil sie weniger Wartung und Fehlerbehebung benötigt [9.19]. In diesem Fall werde ich drei Züge aus der Gesamtzahl von 56 Bildern bauen. Wenn ich will, kann ich immer noch mehr machen.

Nun, da ich einen Zug soweit habe, daß er funktioniert, ist es an der Zeit, drei daraus zu machen.

Eisenbahnwaggons bauen. Ich möchte sicherstellen, daß diese Idee auf meinem Computer funktioniert, bevor ich sie auf den Server schiebe. Nachdem ich 20 weitere Bilder vorbereitet habe, sind es 56, mit denen ich arbeiten kann: Ich erstelle die positiven und die negativen Versionen aller Fotos und mache das

Titel-GIF für jede Seite, einschließlich ihrer umgedrehten Rückseiten. Sobald ich alle Zutaten habe, muß ich sie nur noch zusammenschütten.

Alle Bilder kommen wie gehabt mit logischen Namen wie „paloalto86.b.txt.gif“ in den Bilderordner. In diesem Ordner befinden sich jetzt 112 Bilder (jeweils ein Hauptbild und das dazugehörige Negativ). Ich lege einen weiteren Ordner namens Titel an, in dem ich alle 112 (positiven und negativen) Titel-GIFS lagere.

Ich erstelle ein weiteres Verzeichnis auf meiner Festplatte, das ich „Templates“ nenne. Dort baue ich die HTML-Template für jedes Bild und sein negatives Gegenstück. Es ist wichtig, jedem Dokument einen logischen Namen wie „tokyo95.b.html“ oder „tokyo95.w.html“ zu geben. Ich muß alle 112 HTML-Dokumente anordnen, bevor ich den nächsten Schritt tun kann. Des weiteren muß ich darauf achten, daß die Namen der Bilder und Titel-GIFS mit dem richtigen Erzähltext assoziiert werden. Es muß zwar noch viel mehr Verknüpfungsarbeit geleistet werden, aber die besteht aus weniger Köpfchen und dafür aus mehr Wiederholungen.

Ich verknüpfe jede HTML-Seite (Zugwaggon) mit ihrem negativen Zwilling, aber nicht über ihre Namen. Weil ich weder die Namen noch die Nummern der vorhergehenden und nachfolgenden Dokumente kenne oder weiß, welche Nummer das HTML-Dokument für die negative Rückseite sein wird, lasse ich ein „xx“ an den sechs Stellen im Code.

Um Platz für alle Züge zu schaffen, erstelle ich drei neue Verzeichnisse (Ordner), die ich t1, t2 und t3 nenne. Ich werde für jeden Zug Waggons aus HTML-Template-Dokumenten bauen und jedes neue Verzeichnis mit einer anderen Kombination füllen.

Um den ersten Zug zusammenzusetzen, öffne ich den Template-Ordner und kopiere die 36 HTML-Dokumente (und ihre negativen Rückseiten), die ich für diesen Zug will, in den Ordner des ersten Zuges. Jetzt kommt der wichtige Teil: Während ich jedes HTML-Dokument kopiere, ändere ich den Namen von „tokyo95.b.html“ zu „01.b.html“ oder „22.b.html“ oder welche Nummer in der Sequenz als nächste kommt. Das läßt die logischen Namen zurück und sortiert sie in der Reihenfolge des Erscheinens im Ordner. (Wenn ich das Präfix ordentlich mit 01 bis 09 verwende, stelle ich sicher, daß sich meine Dokumente im Ordner sauber der Reihenfolge nach anordnen.) Ich fahre fort, die Dokumente hinzuzufügen und ihre Namen zu ändern, bis ich bei „36.b.html“ anlange, welches eine der drei Farbversionen ist, die ich

9.20 A [B auf der nächsten Seite] Das Einfügen der richtigen Zahlen „hängt“ den Zug zusammen.

```
<TR VALIGN=top>
  <!-- SCHALTFÄCHE VORHERIGE SEITE -->
  <TD ALIGN=left WIDTH=55><A
  HREF="05.b.html"><IMG BORDER=0 WIDTH=24
  HEIGHT=13 SRC="../navigation/
  all.b.lt.gif"><IMG BORDER=0 WIDTH=24
  HEIGHT=13 SRC="../navigation
  /05.b.ltrt.gif"></A></TD>
  <!-- LEERES FÜLLMATERIAL -->
  <TD><IMG BORDER=0 WIDTH=89 HEIGHT=1 SRC="../
  resources/dot_black.gif"></TD>
  <!-- BILDRAHMEN-NUMMER -->
  <TD><IMG BORDER=0 WIDTH=26 HEIGHT=13
  SRC="../navigation/05.b.ctr.gif"></TD>
  <!-- LEERES FÜLLMATERIAL -->
  <TD><IMG BORDER=0 WIDTH=89 HEIGHT=1 SRC="../
  resources/dot_black.gif"></TD>
  <!-- KNOPF ZUR NÄCHSTEN SEITE -->
  <TD ALIGN=right WIDTH=55><A
  HREF="06.b.html"><IMG BORDER=0 WIDTH=24
  HEIGHT=13 SRC="../navigation/
  all.b.rt.gif"></A></TD>
</TR>
```

201

gemacht habe. Beachten Sie, daß ich hier nur HTML-Dokumente kopiere, keine Bilder, so daß die Menge der duplizierten Daten recht gering bleibt.

Die Züge zusammenstellen. Nun, da die HTML-Templates für diesen Zug stehen, hänge ich sie aneinander, indem ich die Links ändere. Ich wähle 20 Dokumente aus (die ersten zehn Seiten und ihre Rückseiten) und öffne sie alle gleichzeitig in meinem Textprogramm. Indem ich nach „xx" suche, kann ich die Nummern in jedem Dokument ändern, ohne groß nachzudenken. Für die Dokumentennummer 6 beispielsweise schreibe ich „06" in den „xx"-Teil des Dateinamens des entgegengesetzten Dokuments, „05" in die Verknüpfung „Zurück" und den Dateinamen des GIF mit dem Zurück-Knopf. Ich schreibe „06" in

9.20 B [A auf der vorhergehenden Seite]

den Text, der besagt, welches Dokument das ist, und „07" in die Verknüpfung „Vorwärts" und deren GIF-Dateinamen. Ich schließe das Dokument und mache das gleiche mit der negativen Version (achten Sie darauf, daß Sie die „05"- und „07"-Links vertauschen, damit sie nach hinten zeigen). Am Schluß ändere ich die Dateinamen für die Preloads. Ich erzeuge alle Vorderseiten in einer Gruppe und verknüpfe dann die Gegenseiten. Alles zusammen hat jedes Dokument acht Posten, die geändert werden müssen [9.20 A, B].

Ich ändere die Links in Gruppen von 20 Dokumenten. Dazu benötige ich jeweils 5 Minuten und für jeden Zug ungefähr 20 Minuten. Nachdem alles am richtigen Platz ist, hänge ich die ersten und letzten Dokumente daran. Der Link zurück von Dokument „01.b.html" und der Vorwärts-Link von Dokument „01.w.html" lautet „../preamble.html", während der Vorwärts-Link von Dokument „36.b.html" und der Zurück-Link von Dokument „36.w.html „../ feedback.html" ist. Beachten Sie, daß ich „Digital Moments - Doug Menuez" als Titel aller inneren Seiten eingetippt habe, um zusätzliche Arbeit beim Bezeichnen der Seiten zu vermeiden.

Nun fehlt noch ein letztes Detail. Das Preload auf der Preamble-Seite. Sie erinnern sich, daß diese Seite für alle Züge dieselbe ist – ebenso verhält es sich mit dem vorgeladenen Bild. Das bedeutet, daß der erste „Waggon" eines jeden Zugs die Seite sein sollte, die das Bild von Steve Jobs beinhaltet. Es gibt komplizierte (skriptbasierende) Lösungen, mit denen ich dieses Bild von Waggon zu Waggon ändern könnte. Um aber mein Navigationsschema zu erhalten und das Ganze simpel zu lassen, entschließe ich mich, dasselbe Bild für die erste Seite

```
<TR VALIGN=top>
  <!-- KNOPF VORHERIGES BILD -->
  <TD ALIGN=left WIDTH=55><A
  HREF="21.b.html"><IMG BORDER=0 WIDTH=24
  HEIGHT=13 SRC="../navigation/
  all.b.lt.gif"><IMG BORDER=0 WIDTH=24
  HEIGHT=13 SRC="../navigation/
  21.b.ltrt.gif"></A></TD>
  <!-- LEERES FÜLLMATERIAL -->
  <TD><IMG BORDER=0 WIDTH=89 HEIGHT=1 SRC="../
  resources/dot_black.gif"></TD>
  <!-- BILDRAHMEN-NUMMER -->
  <TD><IMG BORDER=0 WIDTH=26 HEIGHT=13
  SRC="../navigation/22.b.ctr.gif"></TD>
  <!-- LEERES FÜLLMATERIAL -->
  <TD><IMG BORDER=0 WIDTH=89 HEIGHT=1 SRC="../
  resources/dot_black.gif"></TD>
  <!-- KNOPF ZUR NÄCHSTEN SEITE -->
  <TD ALIGN=right WIDTH=55><A
  HREF="23.b.html"><IMG BORDER=0 WIDTH=24
  HEIGHT=13 SRC="../navigation/
  23.b.ltrt.gif"><IMG BORDER=0 WIDTH=24
  HEIGHT=13 SRC="../navigation/
  all.b.rt.gif"></A></TD>
</TR>
```

jeder Version zu verwenden. Das ist ein wenig enttäuschend, aber der Preload ist wichtiger als das Vermeiden von Wiederholungen.

Nach dem ersten Waggon beginnt die Zufälligkeit. Nachdem ich den ersten Zug getestet habe, wiederhole ich den Prozeß und verknüpfe die anderen zwei Züge. Ich kann die Ordnung der Fotografien nach eigenem Gutdünken einrichten, während ich jeden Zug von Seite 1 bis Seite 36 aufbaue. Ich arbeite mich durch alle drei Ordner, baue Züge und verknüpfe sie.

Die Züge auf die Gleise stellen. Um die Züge zum Laufen zu bringen, simuliere ich das Verhalten des Serverskripts auf meinem eigenen Computer. Ich ändere die t1-Referenz der Vorspann-Datei „preambles.html„ in t2 – und schon bin ich im zweiten Zug [9.21].

Auf den Server laden. Die Site von meinem Computer zum Server zu schieben bedeutet auch, darauf zu achten, daß alles richtig läuft.

Nachdem ich meine Dokumentenstruktur auf dem Server exakt nachgebaut habe, gehe ich auf meine Preamble-Seite und kodiere den Link vom Pfeil des ersten Waggons im ersten Zug. Sobald ich dann die Site mit meinem Browser besuche, sehe ich das beabsichtigte Resultat: Zug 1 läuft gut. Ich schreibe die Preamble-Seite um, ändere den Link „t2„, lade erneut auf den Server – und wieder läuft alles richtig. So schreibe ich einige Male die Preamble-Seite um, schiebe sie auf den Server und stelle sicher, daß alle Züge vorhanden sind.

Um das Umschalten auf die Gleise zu automatisieren, automatisiere ich nur das, was ich bisher getan habe. Ich bitte meinen Webmaster ein kurzes Skript

```
<!-- Knopf der Site eingeben -->
 <TD> A HREF="http://www.menuez.com/t2/
 01.b.html">
 <IMG BORDER=0 WIDTH=93 HEIGHT=15
 SRC="animations/enter.gif"></TD>
```

9.21 In der Preamble-Seite wird mit diesem HTML-Code der animierte Pfeil mit dem ersten Waggon im zweiten Zug gelinkt.

```
<!--   Knopf der Site eingeben -->
  <TD>
    <!--#exec cgi="switch.cgi" -->
    <IMG BORDER=0 WIDTH=93 HEIGHT=15
    SRC="animations/enter.GIF">
  </TD>
```

9.22 Das ist der Quellcode vor Ausführung des Skripts.

Aliases und Shortcuts

Auf dem Macintosh erstellen Sie einen Alias, indem Sie eine Datei auswählen und „Alias erzeugen" aus dem Ablagemenü wählen. In Windows 95 können Sie eine Verknüpfung zu einem Dokument erstellen, indem Sie es mit der rechten Maustaste anklicken und „Verknüpfung erstellen" auswählen. Unter Windows 3.1 können Sie keine Verknüpfung erstellen. Sie müssen entweder upgraden oder alles auf den Server stellen, um Ihre Arbeit zu testen.

mit der Bezeichnung „switch.cgi" zu schreiben. Das Skript (es wurde in Perl geschrieben) macht zwei Dinge: Es verwendet 1) vom System bereitgestellten Zufallszahlengenerator für die interne Variable $num und 2) die Werte dieser Variable, um eine von drei Anweisungen in die HTML-Datei zu „drucken", die Aufruf-Anweisung zu ersetzen und die vervollständigte Datei dem Besucher zu präsentieren.

Diese Vorgehensweise bezeichnet man als „server-side include"(Server-

9.23 Ein Pop-up-Feld als Gestaltungselement verwenden – eine weitere Idee in Ihrem Werkzeugkasten.

Seite einschließen). Das ist eine Möglichkeit, einen CGI-Call für den gewünschten Text zu ersetzen – das CGI-Programm muß nur dann den richtigen Text bereitstellen, sobald die Seite dem Besucher präsentiert wird. Das vorliegende Skript ruft die Subroutine „srand" auf, um eine Zahl zu wählen, und dann die Subroutine „int", um sicherzustellen, daß nur eines von den drei möglichen Ergebnissen herauskommt: o, 1 und 2. Diese Routinen sind Teil von Perl; diese Skript-Sprache läßt sich auf nahezu jedem Web-Server installieren. Anschließend verwendet das Skript den Wert der Variablen „$num", um das letzte HTML zu ersetzen und die Datei dem Betrachter zu liefern, der sie angefordert hat. Wenn Sie zu der Site gehen und sich den Quellcode ansehen, werden Sie feststellen, daß HTML vorhanden ist und nicht der CGI-Call. So, wie ich die Datei geschrieben habe, sehen Sie sie nur in der Abbildung [9.22].

Auf vielen Servern müssen Sie Ihre Datei in eine „.shtml"-Datei umbenennen. Damit zeigen Sie einen CGI-Call in HTML an. Deshalb hat auch die Preamble-Seite den aktuellen Dateinamen „preamble.shtml" und ist die einzige derartige Datei in der Site.

9.24 Pop-up-Felder lassen sich jeder Seite leicht hinzufügen.

```
<FORM>
<SELECT>
<OPTION SELECTED>
T O K Y O , 1 9 9 5
<OPTION>Japanese women
bow in traditional
<OPTION > greeting in the
lobby of Apple
<OPTION > Computer's
Headquarters.
</SELECT >
</FORM >
```

Das Perl-Skript

```
#!urs/local/bin/perl
# Relocator Script for Menuez Digital Moments
- www.menuez.com
# Pick a random Number from 0 to 2 and go to
web page determined by number.

srand( (time/$$)*getppid );
$num= int(rand(3));

print "Content-type: text/html\n\n";

print "<A href=\"";

if ($num == 0) {
   print "http://www.menuez.com/t1/01.b.HTML";
}
   elsif ($num == 1) {
   print "http://www.menuez.com/t2/01.b.HTML";
}
   else {
   print "http://www.menuez.com/t3/01.b.HTML";
}

print "\">";
)
```

Dieses Perl-Skript wählt zufällig einen von drei "Zügen" immer dann, wenn es aufgerufen wird. Der richtige Befehl wird in das HTML gestellt, über welches das Skript aufgerufen wurde. Der entsprechende CGI-Call im HTML wird dabei ersetzt. Tatsächlich „druckt" das Skript eine der folgenden Textzeilen in das HTML:

```
                  ⎧  "http://www.menuez.com/t1/01.b.HTML"
                  ⎪            oder
<a href=          ⎨  "http://www.menuez.com/t2/01.b.HTML"
                  ⎪            oder
                  ⎩  "http://www.menuez.com/t3/01.b.HTML"
```

Zusammenfassung

Eigentlich hätten wir zum Anzeigen von Zufallsbildern eine Datenbank im Hintergrund verwenden müssen und sobald sich Datenbanken im Web mehr durchsetzen, werde ich die Site entsprechend ändern.

Vorerst habe ich jedoch nach anderen Lösungen gesucht, Lösungen, die mir die umständliche Einarbeitung in die Datenbankprogrammierung ersparen sollten, wie zum Beispiel nach einer Art „Zufall für Arme", bei dem ich im Voraus den Ablauf bestimmen kann. Ich erspare mir so die Programmierarbeit und kann mich ganz auf das Design konzentrieren. Dazu baue ich einfach genug Züge, alles wirkt dann wie zufällig ausgewählt und später füge ich – wenn nötig – weitere hinzu.

So ist die Site zwar recht kompliziert, das HTML selbst dagegen recht simpel. Die meiste Arbeit fiel in Photoshop an, lange Stunden knochentrockener Maloche, aber es hat sich gelohnt. Die Site wurde neben vielen anderen Auszeichnungen und auch im Jahreswettbewerb des International Design Magazins erwähnt.

Anwendung

Wenn Sie eine Galerie machen, können Sie auch für die Bildunterschriften Tags von Formularen als Gestaltungselemente verwenden. Das ist eine intelligente Methode, Informationen wie z.B. eine Bildunterschrift zu präsentieren, wenn Sie nicht wollen, daß diese sofort sichtbar ist. In diesem Fall habe ich den Titel an den Kopf eines Pop-up-Menüs gestellt und die Bildunterschrift in Form von mehreren Optionszeilen hinzugefügt [9.23].

Das Formular selbst tut nichts – es dient lediglich dazu, ein Pop-up-Element [9.24] zur Verfügung zu stellen. Das ist eine interessante Variation und vielleicht ein Gedankenanstoß, wenn Sie eine Galerie zu einem anderen Thema, aber mit einer vergleichbaren Struktur erstellen wollen.

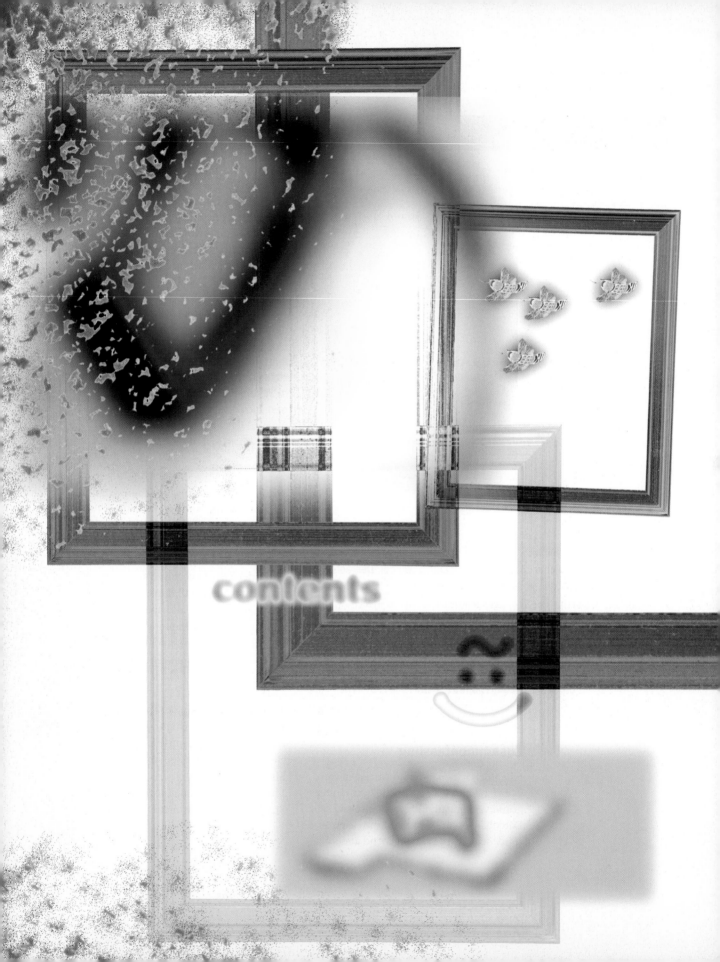

contents

KAPITEL 10

Kreative Designlösungen

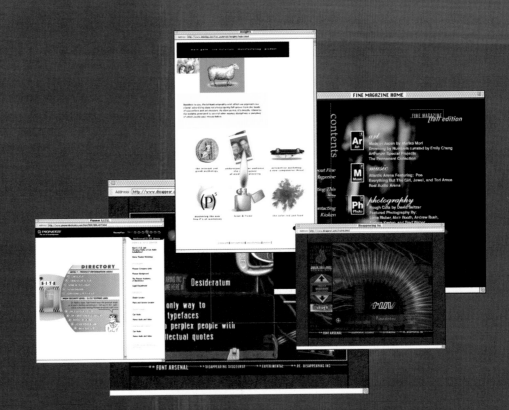

IN DIESEM KAPITEL möchte ich fünfzehn Lösungen präsentieren, die meiner Meinung nach bemerkenswert sind. Zwölf dieser Sites haben den High-Five-Preis für exzellentes Web-Design erhalten (www.highfive.com). Diese Beispiele zeigen, wie man die Macht von Metapher und Thema nutzen kann, um Webseiten lebendig zu gestalten. Jede hat ihre besondere Taktik, die Sie für Ihre eigenen Projekte verwenden können, um einen Effekt zu erzielen oder ein Problem zu lösen.

Dennett's Dream
Matthew Lewis

www.cgrg.ohio-state.edu/~mlewis/
Gallery/gallery.html

Matthew Lewis stellte seine wundervolle Ausstellung *Dennett's Dream* gerade zu der Zeit fertig, als die Erweiterungen für Netscape 1.1 1995 auf den Markt kamen, die ihm einen schwarzen Hintergrund für die Präsentation seiner Arbeit ermöglichten. Sie zeigt eine Reihe von Bildern, die er für ein Multimedia-Projekt an der Ohio State University gemalt hat. Die Site gewann einen High-Five und viel Beachtung von anderen Jurys. Matt bietet uns zwei Versionen: eine Site für hohe Bandbreite und eine für niedrige. Die Version für hohe Bandbreite ist wirklich aufregend. Er verwendet eine Konsole aus sich teilweise abblendenden Navigationspfeilen, um eine intuitive Benutzeroberfläche zu schaffen.

Diese Galerie stellt eine Alternative zu der geradlinigen Galeriestruktur aus Kapitel 9 dar. Matt gibt uns zwei Möglichkeiten, wie wir die Ausstellung betrachten können: entweder durch den Gang gehend und uns zu den gewünschten Bildern hindrehend oder den Bildern zugewandt seitlich laufend. Egal, wie Sie durch die Ausstellung wandern – auf jeder Seite sind deutliche Hinweise, wohin Sie als nächstes gehen können. Sie betrachten nie nur ein Bild für sich – links und rechts sind Teile der Nachbarexponate sichtbar. Diese optischen Fingerzeige führen uns bis zum Ende durch, das als Wendepunkt gestaltet ist, der einen wieder zum Eingang bringt. Wenn Sie dem Hinweis am Anfang folgen und die linke Galerieseite entlanglaufen, folgen Sie den Bildern im Halbkreis und kommen am Ende zum großen Finale. Das hier ist ein großartiges Beispiel für eine geradlinige Ausstellung mit einem Anfang, einem Zentrum und einem Ende.

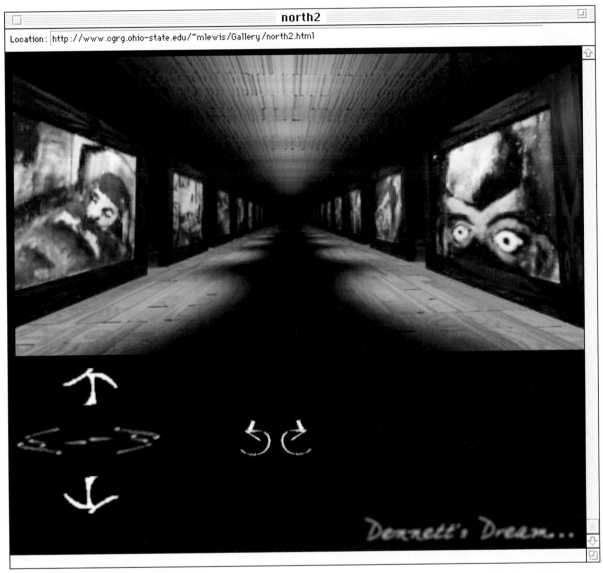

Dennett's Dream: Sie können in der Mitte den Gang hinunter- oder seitlich gedreht links entlanggehen und rechts wieder zurückkehren.

The Idea Factory
TBWA/Chiat/Day

www.chiatday.com

Gute Ideen werden nicht geboren, sie werden gemacht. Indem sie ihre Werbeagentur TBWA/Chiat/Day als die „Ideenfabrik" bezeichnen, setzen John Avery und Dave Butler eine gute Idee gut um – mit einer Metapher. Gute Metaphern erzählen eine Geschichte, erläutern ein Konzept und liefern eine praktische Form zur Darstellung von Informationen. Wie kann man besser die nebulöse Werbewelt beschreiben als über die Umwandlung von Rohmaterial in ein Produkt?

Avery und Butler haben ihre Site einfach gehalten und überlassen die Arbeit der Metapher. Die Firmeninformation steht in drei Bereichen und gut ausgewählte Grafiken verdeutlichen optisch den Herstellungprozeß. Ein Schaf liefert das Rohmaterial, das in der Spinnerei zu Garn wird und dann als Endprodukt zu einer Jacke wird. Ehrgeizig beschreibt TBWA/Chiat/Day in jedem Abschnitt die verschiedenen Rohmaterialien und Prozesse, die zu ihren kreativen Werbekampagnen führen. Dazu gehören auch Artikel wie „Die Farbe Rot und Lebensmittel".

Beachten Sie die Konstruktion des animierten GIF auf der Homepage. Wenn Sie sich den Code anschauen, können Sie feststellen, daß sich das GIF aus vier Bildern zusammensetzt, von denen nur eines (factorysmoke.gif) animiert ist. Die anderen drei Bilder sind statische GIFs, die in einer einfachen Tabelle zusammengefügt sind. So entsteht der Eindruck eines großen, animierten Bildes.

Gute Metaphern erläutern ein Konzept. Großartige Metaphern machen es einfach.

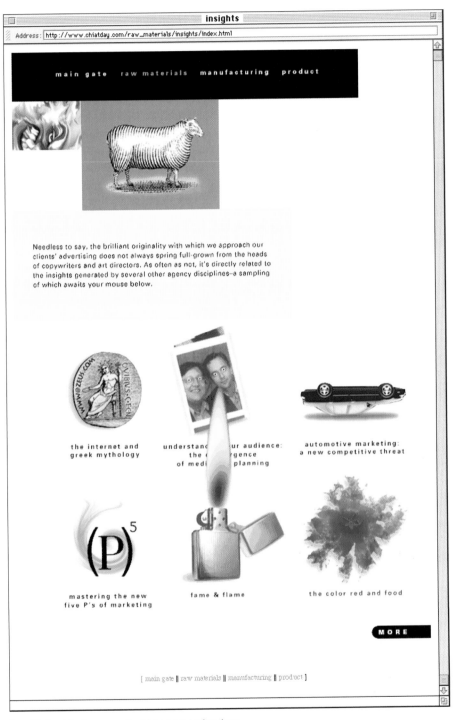

Das Minimaldesign garantiert kürzeste Ladezeiten.

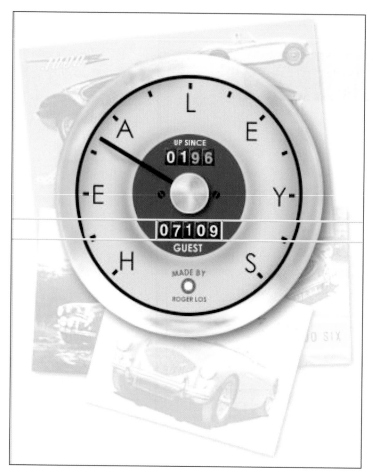

Rogers genialer Trick: die Verwendung einer Tabelle, um vier statische Bilder um ein dynamisches herum anzuordnen.

Grafische Elemente lokalisieren

Um auf dem Mac zu sehen, wie eine Seite aufgebaut ist, können Sie mit dem Cursor auf die einzelnen grafischen Elemente klicken und die Maus leicht bewegen. Sie sind in der Lage, ein Bild zu „packen" und es herumzuschieben, seine Umrisse aus seinem Ort auf der Seite zu schieben und so zu sehen, wie es mit den anderen Elementen zusammenpaßt. Sie können auch den Befehl *Anzeigen*, *Dokumentinformation* im Netscape Navigator verwenden, um eine Seite zu analysieren.

Big Healeys
Roger Los

los.com/healey/big.html

Versuchen Sie das nie daheim! Roger Los, ein freier Grafiker (und Fan von englischen Sportwagen) in Seattle, hat eine sehr ausgereifte, auf Frames basierende Site gestaltet. Er hat dafür geschachtelte Frames verwendet, damit sich die Frames anständig benehmen. Roger ist ein Web-Designer mit einer seltenen Mischung aus optischem und technischem Scharfsinn. Das Vorzeigeobjekt der Site ist die Tachoscheibe, die Ihnen sagt, der wievielte Besucher Sie sind. Viele Sites verwenden sich drehende Zählwerke; von denen, die ich sah, ist dies die einzige Site, die das wirklich gut macht.

Der Trick ist recht einfach: Nehmen Sie die Fotografie eines Tachometers, zerschneiden Sie sie und ersetzen Sie den Kilometerzähler durch einen aktiven Zugriffszähler. Das Ganze aber elegant zu lösen, ist eine andere Sache. Hier ist jede Ziffer ein eigenes GIF. Ein spezielles Programm verbindet die darzustellende Zahl mit den richtigen GIFS, spuckt das entsprechende HTML aus und die ganze Seite wird dynamisch serviert. Probieren Sie es selbst aus!

Urban Diary
Joseph Squier

gertrude.art.uiuc.edu/ludgate/the/
place.html

Joseph Squier ist Assistant Professor an
der University of Illinois in Urbana-
Champaign und unterrichtet Fotografie
und elektronische Medien. Josephs Site,
The Place genannt, hat Kritikerlob aus
der ganzen Welt erhalten. Von dieser
Site habe ich nur wenige Tage, nachdem
ich mit dem Surfen begonnen hatte, gelernt, die Wortunterstreichungen auszuschalten. Joseph öffnet Hunderttausen-
den von Besuchern die Augen, die seine
Site erfrischend und optisch verblüffend
finden.

Diese Seite aus seinem Werk, der
Urban-Diary-Serie, ist eine von vielen
Imagemaps, die Fotos von kariertem
Papier dazu verwenden, ein ganzes Blatt
darzustellen. Diese Seite – wenn auch
ein wenig speicherintensiv – ist vielleicht
die erste Seite, die dem Würgegriff von
HTML wirklich entronnen ist. Die Zahlen
am Fuß sagen Ihnen, auf welcher Seite
Sie sich befinden. Fast alles ist mit etwas
Interessantem verknüpft und jedes Mal,
wenn Sie zurückkommen, entdecken
Sie etwas Neues. Besuchen Sie den
Rest von The Place, um das zu sehen,
was vielleicht der Welt erste Site der
3. Generation ist.

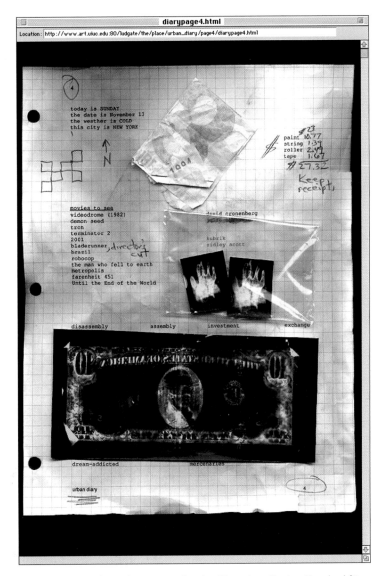

Joseph Squiers Urban Diary verwendet eine Metapher, die den Standard für
Designer der 3. Generation setzt.

Dial It
Peter Horvath

mindlink.net/ph/tv_2.html

Peter Horvath ist Teil eines Zwei-Mann-Designerteams (zusammen mit Sharon Matarazzo) namens 6168. Peters Design für einen Fernsehkanalschalter ist eine ausgezeichnete Art, eine Ausstellung über Popkultur in eine Popkulturmetapher einzubetten. Der Kanalschalter steht auf der Hauptbühne und ruft beim amerikanischen Fernsehkonsumenten Erinnerungen an *Gilligan's Island* und *Dragnet* wach. Um den Sender zu wechseln, müssen Sie einen Link auswählen. Die Links werden nach Benutzung dunkel, damit Sie immer wieder hierher zurückkehren, um zu den anderen Seiten zu gelangen, die Sie noch nicht gesehen haben.

Da steckt eine Tour-de-Force an Tabellenarbeit dahinter – mit eingeschalteten Rändern kann man gut sehen, wie das alles funktioniert. Statt den Code hier zu veröffentlichen, schlage ich Ihnen vor, die 6168-Site zu besuchen und den Quelltext vor Ort anzuschauen.

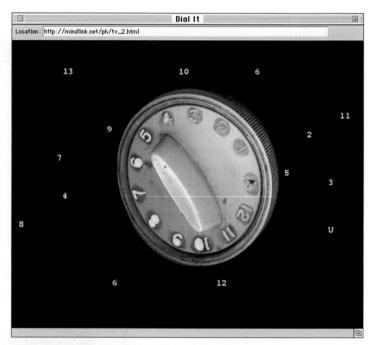

Können Sie die Tabellenstruktur dieser Seite erkennen?

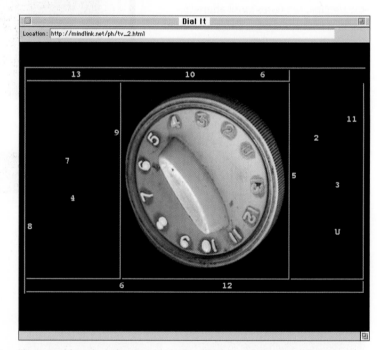

Ein Fernsehkanalschalter ist ein ideales Objekt zur Analyse der Popkultur.

Zoloft Intro Page
Josh Feldman

www.spectacle.com/zoloft/initiation/
letter.html

Diese pfiffige Seite wurde von Josh Feldman von Prophet Communications für sein interaktives Abenteuer Zoloft gestaltet. Das faszinierende Holzpaneel-Hintergrundbild wurde aus einem Scan erstellt und im Photoshop in ein nahtloses JPEG umgewandelt. Diese Seite macht sich das LOWSRC-Argument im `<IMG>`-Tag ganz ausgezeichnet zu Nutze. Ein Bild kann zwei Quellen haben, die sogenannte *Low Source* und *High Source* – also eine grobe Voransicht und das hochauflösende Endbild. Die Low Source wird als erste hochgeladen. Sie ist als Puffer für Betrachter mit langsameren Verbindungen gedacht. Wenn der Benutzer wartet, wird sich das im High Source festgelegte Bild über das vorige aufbauen. In diesem speziellen Fall hat Josh zwei voneinander unabhängige Bil-

der gemacht, das erste ein aufgerissener Briefumschlag, das zweite ein geöffneter Brief. Beachten Sie, daß er einen Teil des Umschlags kopiert hat, um nach dem Übergang zum High-Source-Bild Kontinuität zu wahren. Die Seite ist ein brillantes Beispiel für die Verwendung der LOWSRC-Option, die selten so gut wie hier umgesetzt wird.

Diese Seite hält ein zusätzliches kleines Geschenk parat. Es handelt sich um den Preload einer Shockwave-Animation, der die Außenaufnahme der Kirche für den nächsten Bildschirm vorauslädt, während Sie den Brief lesen. Es wurde als Pixel in die obere linke Ecke plaziert. Wenn Sie dann auf die nächste Seite gehen, müssen viele Bilder hochgeladen werden, doch dieses ist bereits im Cache.

Der Hintergrund, die Low-Source- und die High-Source-Grafik.

Die Animation übernimmt
ein sonst nur schwer zu
visualisierendes Konzept

Fila
Foote, Cone & Belding
Modem Media
R/GA Interactive

www.fila.com

Peter DePasquale und Steve McGinnis von der Werbeagentur Foote, Cone & Belding arbeiteten mit Michael Hedgepeth von Modern Media und Natalie de la Gorce und Scott Prindle von R/GA Interactive zusammen, um diese Site für Fila-Sportschuhe zu gestalten.

Beachten Sie, wie die animierten GIFs im Design Lab – ich mag besonders die beweglichen Noppen – es fertigbringen, ein ansonsten uninteressantes Produktmerkmal attraktiv zu machen. Animierte GIFs werden zu häufig nur als witzige Fernsterdekoration verwendet. Fila dagegen zeigt uns, wie einfach dem Betrachter mit animierten GIFs schwierig darzustellende Konzepte

verdeutlicht werden können. Ein weniger praktisches, aber dafür wirklich „cooles" animiertes GIF zeigt, wie Grant Hill im Eingangstunnel von „Camp Tough Guy" von niedlich in imposant verwandelt wird.

Bei der Reise durch die Site sollten Sie auf die Navigationsleiste achten. Die Designer haben für die einzelnen Bereiche unterschiedliche Texteffekte eingesetzt und nicht auf nutzlose Icons oder verwirrende Bilder gebaut. Die Schriftdarstellung betont einige Bereiche und spielt andere herunter. (*In Kapitel 5, „Schriften darstellen", finden Sie Ideen, wie sich eine Site typographisch optimieren läßt.*)

Fine Magazine
Gene Na, Peter Kang
Kioken Design

www.finemagazine.com

Wenn Sie Ihre komplette Site in einem Pop-up-Fenster ohne Browser-Buttons präsentieren, wird die Navigation kritisch. Gene Na, Peter Kang und das Kreativteam von Kioken Design hatten darüber hinaus noch ein weiteres Problem zu lösen: Sie wollten keine Standardtabelle als Inhaltsverzeichnis für *Fine Magazine*. Schließlich fanden Sie eine kreative Lösung für beides, indem Sie die Inhaltselemente mit einer kreativen und zugleich natürlichen Metapher organisierten: der periodischen Tabelle. Art wird zu Ar, Affairs zu Af, Music zu Mu usw. Diese einfache, „kondensierte" Präsentation der einzelnen Abteilungen einer Site ergibt gleichzeitig eine unaufdringliche Werkzeugleiste für den Beginn einer jeden Seite. Zwischenzeitlich erscheint rechts die Abteilung, in der Sie gerade sind – einschließlich des Namens des Artikels, den Sie sich anschauen.

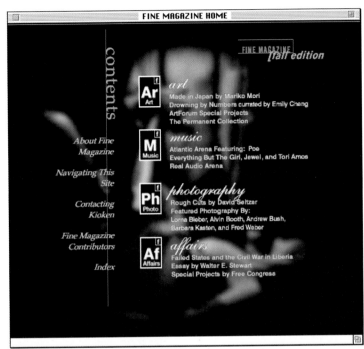

Die Homepage erklärt die Metapher, die dann als Toolbar auf den anderen Seiten einfach zu benutzen ist.

Diese Navigationselemente ergänzen in der Site die Metapher der periodischen Tabelle.

The Fray
Derek M. Powazek

www.fray.com

Derek M. Powazek, früher bei Hotwired und Electric Minds, gestaltete „The Fray" in seiner Freizeit. 1995 bekam Powazek seinen ersten High-Five. Seitdem kennt man „The Fray" sowohl wegen der innovativen HTML-Tricks und des Designs

Ziehen Sie die Rahmen zur Seite, um die Story freizulegen.

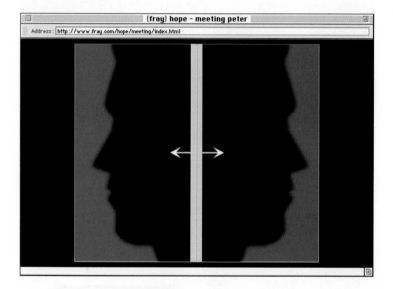

als auch wegen der guten Schreibe. Der Artikel „Meeting Peter" im Abschnitt „Hope" – gestaltet von Powazek und Alexis Massis – arbeitet mit einem wirklich innovativen Frameset. Auf der Seite werden neun Frames benutzt, um den Effekt zu erzielen: drei quer, drei untereinander und drei in der Mitte – die beiden Gesichter und darunter der versteckte Frame mit dem Text. Jeder Frameset läßt sich einstellen, sobald die Ränder eingeschaltet sind, und das Design hängt davon ab. Schieben Sie die mittlere Begrenzung zur Seite, um die Story freizulegen. Besucher, denen das nicht bekannt ist, brauchen nur auf die Pfeile zu klicken, die zu einem neuen Frameset mit geöffneten Türen führen.

Über Frames bewegt man sich in der Story oder in anderen Artikeln. Checken Sie das Design von Powazek und Adam Rakunas für die „Booze" in dem Teil mit Kriminalstories. Sie müssen auf die letzten Wörter in jedem Abschnitt klicken, um zum nächsten Teil zu gelangen – die Story erscheint dann in einem anderen Frame. Das Layout zwingt den Betrachter, sich interaktiv mit dem Text auseinanderzusetzen und ihn nicht nur passiv durchzuscrollen. Dieselbe Grafik wiederholt sich innerhalb eines Artikels – neue Seiten und Frames werden daher schnell geladen. In „Reality Check", gestaltet von Powazek und Jennifer Lind, ermöglicht ein komplexerer Frameset, daß der Text in immer neuen Frames über die Seite wandert. Damit wird der Eindruck von Zeit und vorbeihuschenden Szenen erweckt – zumindest aber einer Landschaft, die an den Busfenstern vorbeizieht.

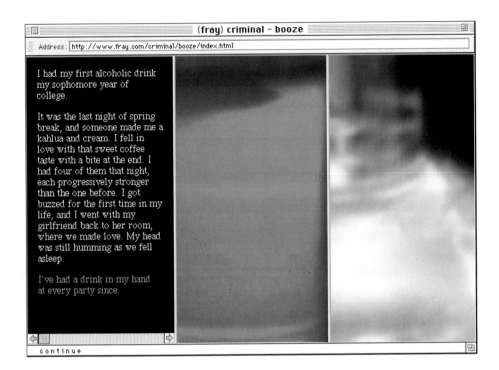

Besucher klicken häufig, um in der Erzählung weiterzukommen – die Frames ermöglichen zusätzliche Interaktivität.

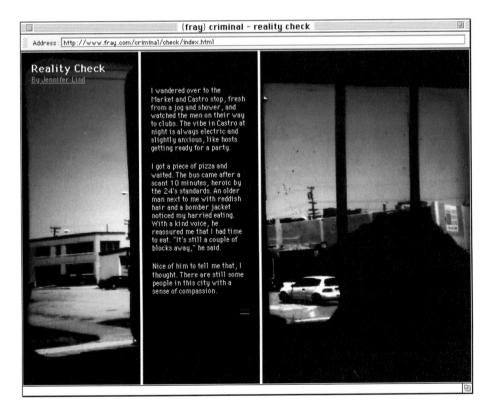

Pioneer Electronics USA
Eagle River Interactive

www.pioneerelectronics.com

Die Navigation von Pioneer Electronics USA macht das Entdecken dieser Mammut-Site so einfach wie das Wechseln einer Radiostation. Bei Eagle River Interactive arbeiteten Kreativdirektor Charles Field, Senior-Artdirektor K. Lee Hammond, Artdirektor Clay Jensen, Illustrator Michael Morrison und der 3D-Grafiker Danny Sublett zusammen mit Senior Producer Bruce Maurier, Producer Andy Hawks und Projektmanager Blaire Hansen an dieser High-Five Site.

Die Navigation ist innovativ, enthält aber dennoch grundlegende Dinge. Der linke obere Rahmen liefert Grundinformationen wie den Namen des Abschnitts und Unterabschnitts – man weiß also sofort, wie tief man in der Site drin ist.

Im rechten oberen Rahmen können Sie von Abschnitt zu Abschnitt springen – über glänzende, technisch aussehende Knöpfe, passend zum leicht verrückt aussehenden Wissenschaftler in der Site. Der rechte untere Rahmen liefert Textlisten mit Produkten. Farbige Pfeile in diesen Listen – sie erinnern an das Macintosh-Interface – weisen allein durch die Optik auf weitere Informationen hin.

Über kleine Elemente wie die Pfeile neben dem Text können Sie auf eine bestimmte Seite innerhalb des Bereichs oder in einen anderen Bereich wechseln. Es ist kein wirklicher Random Access, weil es einfach zu kompliziert wäre, jede Seite von jeder anderen Seite aus zu verknüpfen. Der Besucher kann in zwei Ebenen wählen, was für die meisten Sites genau richtig ist. Sie können entweder direkt in einem „Ortsteil" herumspazieren oder einen anderen „Ortsteil" besuchen und hier von vorn beginnen. Auf diese Weise läßt sich eine Site nach Produkten oder Kategorien (CD-Spieler, Equalizer usw.) unterteilen.

Sobald Sie sich in einem Ortsteil aufhalten, wird die Navigation einfallsreicher. Animierte Grafiken schlagen Wege vor, die Sie benutzen können – einige davon real, andere nur witzig. In einer Sequenz werden im rechten Frame die Zieltasten eines Fahrstuhls angezeigt, über deren Anklicken Sie die nächste Ebene erreichen – eine konsequente Anwendung einer Metapher. Andere Sequenzen nutzen den rechten Rahmen, um zu erklären, wie man sich in den komplizierteren Bildern im Hauptrahmen zurechtfindet. Beachten Sie den außergewöhnlich komplizierten Frameset. Diese Site arbeitet mit fünf Frames zur Präsentation der jeweiligen Informationen, während andere Sites mit zwei Frames auskommen.

Achten Sie auch auf die anderen Details, um die sich Eagle River gekümmert hat, wie z.B. die farbigen Tabellenzellen im Abschnitt Home Theatre (Heimkino). Sie müssen nur ein BGCOLOR-Tag und einen Hex-Wert dem TD-Tag hinzufügen und sofort haben Sie Farbe, ohne die Bandbreite zu belasten. Diese kleinen Details ergeben zusammengenommen eine nahtlose, kreative Benutzerschnittstelle, die den Besucher für Stunden in der Site verweilen läßt, ohne daß er dabei die Orientierung verliert.

Die Knöpfe im rechten oberen Rahmen ermöglichen das Navigieren zwischen Abschnitten (oben). Die Navigation innerhalb eines Abschnitts wird dann kreativ.

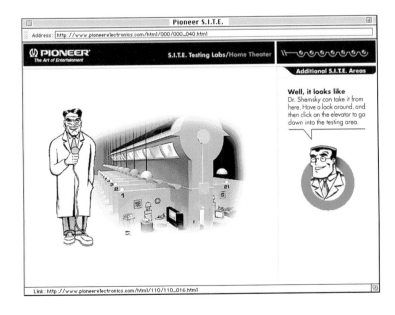

Elliott/Dickens

www.elliottdickens.com

Die im Silicon Valley ansässige Werbeagentur Elliott/Dickens zieht Vorteile aus
dem häufig vergessenen Platz, indem sie
ihre Site im Quer- und nicht im Hoch-
format präsentieren. Das Kreativteam
sträubt sich bewußt gegen den allgemeinen Trend, nicht zu scrollen, indem
wichtige Navigationselemente ganz, ganz
rechts außen plaziert werden.

Das Design nutzt den horizontalen
Raum mit breiten Layouts mit Menüele-
menten wie dem Portfolio. Die Horizontalen kontrastieren gut zur Fotografie.
Der Aufnahmewinkel liegt oberhalb des
Objekts, so daß es quasi aus dem Monitor herausspringt. Indem das Layout in
drei große Bilder aufgebrochen wird –
Schlüsselbegriff, Foto und Menü – sowie
durch die GIF-Komprimierung gleicher
horizontaler Farben werden die Ladezeiten erheblich verkürzt.

Probieren Sie die Buttons in dem
interaktiven Portfolio. Wenn Sie auf eine
Option gehen, wird ein neues Fenster
eingeblendet – der Inhalt des Fensters
ändert sich, sobald Sie auf eine neue
Option gehen. Der Button erzeugt ein
Ereignis, das nicht nur aus dem Menü
entfernt wird, sondern in einem neuen
Fenster erscheint. Ein anderer „cooler"
Effekt ist die Office Tour – eine Dia-
schau, die dem Besucher in schneller
Abfolge einige Bilder präsentiert und so
das lästige Klicken-Herunterladen überflüssig macht. Fazit: Kreative und gleichzeitig gute Ergebnisse erzielen diejenigen, die gestalterische und technische
Talente zusammenbringen können.

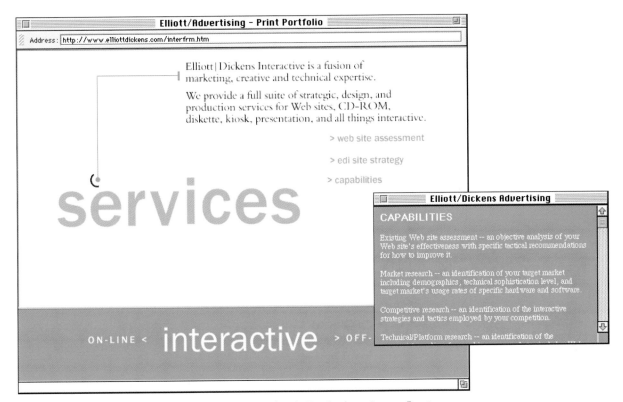

Wenn Sie auf eine Option gehen, erscheint der entsprechende Text in einem Pop-up-Fenster.

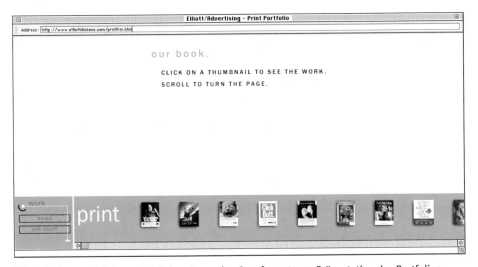

Elliott Dickens nutzt den zusätzlichen Raum des Querformats zur Präsentation des Portfolios.

Disappearing Inc's Font Arsenal
Red #40

www.disappear.com

Disappearing Inc. ist ein Schriftenhersteller, der fünf Leuten gehört und sich ernsthaft mit aktueller Typographie auseinandersetzt. Die Gruppe Red #40 für digitales Design (zu denen kaum zufällig auch die Schriftdesigner Jeff Prybolsky und Jason Lucas von Disappearing Inc. gehören) hat die Site gestaltet und implementiert.

Der Abschnitt Disappearing Discourse (Abhandlung über Disappearing) nutzt eine Datenbank mit Namen und Gedanken. Text-GIFs werden aus dem Stand heraus eingeblendet. Mit welchen anderen Online-Fonts ist das möglich? Der große Hintergrund – er zieht sich durch die gesamte Site – stört dabei nicht, da die Fonts in einem Rahmen enthalten sind. Der überlegte Einsatz von Animationen ist eine weitere gute Idee – in sehr vielen Sites wird Ihre Position in der Navigationsleiste angegeben. Anders dagegen in „Re: Disappearing Inc.", wo ein rotglühendes Licht anzeigt, daß Sie einen Treffer gelandet haben. Gehen Sie einfach mal durch die „Geschäftsbedingungen", dann auf die CPU von Disappearing Inc. und tun Sie so, als würden Sie einige Fonts bestellen wollen.

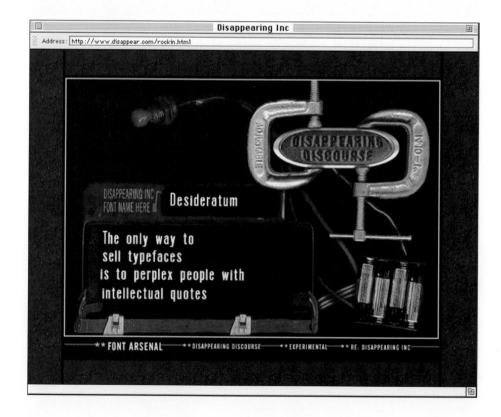

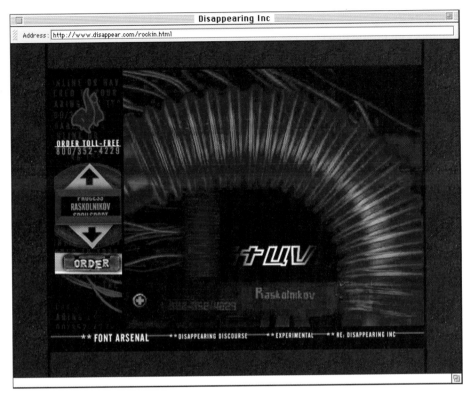

Das Bestellsystem allein läßt Sie die Schriften kaufen. Unten: Ein blinkendes
rotes Licht informiert Sie über Ihre Position in der Site.

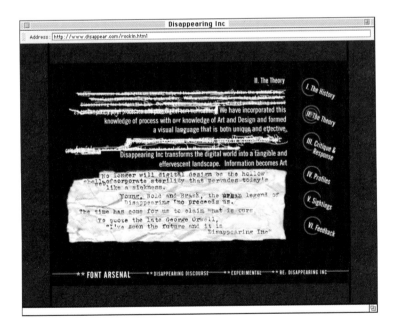

Samsung
Phoenix Pop Productions

www.phoenix-pop.com/samsung

Die Design-Gurus Simon Smith und Bruce Falck von Phoenix Pop haben das Samsung-Projekt mit dem Vorschlag an Land gezogen, daß das große Unternehmen in einem Haiku-ähnlichen Eingang zur Site eingebettet sein sollte. Da die Schönheit eines Haiku (eine japanische Gedichtform) in seiner Kürze liegt, konnte das Haiku der Site nur ein kleiner, repräsentativer Teil des Untenehmens sein. Dies ist ein Beispiel für den Einsatz einer Metonymie statt einer Methapher – es wird nur der Teil eines großen kaum mehr erfaßbaren Ganzen verwendet.

Während Phoenix Pop die Haiku-Idee weiterentwickelte, änderten sie es in eine grafische, metonymische anstelle einer verbalen Darstellung. Die Hauptseite enthält drei unterschiedlich große, aber ansonsten gleiche Grafiken – einen Baum, eine Wasserwelle oder ein Kind, das Fußball spielt, abhängig davon, was der Server per Zufall anbietet. Die Grafiken stehen für verschiedene Aspekte von Samsung. Beispielsweise soll die größer werdende Wasserwelle Samsungs Vision der Wertsteigerung symbolisieren. Sobald man auf eine Grafik zeigt, ändert sie sich in eine Beschreibung des jeweiligen Site-Bereichs.

Wenn Sie eine der Kategorien „past", „present" oder „future" wählen, werden weitere Rollover aktiviert. Die Rollover erweitern hier die Funktionalität und jeder wird zu einer Art Inhaltsverzeichnis für das jeweilige Element. Beachten Sie die Javaskript-Ergebnisse im Site-Führer – in einem Pop-up-Fenster erscheint ein Menü mit weiteren Wahlmöglichkeiten. Dieses Fenster folgt Ihnen beim Weg durch die Site, wobei das Menü dem auf der Hauptseite angewählten Bereich entspricht.

Da die erste Version der Samsung-Site neu gestaltet wurde, können Sie die Ursprungsversion auf der oben angegebenen URL sehen.

Das JavaSkript-Pop-up-Fenster „folgt" Ihnen durch die Site; die Anzeige entspricht dem Bereich, in dem Sie sich innerhalb der Site aufhalten.

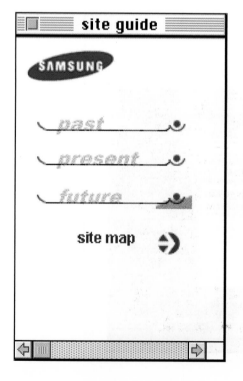

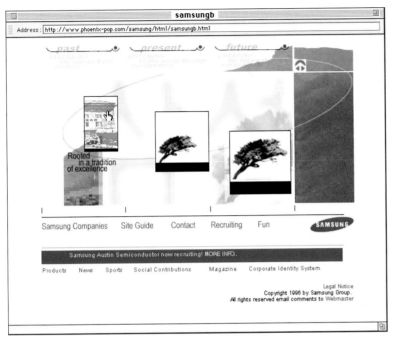

Die einfache Schönheit der Bäume steht für einen Aspekt von Samsung, während die Rollover zu den drei Hauptkategorien der Site führen.

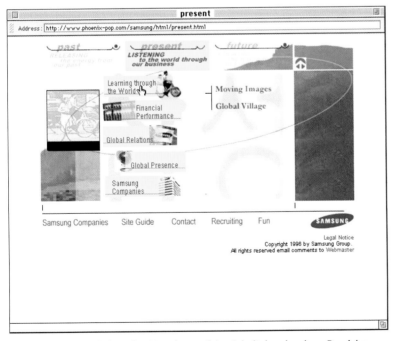

Die Rollover ermöglichen eine Vorschau auf den Inhalt der einzelnen Bereiche.

Gehen Sie mit der Maus von Jahr zu Jahr, um die weichen Flash-Übergänge zu „spüren".

Mungo Park
Microsoft's Live Expedia

www.mungopark.com

Mungo Park demonstriert eine Anzahl wichtiger Gestaltungsprinzipien, doch möchte ich an dieser Stelle besonders auf die ausgezeichnete Integration von Flash (auch bekannt als Flash 2, Shockwave Flash und FutureFlash) eingehen. Der verantwortliche Redakteur Richard Bangs, Artdirektor Jonathan Cowles und die Gestalter Doug Montague, John Griffin, Roger Los und Heidi Flora haben diese innovative Site gestaltet. Bevor Sie sich selber in der Site umsehen, achten Sie darauf, daß Sie den unglaublich

kleinen Shockwave Flash-Player von Macromedia geladen haben.

Die Site hat eine der besten Anwendungen von Flash im Web. Beachten Sie, wie schnell die Animation geladen und ausgeführt wird – die vektororientierte Animation von Flash sorgt für kleinste Dateigrößen und ist unabhängig von der jeweiligen Bildschirmauflösung. Ohne jeden Qualitätsverlust können Sie verkleinern oder vergrößern. Schauen Sie im Legends-Archiv nach der großartigen Zeitleiste des Artikels „STS-81: Live from the Space" – Rollover erläutern, was in dem jeweiligen Jahr passierte. Während Sie mit der Maus von Jahr zu Jahr gehen, werden Sie eine gewisse „Weichheit" zwischen den Rollover-Grafiken feststellen, was im Gegensatz zum mehr ruckartigen Java-Skript steht. Sie kennen doch bestimmt den Unterschied zwischen einer gebrauchten Rolex und Imitation – die freie Hand streicht über die Rolex.

Es mach Spaß, mit Flash-Animationen herumzuspielen. In „Mungo's River Road" wird in einer animierten Karte die Reise eines Forschers nachvollzogen. Sie sehen hier nicht nur, aus welcher Ecke die einzelnen „Abfertigungspunkte" (Dispatch) der Site kommen, sondern es ändern sich auch die Beförderungsvehikel – man sieht also, wie und womit der Forscher gereist ist. Flash bietet Besuchern und Designern viele Vorteile bei geringsten Ladezeiten; das dazugehörige Authoring-Tool ist allerdings mit einer lausigen Bedienerschnittstelle ausgestattet. (*Mehr Informationen über Flash finden Sie in Kapitel 12, „Strategien für den Übergang"*).

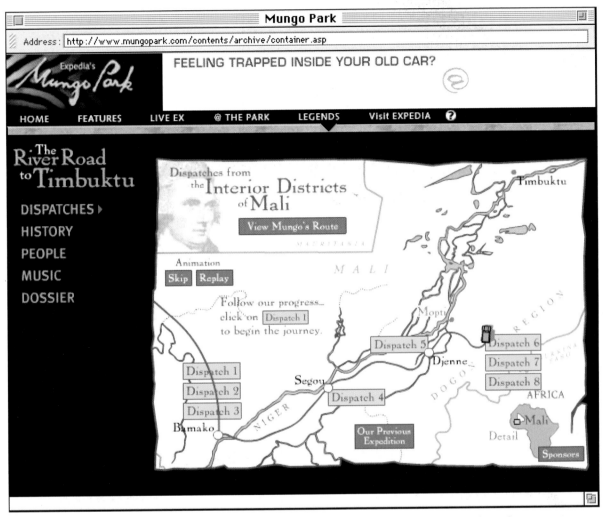

Diese Flash-Animation zeigt die einzelnen „Abfertigungspunkte" und wie das Team zu den einzelnen Plätzen kam.

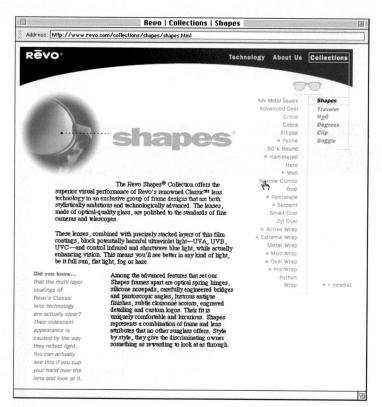

Kunden kennen Ihre Lieblingsformen,
nicht aber deren Namen – Revos Rollover
zeigen jede Form als kleines Bild.

Revo
Studio Archetype

www.revo.com

Das im Web-Design führende Studio
Archetype mit Managerin Karen Roehl-
Sivak, Gestaltungsdirektor Jack Herr,
Senior-Designerin Brooks Beisch,
Designerin Karin Bryant und Producer
Nick McBurney hat diese gut gestaltete
Site für Revo produziert. Beachten Sie
die raffinierten JavaScript-Rollover, die
für jeden Brillennamen die entsprechende Abbildung aktivieren. Diese Thumb-
nails sind zwar klein, reichen aber aus,
um dem Besucher einen Eindruck von
der Brillenform zu vermitteln.

Sie können nicht nur die Form sehen,
sondern auch die verfügbaren Optionen
prüfen. Die Seiten mit den Brillenfor-
men arbeiten mit einer Liste, über die
Sie herausfinden können, in welcher
Farbe und Form das Gestell und die vom
Augenarzt verordneten Gläser erhältlich
sind. Die Designer kontrollieren die
Tabelle, indem sie den Text als GIF darstellen (*siehe Kapitel 5, „Schriften darstellen"*). Die Matrix setzt sich aus mehreren
kleinen Bildern zusammen – die bei
einer neuen Auswahl sich wiederholenden Elemente können deshalb schnell
aus dem Cache nachgeladen werden.

Beachten Sie, wie Studio Archetyph
elegant Bullet-Listen im technischen
Abschnitt umgeht, indem einfach mit
Weißraum gearbeitet wird. Wörter statt
Bullets informieren über den jeweiligen
Status der Elemente. Diese Site ist eine
der wenigen im Web, in der das gut
gemacht wird. Obwohl dem Studio
Archetype Extrapunkte für das Fortlassen
der Bullets zustehen, gibt es einen Punk-
teabzug für die Leerzeilentypographie.
Eingezogene Absätze hätten die Site viel
besser lesbar gemacht.

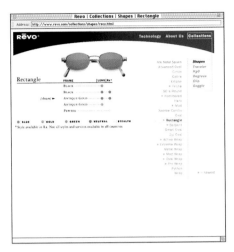

Die Textdarstellung in einzelnen GIFs ermöglicht den Gestaltern die Kontrolle über die Matrix und sorgt für schnelle Ladezeiten.

Todsünde Nummer SECHS

Aliasing, Dithering und Blitzer

Aliasing bedeutet, daß Sie Zacken sehen können. Stellen Sie sich Zacken als Käfer vor: Sie kriechen in Ihre Bilder und nagen an der Qualität Ihrer Site. Ihre Bilder werden dadurch zwar kleiner, sehen aber aus, als hätten Raupen an ihnen genagt. Bemühen Sie sich, zackige Linien oder punktierte Bereiche, die glatt sein sollten, zu eliminieren.

Dithering ist gewissermaßen eine Art von Zacken, weil in der Regel die Pixel wahrnehmbar sind. Bilder mit Dithering sehen meistens schlecht aus, außer in Fotografien, die aber eher JPEGS sein sollten und nicht GIFS.

Blitzer sind das größte Symptom der Pixelfäulnis. Blitzer erscheinen häufig, wenn Sie annehmen, daß Leute einen bestimmten Hintergrund beim Surfen haben (z. B. grau), und Sie Ihr Bild daraufhin anpassen. Besucher mit weißen Hintergründen sehen dann graue Blitzer an allen Bildern.

Teil III

KAPITEL 11

Eine Einführung in CSS

Was Sie in diesem Kapitel erwartet:

Was bedeutet CSS?

CSS-Fallen

Bewußt gestalten

Browser-spezifische CSS

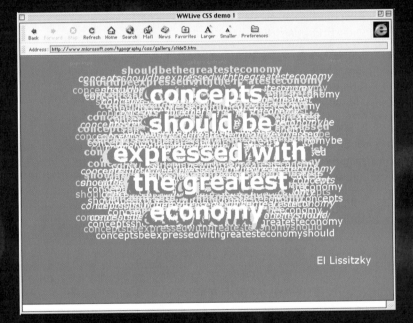

Die 10 Regeln für CSS

1. Verwenden Sie CSS, um Inhalt und Format zu trennen. CSS ist die Zukunft für das Web-Design.

2. Lernen und unterstützen Sie die W3C-Spezifikationen für Formatvorlagen und damit zusammenhängende Protokolle.

3. Arbeiten Sie immer unter Berücksichtigung des aktuellen Status der Browser-Unterstützung für Formatvorlagen.

4. Ermutigen Sie Browser-Anbieter, die auf den W3C-Spezifikationen basierende CSS-Implementation mitauszuliefern.

5. Experimentieren Sie mit dieser Technologie jetzt, um auf den Tag vorbereitet zu sein, an dem die Mehrzahl der Browser CSS-Seiten richtig darstellen kann.

6. Dokumentieren Sie alle Abweichungen von der W3C-CSS-Spezifikation und informieren Sie die Browser-Hersteller entsprechend. Lassen Sie die heute außer Kraft gesetzten Implementationen nicht zum zukünftigen Standard werden.

7. Adaptieren Sie Formatvorlagen, sobald sie für Ihre Site und die Sites Ihrer Kunden praktikabel sind. Seien Sie auf eine Überarbeitung Ihrer Site vorbereitet, sobald sich die CSS-Unterstützung verbessert.

8. Bereiten Sie Ihre Kunden auf ein Umdenken und den möglichen Übergang zu CSS vor.

9. Arbeiten Sie mit einem Skript, um herauszufinden, welche Browser von den Leuten verwendet werden. Sofern erforderlich, bieten Sie Formatvorlagen an, um CSS-Implementationen, wie z.B. in IE 4.0, zu ergänzen. Kümmern Sie sich dabei nicht um Browser mit gefährlichen Sub-Standards.

10. Starten Sie mit einem guten, überschaubaren Satz an Formatvorlagen. Modifizieren Sie diese Vorlagen gemäß Ihren Erfordernissen, statt komplett neu zu beginnen. Wählen Sie Formatvorlagen wie einen Browser: sorgfältig.

ALLES, WAS SIE BISHER über das Gestalten mit HTML wissen, könnte äußerst falsch sein. Ihre Seiten werden zerstückelt geladen. Ihre Besucher werden sich beschweren. Gut informierte Designer werden schnellere, besser ausschauende Sites in kürzerer Zeit produzieren, als Sie selber es könnten. Was ist nur passiert? Die neue Technologie der Formatvorlagen bzw. *Cascading Style Sheet* (CSS) macht die meisten der in diesem Buch angesprochenen HTML-Codierungstechniken überflüssig.

Es gibt bereits viele Bücher, in denen gezeigt wird, wie Cascading Style Sheets arbeiten sollten. In einem gewissen Maße steht dieses Kapitel für das Üben von Nutzlosigkeit – es zeigt in erschreckendem Maße, wie Browser das im August 1997 abgegebene Versprechen der CSS-Kompatibilität nicht einhalten können. Diese neue Technologie ist für Web-Designer so wichtig, daß die Mitarbeiter von Verso und ich Sie einladen, uns zuzuschauen, während wir versuchen, mit der von den Browser-Anbietern bereitgestellten CSS-Implementierung zu arbeiten.

Was ist ein Cascading Style Sheet?

Grafikdesigner arbeiten heute mit Formatvorlagen in PageMaker, Quark und sogar in Microsoft Word. Joe, er ist für das Layout dieses Buchs verantwortlich, arbeitet mit einer Formatvorlagendefinition für alle Unterüberschriften in den einzelnen Kapiteln. Um die Formatvorlagen flexibel zu halten, muß er sich Zeit nehmen, um Absätze, Hauptüberschriften, Unterüberschriften usw. den jeweiligen Formaten zuzuweisen. Die Cascading Style Sheets funktionieren ähnlich, sind aber mächtiger und subtiler.

Alle Browser arbeiten mit Formatvorlagen, selbst Netscape 1.0 und Lynx. Vor CSS waren Formatvorlagen fest in den Browsern implementiert – sie konnten weder vom Autor noch vom Anwender verändert werden. Einzige Ausnahmen: Standardfarben, Standardschriften usw. Die interne Formatvorlage in den meisten Browsern ist diejenige, die eine <H1>-Überschrift wirklich groß macht, und zwar mit „Leerzeilen" ober- und unterhalb: genauso wie mit den <P>s und vielen anderen HTML-Elementen. Für sich genommen bieten die meisten Tags keine bestimmte Formatierung.

In CSS kann jedes mögliche HTML-Tag und jedes spezifische Element, die ein Autor formatieren möchte, eine Formatvorlage definieren. Sie können eine Formatvorlage als Textdatei schreiben und anschließend aus jedem HTML-Dokument auf diese Vorlage zugreifen. Um beispielsweise eine Formatvorlage von David Siegel – oder eine andere, im Web verfügbare Formatvorlage – zu verwenden, müssen Sie nur Namen und Ort am Anfang Ihrer Datei einfügen. Das Dokument selber braucht nicht geändert zu werden, ausgenommen der Link zur Formatvorlage.

Zusätzlich zur Kontrolle der Elemente auf einer Web-Seite ermöglicht eine vollständige CSS-Implementation dem Designer die Gestaltung persönlicher Formatvorlagen. So wie die Anwender jetzt ihre bevorzugten Schriften und Farben wählen können, ermöglichen die persönlichen Formatvorlagen dem Anwender die Festlegung einer bestimmten Ansicht aller HTML-Elemente. Es gibt einen ziemlich sorgfältig implementierten Mechanismus, um Konflikte zwischen den Formatvorlagen des Designers und denen des Anwenders zu verhindern, wobei die Formatvorlage des Autors eine

CSS-Quellen

www.w3.org/Style/ Die Web Site des World-Wide-Web-Konsortiums ist der beste Ausgangspunkt, voll mit aktuellen Links zu spezifischen Tools, Veröffentlichungen, Tutorials, Diskussionsgruppen usw.

www.htmlhelp.com/ Äußerst empfehlenswert. Diese Site beinhaltet eine ausgezeichnete CSS-Referenzseite, einen Online-„Fussel" bzw. Debugger/Coach sowie Hilfen für das Schreiben von syntax-gültigem (nicht optisch orientiertem) HTML-Code, für den CSS als Ergänzung vorgesehen ist.

www.mcp.com/hayden/internet/style/Table.html Bevor Sie sich wegen einiger CSS-Features, die scheinbar nicht funktionieren, die Haare ausreißen, sollten Sie in dieser Tabellen nachschauen, ob die Features überhaupt von Ihrem Browser unterstützt werden.

news:comp.infosystems.www.authoring.stylesheets Eine Newsgroup, die sich den Web-Formatvorlagen verschrieben hat, was an dieser Stelle CSS heißt. Es könnte vielleicht auch etwas wie DSSSL bedeuten, doch das ist eine ganz andere Geschichte.

Cascading Style Sheets, von Håkon Wium Lie und Bert Bos (Addison Wesley, 1997) ist eine umfassende Darstellung des Standards und seines Platzes im Web – geschrieben von den beiden führenden CSS-Architekten.

Håkon Wium Lie, der Vater der Cascading Style Sheets.

etwas höhere Priorität besitzt. Wenn der Designer tatsächlich eine bestimmte Definition haben möchte, erhält sie der Anwender auch. Unglücklicherweise besagt die CSS-I-Spezifikation, daß selbst, wenn der Anwender tatsächlich seine eigene Formatvorlage statt die des Designers verwenden will, er das nicht kann. Die letzte Kontrolle bleibt beim Autor. Sie könnten jetzt davon ausgehen, daß ich diese Lösung unterstütze – das ist nicht der Fall. Ich denke, daß Designer genau bestimmen sollten, wie Ihre Arbeit dargestellt wird, und wenn Anwender etwas anderes wollen, sollte man es ihnen auch erlauben.

Es gibt zwei Ansätze für die Anwendung der Cascading Style Sheets. Zum einen gibt es den pragmatischen Ansatz, bei dem CSS hauptsächlich eine Erweiterung der HTML-Tricks ist, und zum anderen den „orthodoxen" Ansatz, bei dem CSS radikal sämtliche Tricks ersetzt. Natürlich gibt es auch einen Mittelweg; nur um diesen sicher zu machen, muß man ein solides Wissen über die beiden anderen extremen Ansätze besitzen. Als Leser dieses Buchs sind Sie bereits mit dem Status quo der HTML-Tricks vertraut, weshalb sich die Übungen in diesem Kapitel mit dem „orthodoxen" Ansatz beschäftigen, um sowohl die Versprechungen als auch die Realitäten der Implementation zu durchleuchten.

Wichtig für den orthodoxen Ansatz ist, daß mit einem gültigen, strukturierten HTML begonnen wird. Das heißt, daß die Elmente innerhalb eines Dokuments so getagt werden, daß sie der strukturellen Hierarchie im Dokument und der logischen Signifikanz der einzelnen Teile entsprechen und nicht dem beabsichtigten Aussehen auf der Browser-Seite. Die meisten strukturellen Tags sind Container – sie haben Anfangs- und Endelemente. Das Format lautet `<TAGNAME>Inhalt</TAGNAME>`, wobei der Inhalt nur aus einem Zeichen oder aus einem kompletten Dokument bestehen kann. Gültige Auszeichnungen gehen von einem komplexen Set von Regeln aus, die darüber wachen, welche Elemente sich innerhalb anderer Elemente befinden dürfen. Cascading Style Sheets, die auf diesen formalen Abhängigkeiten aufgebaut sind, ermöglichen es dem Designer, das Aussehen eines Dokuments zu verändern, ohne dafür die Tags ändern zu müssen.

Das heißt natürlich, daß die „Klebeband"-Tricks und Hacks aus den vorangegangenen Kapiteln nur einen beschränkten Platz in einem Web haben, das von CSS bestimmt wird. Um alle Möglichkeiten der Formatvorlagen voll auszuschöpfen, müssen Site-Gestalter mit einem korrekt ausgezeichneten Inhalt beginnen und aufhören, HTML als ein optisches Werkzeug zu betrachten.

Die Evolution der Style Sheets

CSS-1. Diese Original-Spezifikation enthält eine Anzahl typographischer Kontrollmöglichkeiten. Die Spezifikation wurde im Dezember 1996 veröffentlicht.

CSS-P. Ein Nebenzweig von CSS, mit dem die relative und die absolute auf Koordinaten basierende Positionierung von Elementen sowie die Anordnung von Ebenen in X-Achsen eingeführt wird /(hurra!). CSS-P ist besonders interessant im Zusammenhang mit Skriptsprachen. Die Kombination aus nichtvisueller Auszeichnung, CSS und Skriptsprachen wird als „Dynamisches HTML" vermarktet.

CSS-2. Die jüngste Spezifikation kombiniert CSS-1 mit CSS-P und hat einige zusätzliche Erweiterungen, einschließlich Aural CSS (zur Sprachausgabe über HTML). Zusätzlich werden alternative Formatvorlagen für Medien wie Druck und Overhead-Projektion unterstützt.

Warum Formatvorlagen?

Wir unterziehen uns der ganzen Mühe, um drei wichtige Vorteile gegenüber den bisher in diesem Buch angesprochen Hacks zu erhalten:

1. Pflegbarkeit. Vielleicht glauben Sie, daß Bücher nicht gepflegt werden müssen – im Gegenteil. Da wir die Formatvorlagen für dieses Buch im Vorwege eingerichtet haben, ist die Produktion einer überarbeiteten zweiten Auflage relativ einfach. Wir nehmen uns ein Kapitel vor, kopieren es und benutzen es als Template für ein neues Kapitel. Web-Sites unterliegen einer permanenten Veränderung. Jede Site mittlerer Größe läßt sich einfacher pflegen, wenn Sie den kodierten Inhalt von der Typographie trennen.

2. Durchsuchbarkeit. Dadurch, daß wir den Inhalt standardmäßig kodieren bzw. auszeichnen, können Suchmaschinen mit größerer Genauigkeit unsere Site „durchforsten". Im letzten Kapitel weise ich darauf hin, daß dies nur ein kleiner Schritt in Richtung besserer Durchsuchbarkeit ist, aber immerhin ein guter Anfang.

3. Flexibilität. Rund um die Welt surfen Leute im Web mit unterschiedlichen Modems, Bildschirmen, Sprachen und Browsern. Eines Tages werden wir unsere Formatvorlagen so modifizieren können, daß die verschiedenen „Sehbedingungen" berücksichtigt werden. Bis dahin müssen wir unseren Inhalt ohne Berücksichtigung dieser Bedingungen kodieren. Mit anderen Worten, damit Designer das Look-and-Feel pflegen können, muß dieses außerhalb des Inhalts in Formatvorlagen untergebracht werden. Ähnlich verhält es sich, wenn wir in Ebenen angelegte Informationen präsentieren wollen. Damit der Besucher seine Auflösung selber bestimmen kann, müssen wir die Ebenen entsprechend spezifizieren können. Strukturiertes HTML ist der Weg dafür.

CSS eignet sich vorwiegend für große Sites oder längerfristige Web-Projekte. Ich hoffe, anhand einer einzelnen Web-Seite demonstrieren zu können, was gleichzeitig mit Dutzenden – oder Tausenden – untereinander verknüpfter Seiten passieren kann.

Da die Arbeit mit den aktuellen CSS-Browsern eine anstrengende Arbeit ist, werde ich diese viertägige Reise durch die Formatvorlagen aufzeichnen. (Wenn Sie mit mir zusammenarbeiten wollen, nehmen Sie sich Zeit und vergessen Sie alles andere. Ich werde mir die Freiheit nehmen, einiges auszulassen, um die Reise nicht zu lang werden zu lassen). Warnung: Das ist kein Tutorial! Es handelt sich um eine traurige Geschichte. Wenn Sie weiterlesen, erfahren Sie, wie diese Geschichte ausgeht.

1. Tag: Fundament legen

Wenn Sie hier hereinkommen, vergessen Sie nicht Ihren Schutzhelm. Ich werde versuchen, alles richtig zu machen. Ich werde mit Internet Explorer 3.0 und Netscape 4.0 arbeiten, die beiden einzigen z.Zt. der Drucklegung dieses Buchs verfügbaren CSS-Browser. Erschrecken Sie nicht – das alles sollte bei der vierten Ausgabe dieses Buchs funktionieren.

Auszeichnung

Ich zeichne ein erstes Testdokument aus (bzw. kodiere es), eines mit genügend Material, um Ihnen zeigen zu können, wie die Interaktion der einzelnen Elemente untereinander aussieht [11.1]. Beachten Sie das Nichtvorhandensein von Tabellen für Layouts, Farbfestlegungen, < F O N T >-Tags oder anderen visuellen Formatierungen. Einzige Ausnahme:

```
<!doctype html public "-//W3C//DTD HTML 4.0 Draft//EN"
<html>
  <head>
    <title>
      Playing with CSS
    <title>
  <head>
  <body>
  <h1>
    The most important heading
  </h1>
  <p>
  This is a test of the Emergency Webcasting System.
  <i>
    This is only a test.
  </i>
  This site, in voluntary cooperation with the W3C and other authorities,
  is conducting a test of the Emergency Webcasting System. This system has
  been developed to help keep the World informed in the event of an
  invasion from space.
  </p>
  <p>
  Were this an actual emergency, critical fight/flight/suicide instructions
  would be pushed simultaneously through all available data channels and
  other orifices, free of spam and gratuitous animations, yet attractively
  formatted in organic proportions, with proper leading an indentation, as
  well as an aurel style sheet modelled after the inflections of the late
  Orson Welles. This concludes our test of the Emergency Webcasting System.
  </p>
  <h2>
    A less important heading
  </h2>
  <p>
  The next characteristic of the book, after the title page, is the page
  opening. Earlier you learnt: a page opening is a symmetrical thing; the
  marings likewise, the numbering, everything arranged around the axis of
  the book, according to specific proportions. All these things are very
  relative. Now we often place a wide left margin on the left-hand page and
  only paginate on off-numbered pages.
  </p>
  <img scr="./cube.gif" alt="The Color Cube">
  <ol>
   <li>
  Pre-dithering to the cube ist
  <strong>
    Bad
  </strong>
  (with special case exceptions).
  <li>
  On-the-fly dithering is
  <strong>
    Good
  </strong>
  (or at least often the least of evils).
```

```
<li>
Diffuse dithering, either pre- or on-the-fly, is
<strong>
  Ugly
</strong>
(pretty much always).
</ol>
<hr>
<a href="foo">
  Next</a>
|
<a href="foo2">
  Previous</a>
|
<a href="foo3">
  Home</a>
</body>
</html>
```

11.1 Der Quellcode für mein Beispiel (siehe 11.2, unten).

einmal `<i>` (Sie werden gleich sehen, warum).

Wenn ich mir die Datei in der standardmäßigen Formatvorlage des Browsers ansehen kann ich nichts Besonderes entdecken [11.2].

Format

Erstellen der Formatvorlage. Ich werde diese Seite mit CSS typographisch überarbeiten, ohne die Seite selbst anzufassen. Der erste Schritt ist das Erstellen eines leeren CSS-Dokuments, das ich „test.css" nenne. Dieses Dokument muß mit dem HTML-Dokument verknüpft werden.

Um die externe CSS-Datei zu verknüpfen, füge ich die folgende Zeile in den `<head>`-Abschnitt des HTML-Dokuments ein:

```
<link rel="style sheet"
type="text/css" href=
"./style/test.css">
```

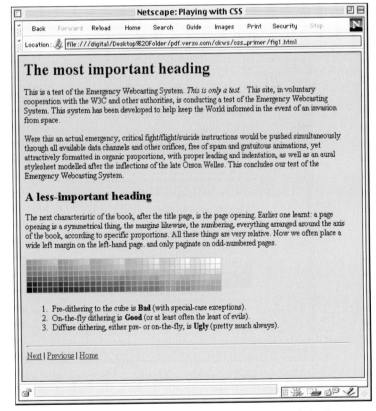

11.2 Die Standard-Formatvorlage des Browsers im klassischen Gehabe der 1. Generation

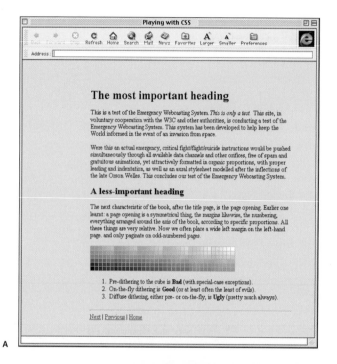

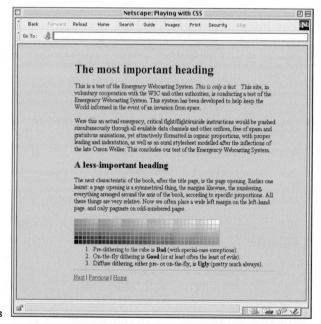

A

B

11.3 Eine schnelle Überprüfung in den beiden z.Zt. für den Macintosh verfügbaren CSS-Browsern Explorer 3.0 (A) und Netscape Navigator 4.0 (B) ergibt, daß alles nach Plan läuft – bis auf einige Pixel mehr oder weniger.

CSS ist fast eine eigene Welt neben HTML mit der Möglichkeit eigener Verzeichnisstrukturen und vieler untereinander verknüpfter Dateien. Für eine saubere Trennung stelle ich CSS-Dateien in ein gesondertes „Formate"-Verzeichnis.

Selektoren. Nun arbeite ich mit CSS. Betrachten Sie den HTML-Code [**11.1**]. Der komplette Inhalt ist im `<body>`-Element enthalten. Um globale Änderungen vornehmen zu können (wie Ränder oder Hintergrundfarbe), weise ich diese dem `<body>`-Element zu. Im CSS-Jargon ist `<body>` mein *Selektor* (AuswahlElement). Betrachten Sie Selektoren als Anfasser oder Haken in HTML für CSS-Formatierungsanweisungen.

Ränder festlegen. Ich möchte für dieses Projekt einen visuellen Gestaltungsraster aus neuen Einheiten festlegen. Das sieht gut aus, egal, wie groß das Fenster ist. Deshalb lege ich den horizontalen Leerraum in Einheiten von 11% (100:9=11,1) fest. Die linken Ränder und die Ausrichtungspunkte sind ein Mehrfaches von 11%, während die rechten Ränder individuell eingestellt werden müssen. Grund: Der optische Rand des rechts flatternden Textes geht etwas über den tatsächlichen Rand hinaus. Außerdem vergrößere ich etwas den Leerraum oben und unten auf der Seite. [**11.3 A, B**]. (Das ist leider nicht in Prozentwerten ausgehend von der Fensterhöhe möglich, da das CSS-1-Formatierungsmodell mit der Fensterhöhe nichts anfangen kann.)

In CSS sieht die Syntax wie folgt aus:

```
body {
    margin: 2em;
    margin-left: 22%;
    margin-right: 8%;
}
```

Spezifizität und Abhängigkeit. Ich habe nur „margin" (Rand) angegeben und anschließend den linken und rechten Rand. An dieser Stelle gibt es Redundanz und Konflikte, aber CSS wurde so designed, daß es absolut keine Probleme damit gibt. Später festgelegte Werte überschreiben frühere Werte – Sie habe eine höhere *Spezifität*. „margin" ist eine Abkürzung für alle vier Ränder, wobei „margin-left" und „margin-right" eine höhere Spezifität bzw. Wertigkeit haben. Das Ergebnis sieht an dieser Stelle so aus, daß wir einen oberen und unteren Rand von 2 em und einen linken und rechten Rand von 8% bzw. 22% erhalten. Dieser Evaluierungsprozeß – früh zu spät, allgemein zu spezifisch – ist eine der Bedeutungen von „Cascading".

Formatattribute gehen über Grenzen hinaus entsprechend einer von außen nach innen wirkenden Abhängigkeit. Alle lokalen Werte überschreiben die mehr globaleren. Wenn Sie z.B. keinen Wert für die Schriftfarbe in einem Absatz festlegen, sucht der Browser nach den Formatwerten für den nächst größten Container – in diesem Beispiel ist das BODY.

Hintergrundfarben und Grafiken. Als nächstes werde ich eine subtile Hintergrundgrafik zusammen mit einigen Farb- und Schriftinformationen festlegen:

```
body {
  margin: 2em;
  margin-left: 22%;
  margin-right: 8%;
  background: #FFFFFA url(./
  textura.gif);
/* diese Farbe verschiebt
sich für
8-Bit-Dislays  nach Weiß;
Bildpfad
ist relativ zur Formatvor-
lage */
  color: black;
  font: 0.8em/1.4em Verdana,
  Gillsans; sans-serif;
}
```

Die Hintergrundfarbe wird in der vertrauten Hex-Notation festgelegt (cremefarbig), während die Vordergrundfarbe (für den Text) namentlich („black") angegeben wird. In CSS können Sie die gebräuchlisten Farben per Name festlegen. Egal in welcher Sprache, Sie sollten die Vorder- und Hintergrundfarben immer zusammen bestimmen, um einen guten Kontrast sicherzustellen. Sie wissen nämlich nicht, ob der Benutzer z.B. Weiß als standardmäßige Textfarbe verwendet, was auf einem cremefarbenen Hintergrund kaum zu lesen wäre. Mein Hintergrundbild „textura.gif" befindet

Wählen Sie „em" für Killer Sites

Was ist ein em? Die Maßeinheit „em" entspricht der Punktgröße der verwendeten Schrift. Wenn die standardmäßige Schriftgröße des Anwenders für `<body>` 18 Punkt beträgt, würden 2 em eine Schriftgröße von 36 Punkt ergeben. Werte mit Nachkommastellen sind erlaubt, so daß 0.67 em (bei der Codierung steht der Punkt ebenfalls für das Komma) eine Schriftgröße von 12 Punkt ergibt. CSS hat viele Maßeinheiten, einschließlich Pixel und Punkt, wobei em zu der mächtigsten zählt. Grund: Diese Maßeinheit steht immer in Relation zur Schriftgröße des Browsers.

Die Verwendung der Punkt-Maßeinheit in CSS empfehle ich nicht, da diese Größe auf den verschiedenen Plattformen unterschiedlich ausgelegt wird – bei kleinen Schriftgrößen könnte das Ergebnis unlesbar werden. Pixel sind konsistenter, sind aber auf verschiedenen Systemen unterschiedlich groß. Generell sind die Maßeinheiten em und Prozent allen anderen vorzuziehen.

sich im Formatverzeichnis zusammen mit der Formatvorlage.

CSS-Hintergrundbilder haben die schöne Eigenschaft, daß Sie festlegen können, ob sie horizontal, vertikal oder überhaupt nicht gekachelt werden – Sie müssen also nicht mehr übergroße Hintergründe anlegen, um ein nicht erwünschtes Kacheln zu vermeiden.

Kommentare. Schrägstriche und Sternchen begrenzen Kommentare in CSS. Wie in HTML sind Kommentare auch für das Debugging von Formatvorlagen nützlich – Sie können einzelne Zeilen oder ganze Abschnitte zeitweise deaktivieren.

Schriftfestlegung. In der Zeile „font" stehen die beiden ersten Zahlen für Schriftgrad und Zeilenabstand (Durchschuß). Der Schrägstrich bedeutet wie bisher „Auf". 12/14 ist demnach „zwölf auf vierzehn" – die Art und Weise, wie Typographen eine 12-Punkt-Schrift mit 14-Punkt-Durchschuß bezeichnen.

Die Schriftenliste funktioniert so wie das FACE-Attribut des FONT-Tags, obwohl Sie auch Schriftfamilien wie Serif, Sansserif, Monospaced und Fantasy festlegen können – nur für den Fall, daß der Benutzer keinen der angegebenen Schriftschnitte besitzt. Es ist Ihnen freigestellt, Schriftgrad, Durchschuß und Schriftfamilie so festzulegen, doch ist

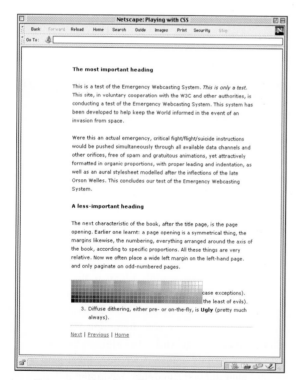

11.4 Netscape 4.0 hat einen Bug und kann mein Hintergrundbild nicht finden. Er sucht nach dem Bild in einem Pfad relativ zum HTML-Dokument statt zur CSS-Datei (wie in der W3C-Spezifikation festgelegt).

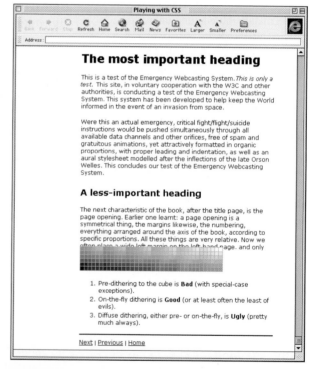

11.5 Internet Explorer 3.0 unterstützt keine Hintergrundbilder in verknüpften Formatvorlagen.

das die Vorgehensweise von Typographen. Ich habe die Schriftgröße mit 80% dessen bestimmt, was sich der Anwender normalerweise mit .8em anschaut.

Warum? Sansserif-Schriftschnitte sehen in kleineren Größen allgemein besser aus als Serif-Schnitte. Würde man die Schriftgröße auf 100% belassen, würde die Schrift zu groß und grob aussehen. Das trifft besonders für die plattformübergreifende TrueType-Schrift Verdana zu, die kostenlos von Microsoft angeboten wird.

Vorgaben, Standards und Überschreiben.

So, wie die Anwender jetzt ihre bevorzugten Schriften und Farben wählen können, ermöglichen es die individuellen Formatvorlagen dem Anwender, ein bevorzugtes Aussehen für alle HTML-Elemente festzulegen.

Was passiert, wenn sowohl Designer als auch Surfer ihre bevorzugte Formatvorlage bestimmen? Die Vorlagen kaskadieren bzw. lösen sich zu einem vereinten Erscheinungsbild auf. Im Falle eines Konflikts gewinnt die Formatvorlage des Designers – normalerweise. Anwender, die aus bestimmten Gründen ihren Browser abweichend von der Norm konfigurieren müssen, können alle ihre Voreinstellungen als `!important` (wichtig) deklarieren – die Vorgaben des Designers werden überschrieben. Umgekehrt können Designer ihre Einstellungen ebenfalls als `!important` festlegen, wodurch dann die Voreinstellungen des Benutzers überschrieben werden. Normalerweise ist das dumm. Ich wünsche mir, daß das letzte Sagen beim Benutzer liegt, weshalb ich die Politik verfolge, nichts als `!important` zu deklarieren.

CSS-Designer, die unvorhersehbare Interaktionen mit den Formatvorlagen des Benutzers vermeiden wollen, sollten als Basis mit umfassenden Formatvorlagen für generisches HTML beginnen und diese editieren. Das ist besser, als nur einige wenige Änderungen an der „angenommenen" standardmäßigen Formatvorlage des Browsers festzulegen. Diese Vorgehensweise ist außerdem viel einfacher als die permanente Erweiterung von Formatvorlagen in dem Maße, wie neue Inhalte übermittelt werden müssen. Suchen Sie nach solchen Formatvorlagen im Web. Sie werden zu dem Zeitpunkt verfügbar sein, wenn CSS-Browser damit umgehen können. Informieren Sie sich auch in der W3C-Site über den aktuellsten Stand der Core Style Sheets.

Betrachen der Ergebnisse.

Beachten Sie, wie unterschiedlich beide Browser das Bild in den Text verschoben haben [11.4, 11.5]. Anscheinend hat mein Durchschuß für den Inhalt von BODY das IMG-Element beeinflußt, ohne dessen Ausmaße zu berücksichtigen.

Während beide Browser den richtigen Schriftschnitt anzeigen, weist nur Netscape 4.0 die richtige Schriftgröße und den korrekten Durchschuß zu. Grund: Internet Explorer 3.0 unterstützt die Maßeinheit „em" nicht richtig. Damit erklärt sich der zu große obere Rand, der in Abbildung 11.3A richtig dargestellt ist.

Beachten Sie noch, wie die Überschriften und Links die für BODY festgelegten Eigenschaften übernommen haben. Netscape 4.0 weist dem gesamten Dokument eine einheitliche Schriftgröße zu (auch den Überschriften), aber nicht die schwarze Farbe für die Links unten auf der Seite. Umgekehrt hat Internet Explorer 3.0 die Links mit der Farbe Schwarz versehen, aber die Überschriften in verschiedenen Schriftgrößen unverändert beibehalten.

245

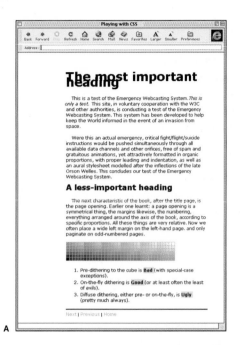

A

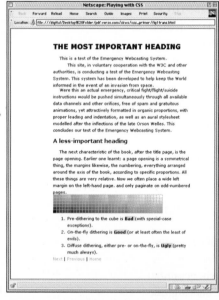

B

11.7 Bilde ich mir das nur ein, oder wird es immer schlimmer? Internet Explorer (A) und Navigator (B) haben jeweils unterschiedliche Probleme.

11.6 Eine umfassendere Formatvorlage für mehrere Selektoren.

```
body {
   margin: 2em;
   margin-left: 22%;
   margin-right: 8%;
   background: #FFFFFA url(./style/
textura.gif);
   color: black;
   font-family: Verdana, Gillsans, sans-serif;
   font-size: 0.8em;
}

p, ol, a {
   line-height: 1.4em;
}

p {
   margin: 0;
   text-indent: 1.4em;
}

h1 {
   font-size: 1.4em;
   text-transform: uppercase;
   letter-spacing: 0.1em;
}

h2 {
   font-size: 1.2em;
}

i {
   font-style: plain;
   background: yellow;
}

strong {
   font-style: normal;
   background: yellow;
}

a {
   text-decoration: none;
}

a:link{
   color: red;
}

a:visited {
   color: #336666;
}

a:active {
   color: #FFFDF3;
}

hr {
   display:none;
}
```

Jetzt ist sicherlich die richtige Zeit für eine Unterbrechung und auf ein anderes Abenteuer mit den Style Sheets zurückzukommen.

2. Tag: Ein Schritt vorwärts, zwei zurück

Netscape und Internet Explorer stellen also dieselbe Formatvorlage unterschiedlich dar. Ein Überarbeiten der Formatvorlage kann einige dieser Probleme lösen, verschiedene neue Eigenschaften hinzufügen und wieder neue Probleme mit sich bringen. Studieren Sie die Formatvorlage [11.6], um die Unterschiede zu verstehen.

Anstatt einer einzelnen „font"-Festlegung habe ich jetzt Schriftfamilie und Schriftgröße einzeln bei BODY angegeben und mir die Zeilenhöhe (den Durchschuß) für andere, spezifischere Selektoren aufgehoben. Damit löse ich zwar das Problem mit dem Bild, das in den Text hineinläuft, doch die Ergebnisse sind noch immer verschieden.

Netscape hat jetzt das Hintergrundbild gefunden, da ich den Namen des Formatverzeichnisses in die Pfadanweisung aufgenommen habe.

Die nächste Deklaration in der Formatvorlage bezieht sich auf den Durchschuß der Absätze <P>, die sortierte Liste <OL> und die Link-Anker <A> – also alles im Dokument mit Ausnahme der Überschriften und dem Bild.

Als nächstes entferne ich die Leerzeilen („margins") vor den Absätzen <P> und weise einen Einzug identisch mit dem Durchschuß zu. Beachten Sie, daß Internet Explorer zwar den Einzug zuweist, aber die Leerzeilen beibehält. Es gibt einfach keine Möglichkeit, den vertikalen Weißraum bei nahezu allen HTML-Elementen im Internet Explorer 3.0 zu kontrollieren.

Zwischenzeitlich hat Netscape 4.0 die Absatzabstände auf Null gesetzt, den Durchschuß jedes Absatzes entfernt. Wir haben also weniger Leerraum zwischen den Absätzen als zwischen den Zeilen in den Absätzen. Das ist ein Bug.

Ich habe beim H1-Selektor eine vernünftige Größe für die Überschrift festgelegt, sogar in Großbuchstaben und mit einem leicht vergrößerten Buchstabenabstand – ohne dazu HTML angefaßt zu haben. Das Ergebnis sehen Sie in [11.7]. Netscape 4.0 hat sich bei der Größe und den Großbuchstaben korrekt verhalten, nur ist der Buchstabenabstand als ein Bestandteil der CSS-Spezifikation nicht berücksichtigt worden.

Ich habe die in HTML festgelegte Kursivschrift in normalen, blinkenden Text geändert (Abbildung 11.7B zeigt das mittlere Blinken). Das ist zwar keine gute Gestaltungsvariante, aber sie zeigt, daß CSS darstellende Tags wie <i> überflüssig und bedeutungslos werden läßt. Um keine Verwirrung aufkommen zu lassen, sollten Sie auf derartige Tags im Zusammenhang mit CSS verzichten.

Ähnlich habe ich das <strong>-Tag (starke Betonung, normalerweise

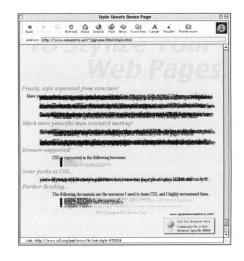

11.8 Ergebnis des Browser-Kriegs: Diese Seite, die ernsthaft die Errungenschaften von CSS promoted, benutzt richtiges, „Browser-unabhängiges" HTML und CSS. Man wäre hier sicher besser beraten, überhaupt kein CSS im Internet Explorer 3.0 (Mac OS) zu verwenden. Obwohl diese Browser mitgeholfen haben, CSS auf den Weg zu bringen, stehen sie jetzt der vollen Integration von CSS im Web im Wege.

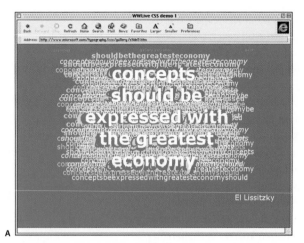 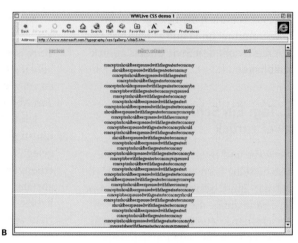

11.9 Aufgeblähte Browser oder Style-Sheet-Terrorismus? Dieser Auszug aus der von Microsoft gesponserten „CSS-Galerie" ist so lange beeindruckend (A), bis Sie herausfinden, daß es sich ohne CSS-Unterstützung um dummes Geschwafel (B) handelt. Obwohl Microsoft die Absicht zur Unterstützung von Style Sheets demonstriert, haben die frühen Demos viele Designer zu Seiten veranlaßt, deren Darstellung in Netscape 3.0 (der damals aktuellen Version) jeden Sinn und Verstand vermissen läßt.

```
<SCRIPT> <!--
   if (navigator.appName == "Netscape") &&
   (parseInt(navigator.appVersion) == 4))
   {
   document.writeln("<link rel=\
   "stylesheet\"
   type=\"text/css\" href=\
   "./style/testns.css\">")
   };
// -->
</SCRIPT>
```

10.10 Dieses einfache Skript stellt fest, welcher Browser benutzt wird, und bietet dann eine entsprechende Formatvorlage an. In der Book-Site finden Sie ein ausführlicheres, kommentiertes Beispiel, das CSS auch anderen Implementationen andient.

Fett) eingestellt, das den entsprechenden Text in normaler Schriftstärke auf gelbem Hintergrund darstellt. Dieser Effekt läßt sich ohne CSS nicht erzielen. (Sie erkennen jedoch, daß Netscape 4.0 die Schriftstärke nicht richtig umsetzen kann. Ich habe noch ein sehr sinnvolles CSS-Feature eingebracht, mit dem Autoren die Unterstreichung von Links ausschalten können (*siehe Anhang 1, „Daves Anleitung zum besseren Surfen"*). Farbenblinde Surfer können mit ihren eigenen, persönlichen Formatvorlagen – sofern

erforderlich – meine Angaben überschreiben.

Zum Schluß habe ich noch die horizontale Linie **<h r>** weggeblasen, indem ich einfach die Einstellung auf „none" gesetzt habe. Stellen Sie sich das einmal vor – Sie können mit einer einzigen Deklaration Tausende von Web-Seiten verändern! Das verstehe ich unter Kontrolle!

Tag 3: Browser-spezifische Formatvorlagen

Sie haben sicherlich festgestellt, daß die Versprechen der Style Sheets noch nicht so richtig durchkommen. Jede CSS-Implementation hat bestimmte Eigenarten [**11.8**]. Jeder Browser-Hersteller arbeitet mit erstklassigen Demonstrationen (sie kommen bei Designern als reine Propaganda und bei Presseleuten als Fakten an), damit Sie meinen, die jeweilige Implementation der Formatvorlagen sei tatsächlich nützlich [**11.9 A, B**].

Sollten Designer versuchen, individuelle Formatvorlagen zu schreiben und zu pflegen, um die bestimmten Browser-Ungereimtheiten zu umgehen? Wenn wir das machen, stehen wir ganz vorne, stabilisieren unsere mit HTML kodierten Seiten und nutzen die Vorteile der Formatvorlagen. Gleichzeitig werden die Browser-Hersteller ermuntert, die vorhandenen Bugs beizubehalten. Grund: Sobald eine neue Version ohne diese Bugs nachgeschoben wird, müssen viele Seiten wieder nachgebessert werden.

Meine Antwort ist, zwar mit Formatvorlagen zu arbeiten, sie aber vielleicht nicht überall unterzubringen. Dieser Abschnitt hat zum Ziel, die schlimmsten Implementationen aus der Schleife zu entfernen und mit besseren Lösungen vorzupreschen, selbst wenn dabei Bugs per Hack umgangen werden müssen. Ich mache das Ganze allein, um voranzukommen, in der Hoffnung, daß Netscape einen Patch oder einen Fix veröffentlichen wird, mit dem wir richtige Formatvorlagen erstellen können.

Denken Sie daran – es handelt sich hier nur um eine Übung. Wenn Sie das hier lesen, könnten sich die Browser schon anders verhalten – zumindest hoffe ich es.

Ein Browser zur Zeit

Wenn ich an dieser Seite arbeite, gibt es für mich nur eine praktikable Lösung für die Erstellung von CSS-Dateien: Ich konzentriere mich nur auf einen Browser und biete die Dateien per Skript anderen Browsern an. Zuerst schreibe ich einen Set von Inhalts-/Struktur-Dateien (HTML) und entwickle danach nur für Netscape 4.0 einen Set mit Browser-spezifischen Style Sheets. Besucher mit anderen Browsern sehen dann nur das häßliche (aber vertraute) Standardlayout.

Um eine Formatvorlage exklusiv nur Netscape 4.0 anzudienen, ersetze ich den Style-Sheet-Link im HEAD-Abschnitt des HTML-Dokuments durch ein Skript [11.10]. Beachten Sie, daß ich die Formatvorlage in "testns.css" umbenannt habe.

Nun, da ich mich durch das Skript bei der Implementation nur um einen einzigen Browser zu kümmern habe, kann ich einige der Bugs umgehen. Für den Netscape 4.0-Bug bei Rändern zwischen Elementen stelle ich die fehlende Zeilenhöhe für den oberen Rand wieder her:

```
P {
   margin: 0:
   margin-top: 0.4em;
   text-indent: 1.4em;
}
```

Als nächstes versuche ich, den meisten Leerraum unterhalb von H2 zu entfernen, so daß es mehr dem folgenden Absatz zugehörig erscheint und nicht irgendwo zwischen den Absätzen umherschwimmt. Das Einstellen des Rands für H2 hat keine Wirkung und selbst das Setzen eines negativen unteren Rands kann den Leerraum nicht entfernen. Also ein weiterer Bug. Schließlich bringt ein verzweifelter Hack, mit dem SCC1- und SCC-P-Eigenschaften vermischt werden, die richtige Einstellung für den Weißraum – nur wird jetzt mein Text falsch dargestellt [11.11]:

```
h2{
   font-size: 1.2em
   margin: 0;
   margin-top: -0.8em;
   position: relative;
   top: 1em;
}
```

Die beiden letzten Zeilen in dieser Definition veranlassen CSS-P, die H2-Überschrift mit purer Gewalt zu positionieren.

well as an aural stylesheet modelled after t
Welles. This concludes our test of the Emer

A less-important heading

The next characteristic of the book, afte
opening. Earlier one learnt: a page opening
margins likewise, the numbering, everythin
the book, according to specific proportions.

11.11 Quatsch! Beim Anwenden von CSS-P
wird ein weiterer Bug in Netscape offengelegt.

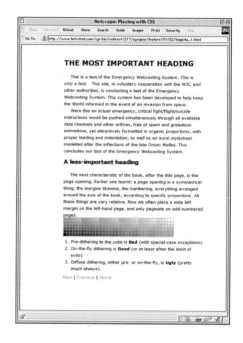

11.12 Ich habe jeden Selektor im Dokument spe-
zifiziert und alles versucht, die Netscape-Bugs
zu umgehen. Mehr kann ich nicht tun, ohne in
HTML gehen zu müssen.

Ich kann noch etwas tun, bevor mir die Selektoren für dieses Dokument ausgehen: Ich werde versuchen, die Ausrichtung der Auflistung <OL> an die Absatzeinzüge anzupassen. Das Einstellen des linken Rands von OL ist ergebnislos. Wieder – Sie haben es erraten – ein weiteres Loch in der Implementation von Netscape. Indem ich den Rand auf -1.4em einstelle, kann ich mein Ziel erreichen – zumindest so lange, bis der Bug behoben wird. Danach wird mein Hack nicht mehr funktionieren [11.12].

4. Tag: Feinarbeit

Aus typographischen Gründen möchte ich die Einzüge in den ersten Absätzen nach den Überschriften entfernen und etwas Leerraum um das Bild herum einfügen. Außerdem möchte ich die Navigationslinks etwas weiter nach unten verschieben, damit sie mehr für sich stehen. Und die senkrechten Trenn-

striche zwischen den Links sollen auch noch entfernt werden. Schließlich werde ich noch die Möglichkeiten prüfen, wie ich das zwischen den Absätzen verlorengegangene h2 retten kann.

Allerdings habe ich für diese Änderungen keine Selektoren mehr. Ich muß also weitere Selektoren in HTML einbringen, d.h. mehr Kontrollpunkte für weitere Formate.

CLASS und ID

Ich kann keine weiteren Tags in HTML hinzufügen. Um dennoch Elementegruppen der gleichen Art voneinander zu unterscheiden, kann ich deren Tags mit CLASS-Attributen versehen. Über den CLASS-Namen kann ich dann die Elemente in CSS aufrufen. Um ein einzelnes Element von anderen der gleichen Art zu unterscheiden, versehe ich das entsprechende Tag mit einem ID-Attribut. Das Element kann ich danach namentlich aufrufen.

Um die den Absätzen folgenden Überschriften von den restlichen Elementen abzusetzen, zeichne ich sie mit `<p class="initial">` aus. Ich entferne die Einzüge in allen Elementen dieser Klasse, indem ich die Formatvorlage um diesen Code ergänze:

```
.initial {
  text-indent: 0;
  }
```

Beachten Sie den Punkt vor dem Klassennamen: Das ist die Syntax, um Klassen statt Elemente in CSS aufzurufen. Klassen können nicht nur mehrfach in einem einzelnen HTML-Element enthalten sein, sondern lassen sich auch mehreren HTML-Elementen zuweisen. Ich könnte beispielsweise eine „Test"-Klasse einrichten und diese den Überschriften, Absätzen, Listen oder anderen Elementen zuweisen und anschließend mit einer einzigen Zeile in CSS ganz einfach die jeweiligen Anzeige-Attribute ändern.

Um das Bild mit dem Farbwürfel zu plazieren, könnte ich `IMG` in der Formatvorlage ansprechen – doch damit würde ich jedes Dokument mit Bezug auf diese Formatvorlage entsprechend ändern – ein potentielles Problem. Deshalb versehe ich das gewünschte Bild mit einer unverwechselbaren Kennung in HTML:

```
<img src=".cube.gif" alt=
"The Color Cube" id="cube">
```

In der Formatvorlage spreche ich das Bild dann folgendermaßen an:

```
# cube {
  margin-top: 1em;
  margin-bottom: 1em;
    }
```

```
<div class="nav">
  <a href="foo">
    Next
  </a>
  |
  <a href="foo2">
    Previous
  </a>
  |
  <a href="foo3">
    Home
  </a>
</div>
```

11.13 Verwendung des DIV-Elements.

```
1. Pre-dithering to the cube is
2. On-the-fly dithering is Goo
3. Diffuse dithering, either pre
   always).


Next | Previous | Home
```

11.4 Mit DIV erstellen Sie einen Rand um eine Gruppe von Elementen.

Das SPAN-Element

Das neue Element SPAN in HTML 4 ist ein generischer Container wie DIV. Ausnahme: SPAN beinhaltet nicht, daß es sich bei dem eingeschlossenen Material um einen Block handelt. Statt dessen bezieht es sich intern auf den Block – es ist also ein sogenanntes Inline-Element. Im Gegensatz zu DIV, das immerhin noch einen Zeilenumbruch in Browsern ohne CSS produziert, wird SPAN einfach ignoriert, sofern es nicht mit den Attributen CLASS oder ID in einem CSS-Browser angesprochen wird. Mit einer vollständigen CSS-Implementation können Sie DIVs innerhalb einer Zeile und SPANs als Blöcke darstellen.

11.15 Mit dem Attribut
„ v i s i b i l i t y " in
CSS-P blende ich in der
Division bis auf die Links
alles aus. Die unsichtbaren
senkrechten Striche
nehmen noch immer Platz
ein und trennen so die
Links. Das ist doch besser,
oder?

```
2. On-the-fly dithering is G
3. Diffuse dithering, either
   always).


Next   Previous   Home
```

In CSS steht das #-Zeichen vor dem
ID-Namen für ein bestimmtes, einzigar-
tiges HTML-Element. (Die Ergebnisse
dieser beiden Operationen sehen Sie in
[11.14].)

Sonderfälle: DIV und SPAN

Das Element DIV (Division) gibt es be-
reits seit einiger Zeit in HTML. Die mei-
sten Leute verwenden es für die Ausrichtung, und zwar zusammen mit dem
ALIGN-Attribut. Tatsächlich entspricht
<DIV ALIGN="center"> von
der Funktion her dem CENTER-Tag in
Netscape – selbst in Browsern ohne CSS-
Implementation. Die Anwendung von
DIV in CSS-Browsern geht über die
reine Erweiterung der Attribute ALIGN
oder NAME hinaus – hier ist DIV eine
Erweiterung bzw. ein Hook für alle
Formatierungen mit den Attributen
CLASS oder ID. DIV besitzt eine
Gruppierungsfunktion – es ist ein generischer Block-Container für eine Sequenz
von Elementen. Normalerweise werden
DIVs zwischen Zeilenumbrüchen dargestellt. Ich kann eine beliebige Anzahl
von DIV-Gruppierungen erstellen,
wobei jede mit einer eigenen Format-
definition versehen ist.

Um die drei Navigationslinks unten
auf der Seite anzusprechen, packe ich sie
in ein DIV mit der Klasse "nav" [11.13].

Indem ich die 2 in 2.4 oder 2.6 ändere, kann ich exakt den gewünschten
Zwischenraum festlegen. Um einen

vertikalen Weißraum hinzuzufügen,
versehe ich die „nav"-Division mit einem
oberen Rand:

```
.nav {
  margin-top: 2em;
  }
```

Ausblenden der senkrechten Striche. So
wie bei horizontalen Linien als primitive
Ersatzlösung für vertikalen Weißraum
verhält es sich auch mit den senkrechten
Strichen als Ersatz für horizontalen
Weißraum. Da einige Leute meine Seite
ohne Formatvorlage sehen werden,
behalte ich die senkrechten Striche und
blende sie für CSS-Betrachter einfach
aus.

Um die Striche loszuwerden, könnte
ich jeden in ein SPAN einer bestimmten
Klasse einbinden und diese Klasse dann
in CSS ausblenden. Wenn ich das Attribut display auf none setzen würde,
würden zwar die Striche verschwinden,
aber auch der Raum, der von ihnen
eingenommen wird. Deshalb blende ich
die komplette Division mit Hilfe der
visibility-Syntax in CSS-P aus.
Wird etwas mit „hidden" nur ausgeblendet, wird der Raum weiterhin beansprucht. Mit dem Attribut none wird
dagegen ein Element aus der Seite
entfernt.

```
.nav{
  margin-top; 2em;
  position: relative;
  visibility: hidden;
  }
```

Jetzt verwende ich den inhaltsbezogenen
Selektor-Mechanismus von CSS, um nur
die aktuellen Links (a) innerhalb der
Division (div) zu wählen, deren Klasse
"nav" ist. Anschließend schalte ich die
Links wieder an.

252

```
div.nav a {
  position: relative;
  visibility: visible;
}
```

Die Navigationslinks bleiben weiterhin gut angeordnet und voneinander abgesetzt, ohne daß die senkrechten Striche angezeigt werden. Letztere sehen nur die Leute, die mit Browsern ohne CSS arbeiten. Man kann das Ganze auch als „abwertungsbewußtes Design " bezeichnen [11.15].

Streifzug in CSS-P

CSS-P bietet eine etwas bessere Kontrollmöglichkeit hinsichtlich der Positionierung von Seitenelementen. Um die Stärken von CSS-P zu zeigen, werde ich die Navigationslinks unten auf der Seite nacheinander in den linken Rand am Seitenanfang verschieben – ohne Verwendung von Tabellen und ohne Eingriff in die Reihenfolge der anderen HTML-Elemente. Ich beginne damit, daß ich in HTML jedem Link eine unverwechselbare ID (Kennung) zuweise:

```
<a href="foo"
id="next">Next</a>

|

<a href="foo2"
id="prev">Previous</a>

|

<a href="foo3"
id="home">Home</a>
```

Anschließend schreibe ich die CSS-P-Syntax, um diese drei Links relativ zur linken oberen Ecke des Dokuments „canvas" zu positionieren [11.16, 11.17]. Das Ganze ist sauberer als Tabellen und es funktioniert! Allerdings gibt es noch ein Problem – die Links funktionieren nicht mehr, auf Klicken reagieren sie nicht mehr – ich weiß nicht warum und

```
#next {
  position: absolute;
  top: 2em;
  left: 5%;
}

#prev {
  position: absolute;
  top: 4em:
  left: 5%;
}

#home {
  position: absolute;
  top: 6em;
  left: 5%;
}
```

11.16 Die Zeile p o s i t i o n bringt CSS-P ins Spiel. Die beiden Modi sind die absolute und die relative Positionierung.

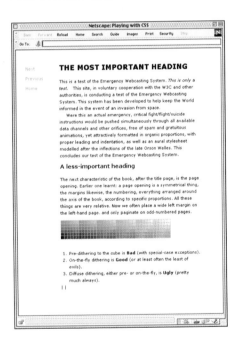

11.17 CSS-P für das Verschieben meiner Links. Beachten Sie auch die Ergebnisse von C L A S S und IDbei den Absatzeinzügen und dem Weißraum um das Bild herum.

kann das Problem auch nicht fixen. Ich habe E-Mails zu meinen Freunden bei Netscape geschickt und sie gebeten, sich doch etwas ernsthafter mit CSS auseinanderzusetzen. Soviel zu CSS-P in Netscape 4.0. Ich mache meine Arbeit in der Formatvorlage rückgängig und versuche weiter voranzukommen.

253

modelled after the inflections of the late Ors
concludes our test of the Emergency Webca
A less-important heading
The next characteristic of the book, after th
opening. Earlier one learnt: a page opening

11.18 Das Ersetzen gebräuchlicher HTML-Elemente durch generische
D I V- oder S P A N-Auszeichnungen bringt eine saubere Typographie.
Leider etwas zu sauber für Browser ohne CSS.

modelled after the inflections of the late Ors
concludes our test of the Emergency Webca

A less-important heading
The next characteristic of the book, after the
opening. Earlier one learnt: a page opening

11.19 Hurra – der hart erkämpfte Sieg.

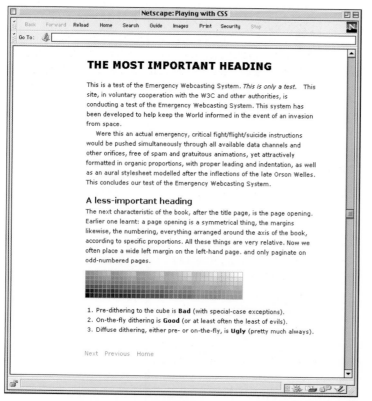

11.20 War doch halb so schlimm, oder?

Überlisten der Auszeichnung

Erinnern Sie sich an das Problem mit
dem H 2-Tag? Bei Netscape 4.0 ziehen
alle mit Tags versehenen Überschriften-
Elemente eine Leerzeile nach sich, selbst
wenn in der Formatvorlage etwas anderes festgelegt ist. Man kann das umgehen, indem das H 2-Tag entfernt und
z.B. durch D I V ersetzt wird. Das ist ein
Hack, aber ich arbeite schon eine ganze
Weile so. In HTML ersetze ich

```
<h2>
    A less-important heading
</h2>
```
durch
```
<div class="h2">
    A less-important heading
</div>
```

In der Formatvorlage setze ich einfach
einen Punkt vor die bereits vorhandene
H 2-Deklaration. Ich ändere also den
Selektor in eine Klassenbezeichner statt
in ein Element:

```
.h2 {
  font-size: 1.2em;
  margin: 0;
}
```

Zum Schluß ist wieder der Browser dran
[**11.18**]. Dabei sehe ich, daß ich mich bei
einigen Dingen unbewußt zu sehr auf

das Standardformat des Browser verlassen habe. Wenn Sie Ihre eigenen Pseudo-Tags wie DIV oder SPAN zum Browser schicken, werden Sie feststellen, daß Sie alle Ihre Beschreibungen von Grund auf neu aufbauen müssen.

Ich fülle die H2-Klassendeklaration mit den fehlenden Anweisungen und schaue anschließend wieder in den Browser [11.19]:

```
.h2 {
    font-size: 1.2em;
    font-weight: bold;
    margin: 0;
    margin-top: 1.4em;
}
```

Indem H2 durch DIV ersetzt wird, habe ich die Lesbarkeit meiner Dokumente in Browsern ohne CSS gefährdet. Benutzer mit eigenen Formatvorlagen können zwar standardmäßige H2-Elemente formatieren, aber niemand wird class="h2" in einer persönlichen Formatvorlage erwarten. Das Dokument wird nicht mehr so gut kaskadieren – es hat in einer anderen Formatvorlage keine Überlebenschance. Als Ausweg habe ich die Tags <BIG> und <B> in HTML eingefügt, so daß die meisten Browser ohne CSS eine Überschrift darstellen, die etwas größer und fett gesetzt ist [11.20] (verglichen mit [11.2 B]). Wenn Sie meinen, das sei lächerlich, liegen Sie genau richtig.

```
<div class="h2">
    <big>
    <b>
        A less-important heading
    </b>
    </big>
</div>
```

Hintergründe zur CSS-Unterstützung

Microsoft Internet Explorer 3.0. Dieser erste wichtige CSS-Browser wurde lange vor Abschluß der CSS-Spezifikation veröffentlicht. Der Browser beinhaltet nur etwa 40% von CSS und hat viele schwere Bugs, auf Grund derer auch die besten Formatvorlagen schnell Dokumente zerstören können. Es ist meist besser, dem Internet Explorer reines HTML anzubieten, statt CSS-Seiten nicht mehr wiederzuerkennen.

Netscape Communicator 4.0. Um einiges besser als der Internet Explorer 3.0, aber noch weit von der richtigen CSS-Umsetzung entfernt. Unterstützt die meisten CSS-Features, aber das, was fehlt, und die Bugs sind kritische Punkte.

Internet Explorer 4.0. War beim Schreiben dieses Buchs noch in der Entwicklung. Es sieht so aus, daß dieser Browser mehr als 90% der W3C-Spezifikation beinhalten wird – zumindest in der Windows-Version.

Zusammenfassung

Jeder, der sich bis hierher durchgearbeitet hat, sieht die Vor- und Nachteile der Formatvorlagen. Kein Browser stellt auch nur einen kleinen Teil der CSS-1-Spezifikation richtig dar. Allerdings wird sich, wenn Sie dieses Buch lesen, die Situation sicher etwas verbessert haben.

Beginnen Sie langsam mit CSS und entwickeln Sie eine gute Technik. Mit fortschreitendem Lernprozeß müssen Sie Ihre Formatvorlagen immer wieder überarbeiten. Suchen Sie sich zunächst einige Webseiten zum Experimentieren mit CSS aus. Arbeiten Sie sich dann sukzessiv zu Ihrer Kernseite vor.

Können wir Formatvorlagen verwenden, um gut gestaltete Sites der 3. Generation zu erstellen? Die Antwort darauf finden Sie im letzten Kapitel. Doch zuvor werde ich noch auf andere aufregende Entwicklungen eingehen.

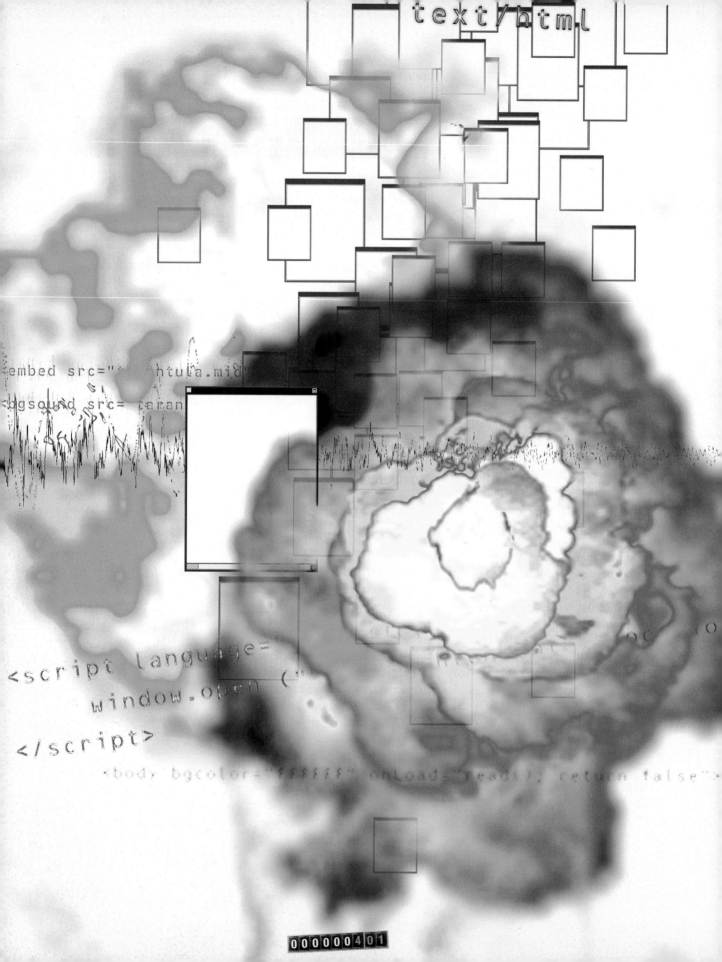

KAPITEL 12

Strategien für den Übergang

Was Sie in diesem Kapitel erwartet:

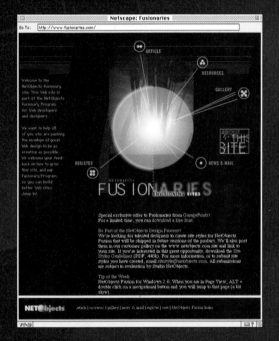

Arbeiten mit Vektorgrafik-Formaten

Lösungen des Schriftproblems

Sound und Virtual Reality im Web

Rolle der WYSIWYG-Tools

12.1 Navigator und Internet Explorer beherrschen den Browser-Markt, aber für gutes Design ist noch genügend Platz im Web.

DESIGNER MÜSSEN SICH neuen Herausforderungen stellen: Wie soll man Sites während des Übergangs der Browser-Versionen 3.0 und 4.0 [12.1] auf die zukünftigen Versionen 5.0 und (noch wichtiger) 6.0 gestalten? Die Einschränkungen der 3.0-Browser zwingen den Gestalter, Hacks und Tricks zu erfinden (ich bezeichne das als „Klebeband"), von denen ich bereits viele in diesem Buch vorgestellt habe.

Kapitel 11 hat gezeigt, daß die 4.0-Browser noch nicht vollständig für die Implementierung der Cascading Style Sheets durch den Designer geeignet sind. Frühe Adaptionen der Formatvorlagen haben HTML und Formatvorlagen streng getrennt, sich damit in den Schlingen der 4.0-Formatvorlagen verfangen und müssen ihre Sites von den heutigen Browsern „degradieren" lassen. Spätere Adaptionen benutzen so lange Hacks und Tricks, bis die Formatvorlagen vernünftig funktionieren – allerdings wird so der Inhalt einer Site auch zu einer tickenden Zeitbombe. Wenn CSS tatsächlich voll in den Browsern implementiert ist, können wir Inhalt und Gestaltung fein säuberlich trennen und mit Tools arbeiten, mit denen wir uns voll auf das Design konzentrieren können.

So weit zur Zukunft. Lassen Sie uns jetzt jedoch einige aufregende Entwicklungen ansehen, mit denen sich bis dahin Sites der 3. Generation einfacher gestalten lassen.

Design

Es gibt keine wie auch immer geartete Technik, die Sie zu einem guten Gestalter macht. Design ist wie ein Muskel – Sie müssen ihn aufbauen und dann trainieren. Seitdem Browser mit Bildern umgehen können, sind gute Gestalter

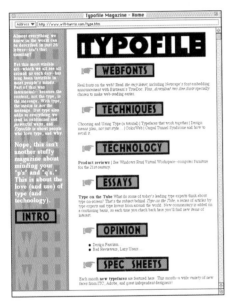

12.2 Es gibt nicht nur einige gute Design-Zeitschriften im Web, sondern auch gedruckt beim Zeitschriftenhändler.

auch in der Lage, überzeugende Web-Sites zu erstellen. Lernen Sie den Umgang mit Linie und Form, Farbe und Atmosphäre, Typographie und Illustration, Animation und Erzählung und (am wichtigsten) wie man potentielle Kunden mit überzeugenden Web-Sites zufriedenstellen kann.

Investieren Sie viel Zeit ins Surfen. Besuchen Sie wöchentlich die „High-Five" (www.highfive.com) und andere Design-Quellen im Web. Lassen Sie sich von dem inspirieren, was andere tun. Richten Sie in Ihrer Web-Site ein „Spiel-zimmer" ein – nur zum Experimentie-ren. Und wenn Sie Design nicht gelernt haben, sollten Sie Kurse über Typographie, Layout, Illustration, Buchgestaltung usw. belegen. In den meisten größeren Städten gibt es Buchläden, die sich auf Design- und Architekturbücher spezialisiert haben – ziehen Sie sich diese Bücher rein! Es gibt diverse Zeitschriften nur für Designer und einige dieser Zeitschriften beschäftigen sich bereits mit dem Web-Design. Natürlich haben auch die speziellen Web-Zeitschriften hier und da Design-Kolumnen – aber ich bevorzuge die richtigen Design-Zeitschriften [12.2].

Fusion

Vielleicht fehlt Ihnen die Zeit zu lernen, wie man mit Hilfe der verschiedenen in diesem Buch vorgestellten Techniken ansprechende Web-Sites der 3. Generation gestaltet. Und vielleicht fehlt Ihnen aber auch das Geld, um ein Grafikbüro mit der Gestaltung Ihrer Killer-Web-Site zu beauftragen. Dennoch wollen Sie einen Anfang machen und sobald wie möglich eine optisch überzeugende Web-Site zum Laufen bringen, eine Site, die Surfer anzieht und festhält, während Sie alles versuchen, aus diesen Besuchern treue Kunden zu machen. Oder vielleicht wollen Sie Ihr Intranet aufpeppen und es für Ihre Zielgruppe attraktiver gestalten.

Fusion von Net Objects (www.netobjects.com) ermöglicht die Erstellung von Sites, wobei viele der Gestaltungsprinzipien aus der ersten Ausgabe dieses Buchs berücksichtigt werden. Ich fühle mich geschmeichelt, da die Fusion-Leute meine Nomenklatur für Dateinamen übernommen haben. Fusion enthält starke Tools für das Site-Management, mit denen sich das Hinzufügen neuen Materials und das Updaten von Sites erheblich vereinfachen läßt [12.3].

Wenn Sie erst mal gelernt haben, mit Fusion umzugehen (und die Lernkurve kann steil sein), können Sie mit diesem Programm schnell Seiten und Sites entwickeln [12.4]. Wir haben Fusion bei Verso Editions eingesetzt, um die Web-Site für mein Buch *Secrets of Successful Web Sites* (www.secretsides.com) einzurichten.

Das Beste an Fusion ist, daß eine eigene interne Technologie zum Kodieren von Web-Seiten und Site-Elementen eingesetzt wird. Sie bewegen die Elemente auf einer Seite oder innerhalb einer Site – das Ergebnis wird anschließend vom Programm als HTML-Code ausgegeben. Fusion kann unterschiedliche Versionen einer Site für unterschiedliche Browser generieren – drücken Sie einfach einen Button für Netscape 3.x, einen anderen für Internet Explorer 3.x oder wählen Sie alle Browser, zu denen Ihre Site kompatibel sein soll. Obwohl das Ganze nicht so magisch ist, wie es sich anhört – es ist der richtige Ansatz. Andere WYSIWYG-Tools speichern eine Seite als HTML, was bedeutet, daß Sie sich beim Erscheinen neuer Browser festgefahren haben. Solange Sie in Fusion mit den entsprechenden Updates arbeiten, sollten Sie Sites erstellen können, die Vorteile aus den marktbeherrschenden Browser-Technologien ziehen können, einschließlich Formatvorlagen: Fusion wird immer ein HTML erzeugen, das mit den aktuellsten Browsern zusammenarbeitet.

Einige professionelle Designer setzen Fusion ein, um auf die Schnelle ansprechende Site zu erstellen. Andere benutzen es als „Storyboard" oder als Planungsunterlage für die Navigation in

12,3 Fusion beinhaltet meine Web-Gestaltungs-prinzipien in einer WYSI-WYG-Umgebung und bietet zusätzlich starke Management-Tools.

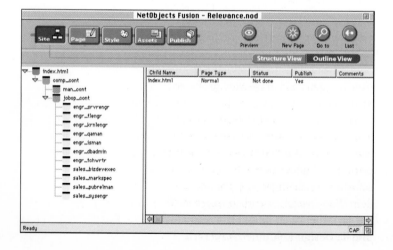

großen Sites oder um Vorschläge und
Präsentationen für Kunden auszuarbeiten. Fusion wird auch von vielen „Amateuren" für den Aufbau kleinerer Sites
benutzt. Die Qualität des von Fusion generierten HTML ist durchaus akzeptabel,
besonders für Sites mit einer begrenzten
Besucherzahl.

Die Arbeit mit Fusion grenzt an Zauberei. Das Programm in seiner heutigen
Form exportiert aufgeblasene Seiten mit
unhandlichen Tabellen und 1-Pixel-GIFs.
Die Ladezeiten für eine auf Fusion aufbauende Site sind länger als bei einer
„handgemachten" Site, die dafür aber
einen viel größeren Zeitaufwand bei der
Erstellung erfordert. Da das HTML von
Fusion nur ein Nebenprodukt ist, sollte
man den von Fusion erzeugten Code
auch nicht zu editieren versuchen – Sie
müssen sich deshalb mit den Gegebenheiten des Programms abfinden. Fusion
ist sicherlich nicht die erste Wahl, wenn
Sie Dinge bis zu den letzten Browser-Features ausreizen oder zusätzliche
Funktionalität erzeugen wollen. Allerdings können Sie Fusion mit Skripts und
etwas von Hand erstelltem HTML-Code
ergänzen. Das alles kann sich schnell
ändern, wenn Net Objects eine neue Version veröffentlicht, die einen saubereren
Code schreibt.

Die Möglichkeiten von Fusion für das
Site-Management ist ein großer Fortschritt gegenüber der Pflege von Sites,
die nur auf Code aufbauen. Es kommt
der Tag, an dem man für die Pflege oder
Aktualisierung einer Site nicht mehr die
vielen Suchen-und-Ersetzen-Akionen in
Dutzenden oder Hunderten von Dateien
durchführen muß.

Zum jetzigen Zeitpunkt gibt es noch
keinen Ersatz für „handgemachtes"
HTML, sofern man bei der Gestaltung
von Web-Seiten alle Einflußmöglichkei-

12.4 Fusion beinhaltet meine Web-Gestaltungsprinzipien in einer WYSIWYG-Umgebung und bietet zusätzlich starke Management-Tools.

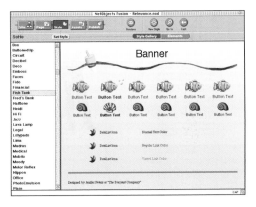

12.5 In Fusion kann
man unter vielen
eigenen Format-vorlagen wählen.

12.6 Designer haben Java-Skript für sehr interessante Rollover-Effekte eingesetzt.

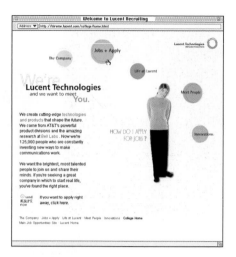

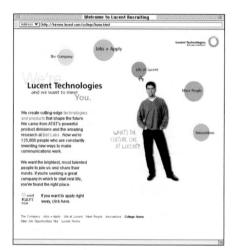

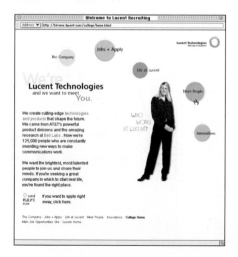

ten beibehalten will. Profis werden die weitere Entwicklung von Fusion kritisch beobachten, während Leute ohne viel Zeit und mit der Absicht, nur einfache Sites zu erstellen, das Programm recht nützlich finden [12.5].

JavaScript

Das Wichtigste zuerst: Die Skriptsprache JavaScript hat nichts mit der Programmiersprache Java zu tun – die einzige Übereinstimmung sind die ersten vier Buchstaben im Namen. JavaScript, Netscapes Sprache für die Kontrolle von Elementen auf einer Web-Seite, hat schnell einen Platz unter den Designer-Tools gefunden.

JavaScript wird am häufigsten für die Erstellung der sogenannten Rollover eingesetzt: Sobald sich der Cursor über einen Hot Spot auf der Web-Seite bewegt, bewirkt das Bildveränderungen. Obwohl Rollover eine gute Möglichkeit für das Feedback zum Surfer sind, werden sie in den meisten Sites zur Farbveränderung von GIF-Texten verwendet, was mehr eine technische als eine optische Angelegenheit ist. Andere Anwendungen umfassen „Ticker Tapes" mit Rolltext, Pop-up-Fenster und die Überprüfung von Eingabeformularen. Nur selten wird JavaScript für Rollover benutzt, die bei einer Berührung durch den Cursor zusätzliche Information liefern – einige Sites haben diese Technik mit gutem Erfolg eingesetzt [12.6].

JSkript ist die Version von Microsoft. Bis jetzt hat Microsoft es zwar geschafft, die meisten JavaScript-Möglichkeiten zu implementieren, liegt aber noch immer um eine Browser-Generation zurück. Internet Explorer 3.0 hat die Eigenschaften von JavaScript in Netscape Navigator 2.0, und während ich das schreibe, spricht

262

alles dafür, daß Jscript im Internet Explorer 4.0 dem Stand von Netscape Navigator 3.0 entspricht. Microsoft hat verspochen, mit der Version 5.0 den aktuellen Stand von Netscape zu erreichen, wohingegen Netscape bereits ankündigt, eigene spezielle Erweiterungen zu implementieren, die mit jedem weiteren Netscape-Browser-Release neue Tricks auf Lager haben. Obwohl sich beide Hersteller verpflichtet haben, ihre Versionen an den neuen Standard der Vereinigung Europäischer Computerhersteller anzupassen, können Sie absolut sicher sein, daß die Netscape-Browser neue Features unterstützen, wozu andere Browser nicht in der Lage sind.

12.7 A Java ermöglicht leistungsstarke Client-/Server-Anwendungen im Web, erfordert aber optimale Programmierkenntnisse.

Java

Java ist eine Cross-Plattform-Sprache, die das Programmieren in einer vernetzten Welt einfacher als je zuvor macht. Java-Applets sind kleine Programme, die sich schnell herunterladen lassen und dann auf dem System des Web-Surfers (dem Client) ausgeführt werden [12.7 A].

Ich führe Java wegen seines Imaging-Modells an. Es mag zwar primitiv sein, aber es ist vektororientiert. Das bedeutet, daß Sie eine komplette Web-Site in Java programmieren und damit sehr schnelle Ladezeiten erzielen können. Coda von Randomnoise ist ein Produkt, mit dem Designer ihre Java Sites erstellen können [12.7].

Coda ist ein völlig anderes Tool für Web-Designer. Da Besucher einen Set mit speziellen Java-Klassen für das Betrachten einer auf Coda basierenden Site herunterladen müssen, gibt es anfangs einen zusätzlichen Aufwand für den Besucher. Aber in einer Umgebung wie einem Intranet kann das auch sehr nützlich sein. Statt sich mit den Einengungen

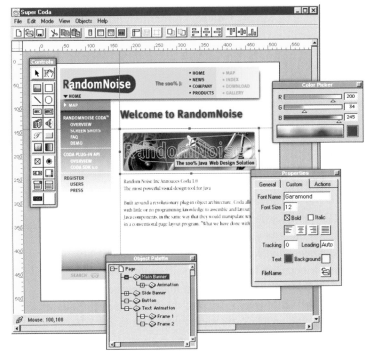

12.7 B Mit Coda können Sie Web-Seiten so wie eine Seite in Illustrator aufbauen.

von HTML und schlechte Browser-Implementationen auseinandersetzen zu müssen, läuft Java recht gut auf allen Plattformen (nur nicht auf dem Mac, auf dem Java noch immer ziemlich langsam ist) und besitzt ein stabiles Imaging-Modell. Mit Hilfe von Coda können Sie sehr einfach Ihre Sites mit Aktion versehen. Wenn Sie beispielsweise einen Online-Jahresbericht haben, können Sie diesen mit einer Datenbank verknüpfen und sämtliche Charts durch lebende Echtzeit-Daten generieren lassen. Grafiken bauen sich umgehend auf, da sie numerisch beschrieben werden und keine Rasterdarstellungen sind (*siehe Kapitel 3, „Bilder vorbereiten"*). Das ist so, als wenn man mit einer dynamischen Version von Illustrator direkt aus einem Spreadsheet heraus arbeitet: Nur einige Zahlen verändern und entsprechend ändert sich die Seite mit den Grafikdarstellungen. Coda ist bei bestimmten Anwendungen äußerst mächtig. Ich bin sicher, daß dieses Programm neue Möglichkeiten bietet

und einfacher als andere Programme in diesem Marktsegment anzuwenden ist. Coda funktioniert schon heute. Vielleicht ist es genau das, mit dem Sie Ihre Probleme lösen können. In jedem Fall sollte man Coda in dem Maße im Auge behalten, wie immer mehr Java-Produkte die Aufmerksamkeit des Designers auf sich ziehen.

PDF

Die erste Ausgabe dieses Buchs enthielt zwei Kapitel über das Gestalten von Web-Seiten mit Adobes Portable Document Format (PDF). PDF ist ein seitenbeschreibendes, auf PostScript basierendes Dateiformat, das den Gestaltern eine präzise Kontrolle des Look-and-Feel ihrer Seiten erlaubt. Sie finden diese Kapitel auf der Book-Site.

Hier und da ist PDF ein gutes Tool für Web-Designer – besonders wenn man genau weiß, daß die angesprochenen Web-Surfer für die Betrachtung von PDF-Dateien konfigurierte Browser verwenden, wie z.B. in einem unternehmensweiten Intranet oder Projekt-Site.

Im Web müssen Surfer, die sich PDF-Dokumente ansehen wollen, noch immer das von Adobe frei zur Verfügung gestellte Programm Acrobat Reader herunterladen und installieren. Anschließend muß der Browser entsprechend konfiguriert werden. Wie bei jedem Zusatzmodul bedeutet das eine gewisse Barriere.

Allerdings handelt es sich bei dem PDF-Zusatzmodul um keine obskure Angelegenheit. Es überrascht mich immer wieder angenehm, wenn Leute das Zusatzmodul bereits haben. PDF ist eine Übergangsstrategie für die Designer, die eine genauere Seitenkontrolle, als mit den heutigen Browsern möglich ist, verlangen. Unglücklicherweise scheint

PostSkript auf dem Web

In der ersten Ausgabe dieses Buchs habe ich beschrieben, daß PostScript die Basis für das Java-Imaging-Modell bilden könnte – damit lag ich falsch. PostScript hat als Datentyp für das Web an Bedeutung verloren, obwohl viele Möglichkeiten dieser Sprache für die unterschiedlichen Anforderungen zusammengefügt wurden. Leider ist es so, daß Web-Designer immer noch GIF-Texte anlegen statt Outlines bereitzustellen. Hinzu kommt, daß Adobe nicht in der Lage zu sein scheint, das PostScript-Format im Web durchzusetzen. Wir müssen wohl mit dem á-la-carte-Ansatz leben. Leute, die HTML- und Browser-Standards prophezeien, werden wohl noch Jahre warten müssen, bis diese Vorhersagen eintreffen.

das Ganze in die Richtung zu laufen, daß das PDF-Angebot in den meisten Web-Sites mehr eine Vorspeise als ein Hauptgericht bleibt.

Im Unterschied zu HTML ist Post-Script eine seitenbeschreibende Sprache, die völlige Kontrolle innerhalb von Seiten mit festgelegter Größe ermöglicht. Gestalter haben bei PDF genausoviel Kontrolle wie auf Papier, zusätzlich aber auch viele der interaktiven Features von HTML. Weil es zum größten Teil ein Vektorformat ist, zeigt sich PDF unabhängig von der Auflösung bzw. skalierbar. Sie können in eine PDF-Seite sowohl stufenlos bis auf 800% hineinzoomen als auch eine verkleinerte Version betrachten – immer mit ausgezeichneter Qualität. Wie bei einem Ausdruck können Sie Auszeichnungen vornehmen, Seiten neu arrangieren, hinzufügen oder löschen.

Das beste an den PDFs ist jedoch, daß die Schriften in die Dokumente eingebettet sind und sich hervorragende Ausdrucke erzielen lassen, im Gegensatz zu Browsern, die Web-Seiten noch immer in schlechter Qualität ausdrucken. Wenn Sie daher für den Druck vorgesehene Dokumente im Web veröffentlichen, sollten Sie auf PDF setzen. Fordern Sie die Besucher auf, die Seiten mit dem Acrobat Reader anzusehen und auszudrucken.

Mehr über das Anlegen und Bereitstellen von PDF-Dokumenten mit Schritt-für-Schritt-Anleitungen für das Erstellen einer PDF-basierenden Web-Site finden Sie auf der Book-Site. Installieren Sie jedoch vorher das PDF-Zusatzmodul in Ihrem Browser.

Shockwave

Was ist mit Shockwave passiert? Umjubelt als das einzigartige und universelle Multimedia-Authoring-Tool für das Web, hatte Shockwave versprochen, jede Web-Seite mit Sound und Animation zu neuem Leben zu erwecken. So wie PDF sind Shockwave-Animationen zu mehr oder weniger speziellen Elementen geworden, reduziert auf eine oder zwei Seiten innerhalb einer Site oder bestenfalls zu einer „Shockwave-Galerie" mit Spielen. Bis jetzt habe ich nur einige wenige Anwendungen von Shockwave für das Informationsdesign oder für Präsentationen im Web gesehen. Grund dafür ist vielleicht die Tatsache, daß Shockwave-Animationen nicht gerade einfach zu programmieren sind. Und das, obwohl viele Leute mit dem Director, der übergeordneten Authoring-Plattform von Shockwave, umgehen können. Ich könnte mir den Einsatz von Shockwave in unternehmensweiten Intranets und Training-Sites vorstellen. Außerdem wurde Shockwave mit einigem Erfolg im Web für Referenzarbeiten eingesetzt. Aber Web-Designer, die nichts über den Director wissen, konnten bisher noch nicht die Hürde überspringen und den Aufwand auf sich nehmen, in dieses sicherlich effektive Medium einzusteigen. So wie PDF hat sich Shockwave als Universallösung noch nicht durchsetzen können.

Flash

Flash, bisher unter FutureFlash bekannt, ist ein vektororientiertes Grafikformat und hat seinen Platz im Web-Grafikdesign, seitdem das Programm 1997 von Macromedia übernommen wurde. Flash erzeugt vektorielle Grafiken, die unabhängig von der jeweiligen Bildschirmauflösung sind. Flash-Grafiken lassen sich z.B. einfach mit Programmen wie Freehand erstellen. Natürlich müssen Sie sich den Flash Player (der zusammen

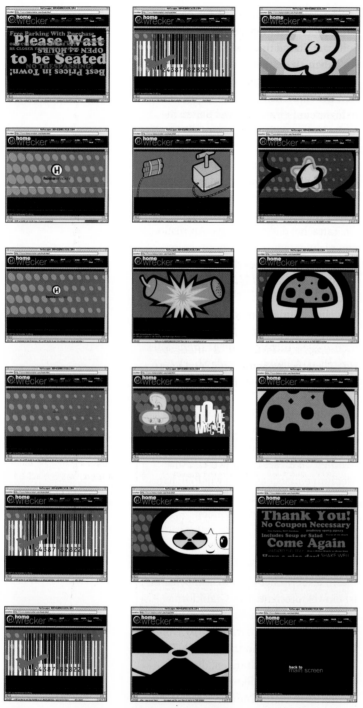

12.8 Die Flash-Animation bringt Leben in eine Web-Seite, allerdings mit einem kleinen Zusatzmodul.

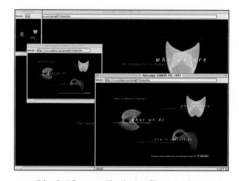

12.9 Die Größe von Flash-Grafiken ändert sich dynamisch, sobald der Anwender die Fenstergröße seines Browsers verändert.

mit dem Shockwave-Zusatzmodul ausgeliefert wird) besorgen und installieren, um Flash-Illustrationen betrachten zu können [12.8]. Flash 2, jetzt verfügbar, unterstützt Rollover, eingebettete Grafiken, Vektor-Fonts, Sound und andere Nettigkeiten.

Auflösungsunabhängig heißt, daß Sie Flash-Grafiken ohne Qualitätseinbußen vergrößern oder verkleinern können; sobald Sie die Größe des Browser-Fensters ändern, ändert sich entsprechend auch die Größe einer Flash-Grafik. Das ist ein Schlüssel-Feature, da kein Designer wissen kann, wie groß der Surfer sein Browser-Fenster einstellt und ob er die Fenstergröße während einer Sitzung verändert [12.9]. Flash-Grafiken werden im Client geglättet dargestellt – weich und ohne eine Zacke.

Da die Darstellung auf dem Computer des Surfers passiert, sind Flash-Dateien verglichen mit GIFs klein. Sie sind außerdem skalierbar und können in bester Qualität ausgedruckt werden. Das Flash-Format funktioniert nicht bei Fotos, aber für Strichgrafiken ist Flash genau das, wonach HTML-Gegner verlangt haben. Sie können mit Flash extrem kleine (was die Dateigröße angeht) Animationen erstellen. Flash-Bilder lassen sich darüber hinaus mit Sounddateien anreichern (WAV für Windows, AIFF für den Mac). Obwohl die Dateien mit Sound merkbar größer werden, soll die Sound-Kompression ausgezeichnet sein.

Leider gehört Flash nur einem Hersteller, der damit die Kontrolle über die gesamte Authoring-Umgebung hat. Obwohl noch ziemlich primitiv, wird diese Umgebung sicherlich verbessert werden. Da aber Macromedia weiterhin die Kontrolle über das Format behalten wird, kann Flash sich kaum als Standard in den führenden Browsern durchsetzen.

PNG

Am 1. Januar 1995 kündigten UNISYS und CompuServe an, in absehbarer Zukunft Lizenzgebühren für die GIF-Komprimierungssoftware zu verlangen. An diesem Tag traf sich eine Gruppe verunsicherter Experten und definierte ein neues, allgemein verfügbares Format mit der Bezeichnung PNG (unzweideutig als „ping" ausgesprochen). Eines Tages wird PNG das GIF-Format ablösen, mit einer überlegenen, gebührenfreien Komprimierungsmethode, besseren Farbmöglichkeiten und – endlich! – einem Alpha-Kanal.

PNG ist ein Beispiel dafür, wie sich einige Leute zusammenfinden und einen wirklich universellen und angemessenen Standard ohne Profitabsichten festlegen können. PNG unterstützt bidirektionales Interlacing, Farbtiefen bis zu 48 Bit, Graustufentiefen bis 16 Bit, einen vollen 8-Bit-Alpha-Kanal, Gammakontrolle für plattformübergreifende Helligkeit-Einstellung sowie Kontrolle der Dateikonsistenz. Gleichzeitig ist dieser Standard offen für zukünftige Erweiterungen. Die PNG-Komprimierung basiert auf einer Public-Domain-Version von LZW, die unter Beibehaltung der ursprünglichen Bildqualität normalerweise 10% bis 30% kleinere Dateien erbringt [12.10].

Mit das wichtigste Feature von PNG ist der Alpha-Kanal. Ein Alpha-Kanal ist, simpel ausgedrückt, eine zusätzliche „Farbe", die jedem Pixel hinzugefügt wird. Diese Phantomfarbe läßt sich für Transparenz, für ein Maskieren und für andere Bildinformationen verwenden. PNG bietet bis zu 256 Transparenzstufen und automatische Glättung.

PNG-Buchtip

Ich kann jedem empfehlen, das Buch *The Web Designer's Guide to Graphics: PNG, GIF & JPEG* von Timothy Webster, Paul Atzberger und Andrew-Zolli (Hayden Books, 1997) zu lesen.

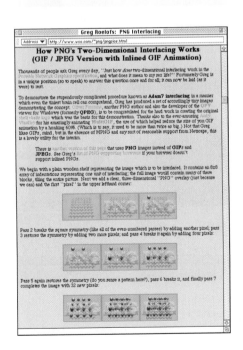

12.10 Die PNG-Homepage, auf der Sie alles finden, was Sie schon immer über PNG wissen wollten.

Die PNG-Verfechter

Siegel & Gale, ein Gestaltungsbüro in New York, haben einen freien PNG-Viewer mit dem Namen PNG Live entwickelt (www.siegelgate.com). Mehr als 250.000 Leuten haben das Zusatzmodul PNG Live für den Netscape Communicator heruntergeladen.

12.11. Die Wavelet-Technik ist ein Schritt über JPEG hinaus.

Eine PNG-Datei kann eine beliebige Menge textbasierender Metadaten enthalten, einschließlich URLs oder beliebigen anderen, datenbankorientierten Informationen. Damit wird das ALT-Attribut vollständig ersetzt und Suchmaschinen erhalten alle Informationen, um festzustellen, was sich auf Ihrer Seite befindet.

Die Unterstützung von PNG-Bildern kommt nur langsam voran. Obwohl alle Hauptbeteiligten sagen, daß sie PNG unterstützen, sind die bisherigen Implementationen es nicht wert, benutzt zu werden. Das ist sowohl bei den Microsoft-Browsern als auch bei Netscape 4.0 der Fall. Beide nutzen nicht die Vorteile von Transparenzstufen auf einer Web-Seite und für Netscape müssen Sie ein Zusatzmodul laden.

Adobe Photoshop 4.0 unterstützt PNG so, wie die Version 3.0 anfänglich GIF unterstützt hat: schlecht. Adobe wollte guten Willen zeigen, und das, bevor es eine gute Implementation gab. Honorieren wir deshalb diesen Versuch. Wir sollten jedoch Photoshop erst dann für PNGs einsetzen, wenn ein guter Exportfilter verfügbar ist.

Web-Experten werden enttäuscht sein zu erfahren, daß Gleiches für Equilibriums DeBabelizer zutrifft, den universellen Dosenöffner für alle Bildformate. Während ich dieses Buch schreibe, speichern weder DeBabelizer noch DeBabelizer Pro ein PNG-Bild, das Sie im Web präsentieren wollen – es werden ganz einfach zu große Dateien erzeugt. Aber das erste große Update von DeBabelizer Pro sollte die volle Unterstützung für 8-Bit-PNGs mit einem vollen Alpha-Kanal haben. (In der Book-Site finden Sie Hinweise auf neue Entwicklungen.)

Wenn PNG noch mit einem neuen Set an Erweiterungen für Animationen versehen wird – bekannt unter „Multipleimage Network Graphics" oder kurz MNG („ming" ausgesprochen) – können wir uns von GIF endgültig verabschieden.

Wavelets

Die meisten Leute haben noch nicht erkannt, daß JPEG ebenso nützlich wie GIF ist – obwohl alt und ein Substandard. Es funktioniert, aber es gibt bessere Möglichkeiten zur Komprimierung von Fotos. Die interessanteste Technologie dafür sind die Wavelets [12.11]. Wavelets fangen dort an, wo JPEG aufhört.

JPEG geht davon aus, daß Farben in Fotos verlaufen. Die Farbwerte verändern sich also nahezu übergangslos, dennoch aber vorhersehbar. JPEG ersetzt die aktuellen Pixel durch eine sinuskurvenförmige Repräsentation der wichtigsten Farbänderungen – eine für die Farbinformation und eine für die Helligkeitsinformation. Im Grunde genommen legt JPEG einen wellenförmigen Farbteppich über einen Schwarzweißteppich (die Sinuskurven-Beschreibung) des Bildes. JPEGs mit höherer Qualität haben eine höherfrequente Sinuskurve, und zwar für das gesamte Bild. JPEGs mit geringerer Qualität (Q-Faktor) arbeiten mit einer niedrigeren Frequenz, mit der viele Informationen herausgefiltert werden. Das Ergebnis ist eine geringere Modulation bei kleinerer Dateigröße.

Wavelets kombinieren nun die Vorteile von JPEGs mit hoher und niedriger Qualität. Wenn ein Bild eine große, weiche Fläche wie z.B. Wolken beinhaltet, arbeiten Wavelets mit der niederfrequenten Sinuskurve. Bei scharfen Details, wie Gebäuden und Schattenkanten, arbeiten Wavelets für die Darstellung der Übergänge mit einer hochfrequenten Sinuskurve. Tatsächlich benutzen Wavelets gerade Linien („Quadratwellen") für harte

Übergänge, so daß das Komprimierungsschema auf den zu komprimierenden Bildbereich eingestellt ist.

Infinop (www.infinop.com) hat das recht gute Wavelet-Zusatzmodul „Lightning Strike" entwickelt, das Sie frei herunterladen können. Wenn wir heute eine Fotogalerie einrichten müßten, würde ich alle Bilder mit dieser Technik komprimieren und meine Besucher auffordern, sich dieses Zusatzmodul zu besorgen – der Unterschied ist den Aufwand wert.

FlashPix

FlashPix ist ein grafisches Dateiformat, das von Live Picture (www.livepicture.com), Hewlett-Packard, Kodak und Microsoft [12.2] entwickelt wurde. FlashPix ist ein großartiges Beispiel für einen Standard, der für die Online-Bildübermittlung entwickelt wurde. Mit diesem Dateiformat wird das Konzept des progressiven JPEG um eine Stufe erweitert – das bidirektionale Interlacing für verschiedene Ebenen.

FlashPix nimmt ein Bild beliebiger Größe und speichert es in einer „Pyramide" mit verschiedenen Auflösungen. Das Bild mit der höchsten Auflösung befindet sich unten, es folgt das Bild mit 1/4 der Größe, das nächste wieder mit 1/4 usw., bis schließlich in der Pyramidenspitze das letzte Bild gespeichert wird, das eine einzelne 64 x 64 Pixel große Kachel repräsentiert. Jede Ebene der Pyramide wird als Kachel gespeichert und repräsentiert eine Bildversion, auf die Sie direkt zugreifen können. Mit Hilfe einer speziellen Server-Komponente, die mit Protokoll IIP (Internet Image Protocol) arbeitet, kann ein Web-Designer eine bestimmte Version des Bildes einer HTML-Datei zuweisen. Da im Originalbild mehr Daten vorhanden sind, kann der Empfänger des Bildes in das Bild einzoomen und so den Server veranlassen, detailliertere Informationen für die bestimmte Zelle zu übermitteln (oder für eine Gruppe von Zellen). Auf diese Weise erhält man schneller die relevanten Informationen und kann anhalten,

sobald man die gewünschten Einzelheiten gesehen hat. Nachdem Sie ein komplettes FlashPix-Bild heruntergeladen haben, können Sie für mehr Einzelheiten in das Bild bis hin zur ursprünglichen Auflösung einzoomen. FlashPix-Bilder lassen sich außerdem schnell drehen und manipulieren, ohne daß die Original-Bilddaten zerstört werden.

Das FlashPix-Format ist nicht proprietär – jeder kann also Tools und Betrachter (Viewer) entwickeln – und funktioniert sowohl mit JPEG als auch mit PNG.

Schriften

Vielleicht haben wir Glück und können mit Beginn des neuen Jahrtausends die GIF-Texte vergessen. Im Augenblick müssen Sie `<FONT FACE="verdana">` festlegen, damit der Besucher sich den Text in der Schrift Verdana ansehen kann – sofern er die Schrift hat.

Sowohl Verdana als auch Georgia werden von Microsoft frei zur Verfügung gestellt. Diese ausgezeichneten Schriften, gestaltet von Matthew Carter und von Tom Rickner, sind zusammen mit anderen implementiert, ein großer Schritt weg von der Times Roman, die für alles im Web benutzt wird. Eines Tages werden wir unter vielen Schriften wählen können, für Überschriften, Logos, Schriftgrafiken, Tabellendaten, Bildunterschriften, Text und vielleicht auch handschriftlichen Text.

Netscape liefert zusammen mit dem Browser 4.0 die von Bitstream entwickelte TrueDoc-Technologie aus. TrueDoc übernimmt vorhandene Schriften, stellt sie mit Hilfe des Betriebssystems groß dar, um dann eine Outline-Version zu erstellen. Diese Vorgehensweise kostet keine Lizenzgebühren und verletzt auch keine Copyrights. Die Outline-Version

12.12 FlashPix verspricht ein gutes Online-Bildformat zu werden.

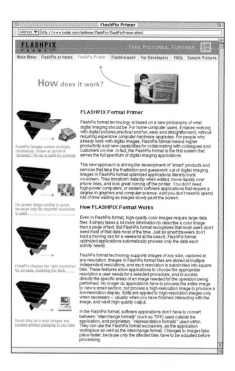

12.13 Das Zusatzmodul Cosmo von SGI ist der zur Zeit heißeste VRML-Viewer. SGI will VRML stärker durchsetzen.

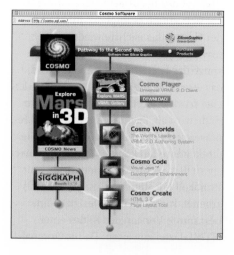

270

einer Schrift wird dann zusammen mit der Web-Site an den Besucher übertragen. Da Netscapes Implementierung nicht besonders gut gelungen ist und auch Schriftgestalter völlig dagegen sind, haben gute Designer diese Technologie so widerwillig wie das `<BLINK>`-Tag angenommen.

Zwischenzeitlich haben Adobe und Microsoft die OpenType-Lösung vorgeschlagen, ein Schriftenformat auf Systemebene, das die heutigen True-Type- und Type-1-Schriften ablösen soll. Allerdings ist diese Technologie für die Vermarktung noch nicht freigegeben und es wird noch einige Zeit vergehen, bis jeder sich umgestellt hat. Damit entfallen endlich auch die nach Plattform unterschiedlichen Schriften. Es wird einen Standard geben, der sowohl den Ansprüchen der „Druck"- als auch der Online-Designer gerecht wird.

OpenType hat zu viele gute Features, als daß ich sie an dieser Stelle alle aufzählen könnte. Web-Designer werden diese Schriften in ihre Sites einbetten können, und Besucher sehen so lange „Platzhalter-Text", bis die Schriften heruntergeladen sind. Da es sich hierbei um Outline-Schriften handelt und das System diese Schriften so in Subsets aufbricht, daß nur die tatsächlich benötigten Zeichen auf der Seite ankommen, erhält man extrem kurze Ladezeiten. Eine ganze Web-Site kann genau in den Schriften dargestellt werden, die Sie sich ausgesucht haben! Da dieses Feature in das Betriebssystem integriert ist, funktioniert OpenType auf jedem Browser.

Die wichtigsten Bedenken der Schriftgestalter betreffen die Sicherheit. Da es immer noch Leute gibt, die mit der Gestaltung von Schriften Ihren Lebensunterhalt verdienen, und immer mehr Firmen qualitativ gute Schriften

verkaufen, muß sichergestellt werden, daß der Anwender nicht die Schriften in einer Web-Site herunterlädt und für andere Zwecke verwendet. Da ist der wunde Punkt: Sie laden die Schriften aus einer bestimmten Web-Site auf Ihre Festplatte herunter. Jetzt haben Sie die Outline-Daten. Irgendwann wird es dann ein kleines Hilfsprogramm geben, mit dem Sie diese Schriften in das von Ihrem System benötigte Format umwandeln können – und jetzt holen Sie sich für ganz andere Dinge benötigte Schriften einfach aus dem Web. Deshalb bleibt abzuwarten, wie ein abgesicherter Einsatz von Open-Type-Schriften im Web erfolgen wird.

Ideal wäre es, wenn mit OpenType eine neue Ära des Schriftendesigns eingeläutet würde mit neuen und ganz speziellen Schriften nur für Web-Sites. Designer würden diese Spezialschriften sofort kaufen, vielleicht mit den Rechten für eine begrenzte Anzahl von Sites. Andere werden eine Schrift erstehen und sie für alle Sites benutzen. Aber jeder Designer wird mehrere Schriften kaufen und so wieder Bewegung in den Schriftenmarkt bringen. Niemand weiß, ob das tatsächlich so sein wird. Zumindest gebe ich Studenten, die sich ausschließlich und einseitig auf Schriftgestaltung festlegen wollen, die Empfehlung, statt dessen ein Wirtschaftsstudium oder mit Grafikdesign zu beginnen.

OpenType ist ein enormer Kraftakt. Es wird einige Zeit dauern, bis sich dieser Standard etabliert hat. Ich erwarte OpenType-Schriften für 1998/99, d.h. für den Zeitpunkt, an dem die Anbieter von Schriften und die Schriftengestalter ihre Bibliotheken konvertiert haben. Ich gehe davon aus, daß OpenType, sofern vernünftig implementiert, dem TrueDoc-Format keine Chance lassen wird.

Virtual Reality

Der Begriff „Virtual Reality" ist ungefähr so gut definiert wie „Multimedia". Obwohl diese aufregenden technischen Entwicklungen sich nicht immer in starke Surferlebnisse umsetzen lassen, sollte man trotzdem ein Auge darauf werfen.

VRML, die vielversprechende „Virtual Reality Modeling Language" ist fast so alt

12.14 QuickTime VR ist eine Software-Lösung von Apple-360°-Ansichten in Filmen.

wie das Web [12.13]. Die Befürworter dieser Sprache sagen, daß Web-Sites zu „Durchgängen", „Räumen" werden. Vielleicht wird das eintreffen, wenn jeder mit einem Kabelmodem arbeitet. Ich vermute, daß bis dahin VRML nur speziellen 3D-Applikationen vorbehalten sein wird, z.B. Offline-Gebäudepräsentationen, durch die man quasi fliegt oder hindurchgeht. Es wird noch einige Zeit dauern, bis wir im Web in eine virtuelle 3D-Welt eintreten können, um schwebend, fliegend oder wandernd einen Dschungel, eine Stadt oder einen anderen Planeten zu entdecken.

QuickTime VR ist eine von Apple entwickelte Technologie, mit der QuickTime über die reine Präsentation linearer Filmclips [12.14] hinaus erweitert wird. Im Grunde genommen ist QTVR eine Möglichkeit, um einen Film oder eine Bildfolge zu einer Art „Filmschleife" zusammenzufügen, die der Betrachter sieht, als würde er sich an einem von zwei Blickpunkten befinden. In der ersten Ansicht sehen Sie Dinge wie in einem 360°-Kameraschwenk und aus der zweiten Ansicht so, als würden Sie in ein Objekt herumlaufen. Dabei lassen sich so genannte „Hot Zones" hinzufügen: Sobald der Besucher darauf klickt, landet er an einer anderen Stelle – meist in einem andern QTVR-Clip.

OliVR ist ein neues Bildformat, das über QTVR hinausgeht und unterbrechungslose, Server-basierende Erlebniswelten liefert. Es entspricht FlashPix insofern, als daß der spezielle Server mit einer progressiven Darstellung arbeitet. OliVR-Bilder können eine extrem hohe Qualität haben, so daß man sich in einem Bild beliebig herumbewegen und anschließend in das Bild hineinzoomen kann – die entsprechenden Informationen liefert der Server. OliVR ist mehr ein

Streaming-Modell mit einer ausgezeichneten Komprimierbarkeit (Live Picture Corp. hat kürzlich die OliVR Corp. übernommen).

Ipix [12.15] ist ein Zusatzmodul, das eine komplette sphärische Darstellung aus einem Sichtwinkel heraus ermöglicht. Dazu wird eine 360°-Rundumansicht verwendet (zwei 180°-Fotos, die mit einem Fisheye-Objektiv aufgenommen und nahtlos aneinandergefügt wurden). In dieser Ansicht kann der Betrachter von einem einzigen Punkt aus in alle Richtungen sehen. Ich erinnere mich noch immer daran, wie ich vom Dirigentenpult aus die Carnegie Hall entdeckte – allein für dieses Erlebnis lohnt sich das Zusatzmodul.

Sound

So wie mit den zwei Bildarten (Vektor und Raster) verhält es sich auch mit dem Sound: Es gibt Wave- und Instruktions-Dateien.

Eine Wave-Datei übermittelt eine komprimierte Klangversion – wie die unserer Stimme oder die eines fallenden Baums. Microsoft Internet Explorer 4.0 und Netscape Navigator 4.0 unterstützen die Audioformate AIFF, AU und WAV, aber keiner der Browser umfaßt das am weitesten verbreitete Audio-Zusatzmodul „Real Audio Player". AIFF, AU und WAV-Dateien müssen Sie zunächst vollständig laden, während die Real-Audio-

Lösung ein *Streaming*-Datentyp ist – Sie können den Sound hören, sobald er ankommt. Real Audio wird für Sprachübertragung, Musik und Trainingskurse eingesetzt – selbst eine Zweiweg-Unterhaltung ist möglich. Weil so viele Anwender das Zusatzmodul besitzen, zahlen heute viele Sites Lizenzgebühren, um die Real-Audio-Server-Software einsetzen zu können.

MIDI-Dateien übertragen Instruktionen für Musikinstrumente, die per Software in der CPU in synthetische Töne umgesetzt und zu den Lautsprechern geschickt werden. MIDI ist das Vektorformat für Sound. Ein recht annehmbarer MIDI-Player ist in QuickTime integriert. Ein anderer Player mit dem coolen MIDI-Zusatzmodul „Beatnik" [12.16] kommt von Thomas Dolbys Firma Headspace (www.headspace.com). Es funktioniert ab Netscape 2.0 unter Windows 95/NT und auf dem Macintosh Power PC; die Unterstützung für den Internet Explorer ist begrenzt. Beatnik spielt Musik- und Audiodaten der Formate RMF, MIDI, MOD, AIFF, WAV und AU ab. MIDI-Dateien sind sehr klein, selbst wenn sie Anweisungen für die gleichzeitige Wiedergabe mehrerer Musikinstrumente enthalten, und klingen phantastisch. Nachdem Sie ein Set von MIDI-Anweisungen an den Besucher geschickt haben, können Sie deren Tempo, Lautstärke, Tonhöhe sowie viele andere Faktoren ändern – praktisch ohne weitere Ladezeiten.

12.15 Ipix mit der vom Boden zur Decke reichenden 360°-Ansicht der Carnegie Hall.

273

Während es ziemlich einfach ist, eine Site mit Sound auszustatten, ist das Hinzufügen von Sound als Gestaltungselement eine ganz andere Geschichte. Web-Designer können hier viel von den Hollywood-Größen und von Sites lernen, denen die Sound-Integration bereits gut gelungen ist. Es ist Ihren Besuchern gegenüber nicht fair, irgendeinen Sound rüberzuschieben, nur weil Sie inzwischen wissen, wie man so etwas macht.

Voice-Synthesizer können Ihnen tatsächlich eine Seite vorlesen, wobei Sie entscheiden können, welche Hot Links besonders hervorgehoben werden sollen. Die Stimme mag nicht so gut klingen, ist aber dennoch ausreichend für Blinde, die auch im Web surfen wollen. Heute kann man dieser Gruppe am besten gerecht werden, indem man ihr eine aktuelle, rein textorientierte Version einer Site bereitstellt. Mit Hilfe entsprechender ·Browser kann sich ein Blinder jetzt Ihre Site „anhören".

Es geht vielleicht etwas über das Thema dieses Buchs hinaus, aber trotzdem möchte ich ein Spracheingabesystem anführen, mit dem man im Web surfen kann. Statt Klicken mit der Maus wird in ein Mikrofon gesprochen – eine großartige Lösung für Leute, die ihre Hände nicht mehr bewegen können. Eine Lösung ist Surftalk von Digital Dreams (www.surftalk.com). Mit Surftalk können Sie mit Hilfe eines vordefinierten Befehlssatzes navigieren, Bookmarks setzen und die so markierten Sites auch wieder besuchen. Text-Links lassen sich aktivieren, indem man den entsprechenden Text spricht [12.17].

12.16 Mit Headspace können Sie Midi-Dateien auf Ihrem eigenen Computer abspielen. Besuchen Sie diese Sound-Galerie, und rocken Sie im Takt.

Datenbankorientierte Sites

Wenn Sie zu einer Web-Site gehen und lustig aussehende Zeichen auf der URL einer Seite sehen, surfen Sie auf einer Site, die sich in einer Datenbank befindet. Beim heutigen Umfang der Web-Sites ist das meist die einzige vernünftige Möglichkeit.

Für eine datenbankorientierte Seite erstellen Designer vorher Templates für HTML-Seiten. Die Datenbanken füllen diese Seiten mit Inhalt entsprechend dem, was der Besucher auf der jeweiligen Seite wählt. Diese Sites beinhalten normalerweise ein inhaltsbezogenes Management-System, über das Texter und Redakteure ihre Beiträge im System anpassen und festlegen können, was an den Besucher übermittelt werden soll. Auch läßt sich so der entsprechende Mix an Werbebannern für die Seiten festlegen. Sie können sich vorstellen, daß das ziemlich kompliziert ist. Sites wie Hot-

Wired, clnet und ESPN Sportszone haben keine andere Wahl, als ihre Sites über Datenbanken bereitzustellen.

Eine andere Anwendung von Datenbanken liegt in der Präsentation komplexer Informationen, was anders nur schwierig möglich ist. Der Vergleich von Preisen für Flugtickets, das Suchen in Teilekatalogen, das Überprüfen eines Bankauszugs oder eines Aktienkurses geht mit Datenbanken viel besser als mit statischen Sites. Allerdings muß gesagt werden, daß die Bedienerschnittstellen der meisten datenbankorientierten Web-Sites ziemlich schlecht sind.

Mehr dazu finden Sie im Buch *Das Geheimnis erfolgreicher Web Sites*. Ich wünschte mir, daß endlich einmal ein Designer und kein Techniker ein Buch über die Gestaltung datenbankorientierter Web-Sites schreibt – das Buch würde ich sofort lesen.

Zusammenfassung

Das Web unterliegt permanenten Veränderungen. Bücher wie dieses sind nie fertig, sondern immer „under construction". Trotzdem – vor uns liegen fundamentale Veränderungen, und ich hoffe, diese aufzeigen zu dürfen: Inhalte werden von der Gestaltung getrennt behandelt. Im nächsten Kapitel versuche ich, etwas Licht in das zu bringen, was uns vielleicht ins Paradies führt. Bis dahin werden wir hacken, tüfteln und alle erforderlichen Zusatzmodule benutzen, die uns bei der Erstellung von Sites der 3. Generation helfen können.

Vielleicht liegt der Grund dafür, daß so viele À-la-carte-Lösungen der großen, allumfassenden Lösung überlegen sind, darin, daß im Web die einzelnen Lösun-

12.17 Mit Surftalk navigieren Sie mit Ihrer Stimme.

gen miteinander konkurrieren. Eine Firma hat eine gute Idee und entwickelt ein entsprechendes Zusatzmodul. Kann dieses Modul dann einen wirklichen Nutzen bieten, laden es sich die Anwender von der Site herunter. Jetzt hofft die Firma, Geld mit den entsprechenden Authoring-Tools machen zu können oder daß Microsoft sie aufkauft.

KAPITEL 13

Ausblick

Was Sie in diesem Kapitel erwartet:

Positionierung

Hoffen auf Style Sheets

Modelle mit dynamischen Objekten

5.0- und 6.0-Browser

XML

Metadaten

Skript-Sprachen

Profile

UNVORHERSEHBARES PASSIERT. Microsoft hat den Browser-Krieg gewonnen. Strukturisten und Designer fangen an, freundlicher miteinander umzugehen. Hier, in den letzten Minuten des Jahrtausends, ist die Vernetzung aller Menschen auf dieser Welt eine unserer wichtigsten Aufgaben. Wir werden den E-Turm von Babel als einen der sieben Weltwunder der Elektronik bauen (über die anderen sechs als Folgeerscheinung werde ich noch zu sprechen kommen – Sie haben es erraten: America Online und Marc Andreesson sind nicht auf der Liste). Die erste Sprache des E-Turms ist HTML. Weitere werden folgen. Kinder, die in dieser Welt aufwachsen, werden von Haus aus verschiedene Markup-Sprachen sprechen.

Wir bauen die sieben Weltwunder der Elektronik, auf Standards basierend. Obwohl sich Standards nur langsam ändern, können nur wenige sagen, welcher Standard vom heutigen Tag an gerechnet in 6 Monaten vorherrschen wird. Jeder möchte wissen, was auf ihn zukommt, besonders Designer. Die Leute an der Front sollten endlich herausposaunen, was sie wissen und voraussehen. Ein

Vergleich der ersten mit der vorliegenden Ausgabe meines Buchs zeigt, daß immerhin die Hälfte meiner Voraussagen eingetroffen sind. Nehmen Sie das so, wie es ist – in der Schule erhalten Sie die Note F, wenn Sie 40% der Aufgaben in der vorgegebenen Zeit richtig lösen. Beim Baseball würden Sie in die Hall of Fame (Halle der Unsterblichen) kommen.

Ich benutze diese Gelegenheit, die „Große Linie" aufzuzeigen, die sich jetzt gemeinsam bei den Framern und den Gestaltern entwickelt. Wenn das funktioniert, wird sich unser Leben gründlich ändern. Das Ganze wird in zwei Phasen vonstatten gehen.

Phase 1: HTML & Form

Mit Formatvorlagen können wir Sites der 3. Generation gestalten, da die Browser verbessert werden und verschiedene Zutaten zusammenkommen – das ist zumindest meine Ansicht. Vieles von dem, was ich jetzt erläutern werde, baut auf den vorangegangenen zwei Kapiteln auf.

Inhalt wird ungebrochen zur Angebotsexplosion im Web führen. Englisch bleibt die Weltsprache der elektronischen Welt, obwohl Online-Übersetzungsdienste tatsächlich englischsprachige Web-Sites in anderen Sprachen anbieten werden – für mich noch unvorstellbar. Die Qualität der Inhalte könnte sich verbessern, aber daran zweifele ich noch. Inhalte im Web sollten und werden für jedermann frei verfügbar sein.

Schnell werden neue Web-spezifische Datentypen entstehen. Diese neuen Formate für Bilder, Sprache, Musik, Animation und andere kreative Ausdrucksformen werden von immer raffinierteren Authoring-Tools begleitet. Leider werden

Die 6.0 Browser

Ich denke, daß die 5.0-Browser noch in der Tradition stehen werden, die Löcher ihrer Vorgängerversion zu stopfen. Die Entwickler der 6.0-Versionen werden jedoch die Teile haben, um ein besseres Produkt zu kreieren. Sie werden die Browser so weit neu schreiben, daß sie HTML analysieren und so die heutigen Probleme mit der CSS-Implementation lösen können. Dann wird Netscape nicht in der Lage sein, einseitig neue Tags einzuführen, und Microsoft IE 6.0 wird ein hervorragende Style-Sheet-Maschine sein.

diese Tools wie bisher den Datentypen hinterherhinken. Sind die Tools erst einmal flexibler, werden Sie auch alle inhaltlichen Creators besser bereitstellen können. Wir müssen vielleicht noch warten, bis alle unseren Tools in Java sind. Alles wäre modular aufgebaut, wir könnten das aktuellste Java-Bean-Modul als Zusatzmodul laden und dann den aktuellsten Datentyp im Web exportieren.

HTML enthält die rudimentären Tags, die zur Veröffentlichung eines mit Hyperlinks versehenen Papiers benötigt werden – und mehr war ursprünglich mit HTML auch nicht beabsichtigt. HTML ist eine besonders gute Markup-Sprache, aber sie ist überschaubar und hat ihren Dienst erfüllt. Die Sprache läßt sich durch Class-Attribute erweitern, doch wenn wir weiterhin jeden seine eigenen Class-Attribute definieren lassen, wird die Zukunft so wie der Film *Brazil* aussehen.

Zwei Dinge müssen wir mit HTML tun. Erstens müssen wir aufhören, die Sprache zu verändern. Wenn Sie Ihren Inhalt einmal auszeichnen, sollte das endgültig sein. Die letzte Version, HTML 4.0, wurde um einige neue, strukturelle Tags erweitert. Sämtliche darstellenden Tags sind bereits für den Augenblick Streichkandidaten, sobald CSS die Präsentation voll übernehmen kann. Diese Aufteilung der Verantwortlichkeiten zwischen HTML und CSS ermöglicht die Entwicklung besserer und stabilerer Tools, mit denen Web-Designer die Regeln befolgen und gleichzeitig wirklich kreative Arbeit leisten können. Tim Berners-Lee, einer der Initiatoren des Web, stellt fest:

Im Web veröffentlichte Informationen müssen auch entsprechend den Regeln des Web-Standards formatiert werden.

Die Standardformate stellen sicher, daß alle Benutzer des Web, die Material lesen wollen, dieses auch sehen können.

Jetzt, da HTML „erwachsen" geworden ist und seinen richtigen Platz gefunden hat, können wir auf den Fundamenten dieser Sprache aufbauen und leistungsfähigere Markup-Sprachen entwickeln. Diese Sprachen sollten uns komplexe, realitätsnahe Anwendungen im Web ermöglichen. Dan Connolly, einer der Architekten der W3C-Standards, sagt:

Durch das Mosaik-Tool aus dem Jahr 1993 haben Leute HTML wie einen Hammer benutzt und überall Nägel gesehen. Leider ist HTML nicht der (universelle) Hammer; selbst als HTML 4.0 im Juli 1997 freigegeben wurde, mit einem feinen, aber nur kleinen Tagset, genügt ein Tagset für all die verschiedenen Informationen im Web.

Format ist das, was Sie einem ausgezeichneten (mit der Markup-Sprache versehenen) Dokument zuweisen, und zwar immer abhängig von den Möglichkeiten und Wünschen des Anwenders. Formatvorlagen bieten Gestaltern die Kontrollmöglichkeiten, nach denen sie immer gesucht haben – nur die heutigen Browser sind weit davon entfernt.

Formatvorlagen ermöglichen die Positionierung von Elementen und erlauben – in Kombination mit neuen Datentypen – die Erstellung von wirklichen, interaktiven Multimedia-Effekten auf Web-Seiten. Eine bessere Implementation des CSS-Ebenenmodells ermöglicht es den Gestaltern, Seitenelemente vor oder hinter anderen Elementen zu positionieren. Elemente lassen sich im Raum entweder relativ (verankert) oder in absoluten Maßeinheiten zu anderen Elementen anordnen. Relative Elemente fließen mit dem Text, während absolute Maßeinheiten, von der linken oberen Ecke des Untergrunds (weiße Fläche einer Web-Seite) ausgehend, festgelegt werden.

CSS ermöglicht uns die Ebenenanordnung in der Z-Reihenfolge. Ich hoffe, daß wir bald über die alten Zeiten lachen werden, in denen es nur ein Hintergrundbild und eine Seite mit Vordergrundelementen gab. Mit einer unbegrenzten Anzahl von Ebenen können wir viel bewerkstelligen, trotz der heutigen Modem- bzw. Übertragungsgeschwindigkeiten. Wenn wir ein JPEG in den Hintergrund und ein PNG in der Vordergrund stellen können, lassen sich die Bilder mit interessanten Schriften anreichern – mit geringerem Zeitaufwand und größerer Effektivität. Mit Hilfe der PNG-Transparenz lassen sich bereits geladene Grafiken auf interessante Weise wiederverwenden und farblich verändern. Elemente lassen sich neu zusammenfügen bzw. übereinanderlegen, drehen und auf einer neuen Seite positionieren. Freistellungspfade und Masken ermöglichen es, Hintergrundelemente durch den Vordergrund scheinen zu lassen. Es gibt also endlos viele Vorteile.

CSS ist das zentrale Thema für die Design-Evolution im Web. HTML-Erweiterungen wie der **< L A Y E R >**-Tag von Netscape sind nur Ablenkungsmanöver, um die Analysten mit neuen Browser-Features zu begeistern. Ich denke, daß die meisten Inhalt-Provider erst dann voll auf CSS umschwenken, wenn die 6.0-Browser den Markt beherrschen. Dann allerdings müssen wir uns mit DSSSL (Document Semantic Style Specification Language) auseinandersetzen, einer Programmiersprache, mit der wir den entsprechend ausgezeichneten Inhalt noch interessanter gestalten können.

Profile. Etwas fehlt uns noch in unserer Gleichung: das universelle Surfprofil, über das sich jeder Besucher einer Site individuell beschreiben bzw. vorstellen kann. Ein Surfprofil könnte *technisch* (benutzt der Surfer ein mobiles Internet-Handy, ein TV-Gerät, eine Grafikstation etc.), *geographisch* (Ort, Muttersprache, landesspezifische Eigenarten etc.), *psychographisch* (Hobbys, häufig besuchte Sites etc.), *demographisch* (Alter, Geschlecht, Einkommen und andere Faktoren) und *physiographisch* (hörgeschädigt, farbenblind etc.) sein. Sämtliche Auskünfte muß der Anwender freiwillig geben können, doch sollte das Profil so wichtig wie die Informationen im Personalausweis sein – und es muß so einfach anzulegen sein, daß jeder Benutzer es auch ausfüllt. Je mehr die Designer über ihre Besucher wissen, desto besser können sie Style Sheets gestalten, die den Inhalt so bereitstellen, daß sowohl der Provider als auch der Verbraucher damit zufrieden sind.

Objekt-Modell. Web-Seiten müssen nicht statisch sein. Die einzelnen Elemente sollten sich anzeigen, ausblenden, verschieben sowie drehen lassen – und es gibt noch viele andere Möglichkeiten. Dazu benötigen die Seitenelemente so genannte *Handles* (Anfasser), mit denen sie dann aufgerufen werden – Elemente reagieren also auf einen vorher zugeordneten Namen. Dazu müssen Elemente innerhalb eines Objekt-Modells „vererbbar" sein. *Inheritance* (Vererbung) bedeutet, daß ein Bild, das zu einer größeren Gruppe von Objekten gehört, zusammen mit dieser Gruppe bewegt werden kann. Oder das Bild muß zusammen mit der Gruppe ausgeblendet werden können. Die W3C-Gruppe arbeitet hart am DOM (Document

280

Object Model). Das steht in Wirklichkeit hinter der ganzen „Dynamic HTML"-Werbung, die Sie von den Browser-Herstellern hören. Der Schlüssel liegt in einem allgemein anerkannten Standard, so daß Java-Applets, Skripts, Browser oder andere Programme präzise einzelne Elemente und deren Zuordnungen identifizieren können. COM wird eine große Hilfe für die Integration tatsächlicher Interaktivität auf unseren Web-Seiten sein.

Skripts und Ereigniskontrolle. Wenn die Seitenelemente erst einmal Handles besitzen, können Sie damit Aktionen ausführen. Ein *Handler* (Handhaber) ist ein Skript, über das ein Element zu einer vorgegebenen Aktion veranlaßt wird. Skripts sollten jedes Element auf einer Seite manipulieren können und deshalb ist ein allgemeines Objekt-Modell auch so wichtig.

Skripts in Kombination mit CSS ermöglichen viele, den Designern bereits vertraute Multimedia-Effekte: Überblendung, Animation, Pop-up, Grafik ein- und ausblenden usw. Mit Hilfe eines Push-Modells und einer offenen Verbindung (HTTP 1.1) werden Designer Schnittstellen ähnlich dem TV-Gerät gestalten können – alles passiert auf einer Seite. Auf Zeit und Ereignissen basierende Skripten ermöglichen es dem Besucher, in spieleähnliche Umgebungen einzutauchen, in Online-Ereignisse, Simulationen, Gemeinschafts- oder Clubräume sowie mit Web-Sites zu interagieren, was heute so noch nicht machbar ist.

Phase 2: Über HTML hinaus

Ich habe bereits darauf hingewiesen, daß wir HTML so lassen, wie es ist, und es mit einer mächtigeren, spezialisierten Auszeichnungsschrift ergänzen. HTML

betrifft im Gegensatz zu semantischen Features vorrangig die strukturellen Eigenschaften eines Dokuments, also Überschriften, Absätze usw. Es ist gut zu wissen, was ein Absatz ist, doch wäre es ebenso hilfreich, etwas über den Inhalt zu wissen. Wir benötigen Metadaten, welche die Bedeutung beschreiben – bekannt als semantische Auszeichnung.

Hier ist ein Beispiel. Unterstellt, ich schreibe eine Filmkritik. Um Ihnen zu sagen, daß es sich um den Titel *Godfather, Teil II* handelt, zeichne ich ihn kursiv aus. In HTML könnte ich den Titel zwischen die Tags < I > und < / I > stellen, d.h. eine darstellende Information (kursiv) benutzen und so die in HTML nicht verfügbaren semantischen Möglichkeiten simulieren.

Was ist mit der Ladefolge?

Während einige Leute hart an der Durchsetzung der hier angeführten Dinge arbeiten, interessiert sich noch niemand für das Thema „Ladefolge". So lange Modems die Daten mit Geschwindigkeiten übertragen, die in Kbyte/sec. gemessen werden, wollen Designer die Reihenfolge bestimmen, in der Bilder auf ihre Seiten geladen werden. Grundsätzlich sollen dabei zuerst die inhaltlichen Informationen in den oberen Seitenteil geladen werden – vielleicht zusammen mit einem oder mehreren kleinen Bildern. So hat der Besucher bereits etwas, mit dem er arbeiten kann, und muß nicht warten, bis die komplette Seite geladen ist. Heute konkurrieren die Bilder im unteren Seitenteil mit denen im oberen in Bezug auf die Bandbreite – der Grund dafür, daß das Web zu langsam ist.

Ich habe herausgefunden, warum die Leute verlegen lächeln, wenn ich sie nach der Ladefolge frage – das ist eine andere Abteilung. Die Ladefolge müßte zwischen Server und Browser vereinbart werden, also als Bestandteil des Übertragungsprotokolls. Doch damit haben die Browser-Hersteller kaum etwas zu tun. Ich fürchte, daß Ladefolge für einige Zeit noch kein Thema sein wird, auf das Designer bauen können.

Was ist mit Sites der 4. Generation?

Ich brenne darauf, ein Buch über Sites der 4. Generation zu schreiben. Das Web wird weiterhin von der Technologie getrieben. Ich warte und beobachte, wann hier der Richtungswechsel kommt und Designer zusammen mit Inhalt-Produzenten wirklich gut gestaltete Sites einrichten können, d.h. Sites ohne den vielen technischen Schnickschnack. Ich selbst meine, daß ich noch viel über Gestaltung im Web lernen muß.

Wenn ich meine Vision der Sites der 4. Generation in Worte fassen kann, werden die Technologen enttäuscht sein. Die Werkzeuge für derartige Sites gibt es schon heute und es wird keinen radikalen, sondern einen nahtlosen Übergang geben. Um das zu beschreiben, bedarf es eines weiteren Buchs. Die 4. Generation wird kommen, aufbauend auf den Gestaltungsprinzipien der 3. Generation. Design und nicht die Technik wird den Unterschied ausmachen.

Wenn wir über ein Tag für `<Filmtitel>` verfügen könnten, ließe sich der Titel je nach Umgebung vernünftig darstellen. Leute, die auf ihrem Internet-Handy nach einem Film suchen, würden „The Godfather, Teil II" sehen, weil sich auf dem kleinen LCD-Schirm keine Kursivschrift darstellen läßt. In diesem Falle fügt der Browser die An- und Abführungszeichen von sich aus hinzu – sie sind *nicht Teil des Dokuments*. Das Tag `<Filmtitel>` liefert *semantische Meta-Informationen*. Der User Agent (Browser) interpretiert mit Hilfe der Meta-Information den Inhalt und entscheidet dann, welche Darstellung für welchen Bildschirm richtig ist.

Die Killer-Anwendung in dieser Abteilung ist XML – die Extensible Markup Language. XML wurde 1996 als Lösung für die semantischen Auszeichnungsprobleme definiert. Es handelt sich um einen kleinen Subset der viel umfangreicheren und komplizierteren Sprache SGML (Standard Generalized Markup Language). XML ist angepaßt an das Web und wurde schnell von Microsoft und Netscape übernommen.

Was verbirgt sich hinter XML? Die Möglichkeit einer eigenen Auszeichnungssprache für bestimmte Dokumente. Für bestimmte, vorgegebene Informationen legen Sie eine *Document Type Definition* (Definition des Dokumenttyps) bzw. *DTD* fest, über die sich der Inhalt sinngebend auszeichnen bzw. mit Tags versehen läßt. Wollen Sie z.B. eine Menükarte (oder eine Datenbank mit 10.000 Menükarten) aufbauen, können Sie den Dokumenttyp „menu" (Menü) konstruieren [13.1]. Jeder, der bereits mit Datenbanken gearbeitet hat, erkennt, daß DTD ein *Schema* definiert – einen Datenbankbegriff mit einer sinngebenden Beschreibung des Inhalts. Um eine datenbankgetriebene Web-Site zu bedienen, müssen Sie ein Schema für die in der Site vorhandenen Dokumente festlegen. Wir könnten alle mit Datenbanken für unsere Web-Sites arbeiten oder wir könnten unsere Daten vernünftig aufbereiten und den restlichen, schweren Teil den Suchmaschinen überlassen. Betrachten Sie XML als ein erweiterbares Schema für das Web, mit dem wir bestimmte

Dokumenttypen definieren können. Wir müssen also das Rad nicht immer neu erfinden, sobald wir festlegen müssen, wie wir die Öffentlichkeit über eine bestimmte Dokumentart in Kenntnis setzen können.

Die Gestaltung einer DTD ähnelt der eines Formulars, das von potentiellen „Inhaltseignern" erst ausgefüllt werden muß. Mit Hilfe von XML können unterschiedliche Gruppen unter vorgegebenen Auszeichnungsschemata für bestimmte Dokumentarten entscheiden. Schriftsteller können die Elemente eines Schauspiels definieren und dann die verschiedenen Formate für den Druck oder die Bildschirmdarstellung des geschriebenen Stücks festlegen. Köche können eine DTD für Rezepte definieren. Es wird Standard-DTDs für Filmkritiken, Punktetabellen im Sport, chemische Zusam-

13.1 Mit XML können Sie die Definition eines Dokumenttyps festlegen, in der spezielle Tags für die sinnhaltige Beschreibung des Inhalts enthalten sind. Hier ist eine hypothetische Anwendung einer Markup Language, definiert durch die DTD einer Menükarte. Die DTD (nicht gezeigt) bestimmt die Struktur und alle benötigten Elemente. Das Ergebnis sind spezielle Tags für die Auszeichnung der Menükarte. Hier wird nur ein Element gezeigt, obwohl in der DTD auch die Tags für die Hauptgerichte, Desserts, Weine usw. enthalten sind. Eine derartige Auszeichnung macht den Web-Inhalt jetzt für Suchmaschinen oder andere Anwendungen verfügbar, mit denen sich z.B. vegetarische Restaurants kennzeichnen oder vergleichen lassen.

```
<!DOCTYPE menu "http://www.killersites.com
DTDs/menu.dtd">
<menu>
   <?xml default menu
   restaurant = "Sofie's Place"
   phone = "1.415.550.4537"
   email = "sofie@sophiesplace.res"
   homepage = "http://www.sofiesplace.res/"
   ?>
   <appetizer>
     <title>
     Napa treasure
     </title>
     <desc>
       Roasted red peppers with braised
       leeks
       <dietary>
       vegan
       </dietary>
     </des>
     <price cur="USD">
       4.50
     </price>
   </appetizer>
</menu>
```

mensetzungen, Reisebroschüren, Kataloge, Haus- und Grundstücksangebote, Hauspläne, Steuerformulare, Verträge, Testamente, Bankauszüge, Sonette von Shakespeare, Bauanleitungen, Krankenberichte, Kurstabellen und vieles mehr geben.

Täglich kommen neue Tools, mit denen wir XML-Dokumente erstellen und verwalten können. Microsoft hat das Channel Definition Format ausgehend von XML definiert –, und beobachten Sie die noch konsequentere Unterstützung im Internet Explorer 5.0 und darüber hinaus. Netscape glaubt ebenfalls an XML.

Sie können verschiedene DTDs innerhalb einer Web-Site kombinieren, selbst auf einer einzelnen Seite. XML ist dabei, die Suchmaschinen auf sich zu ziehen. Dazu wird der Inhalt in unseren Web-Seiten mit semantischen Metadaten getagt. Es gibt dann nicht mehr die einzelnen, undurchschaubaren Datenbanken, sondern das eine Web als die große, durchsuchbare Datenbank – eines der sieben Weltwunder der elektronischen Welt.

Zusammenfassung

CSS verspricht den Web-Designern die Typographie und das Layout der 3. Generation. XML verspricht das Alexandria unserer vernetzten Zukunft zu werden. Mit dem Aufbau unserer eigenen Sites können wir gleichzeitig großartige Bibliotheken einrichten. Selbst normale Leute können äußerst anspruchsvolle und leistungsstarke Anwendungen zusammenbringen, indem sie nur alles mit den richtigen Tags versehen, damit es dann in das übergeordnete Schema des Webs hineinpaßt. In einer perfekt getag-

ten Welt nehmen uns die großen Suchmaschinen die Arbeit ab, indem sie das Web durchsuchen und nicht nur die Daten, sondern auch die Metadaten speichern. Formatvorlagen, Benutzerprofile und das Objekt-Modell liefern alle Gestaltungsmöglichkeiten für ein gut aussehendes Layout.

Mit einer guten CSS-Implementierung am Horizont fange ich gerade an, meinen Hut zu ziehen. Ja, ich werde weiterhin die HTML-Gegner unterstützen, um meine Gestaltungsziele auf den heutigen Browsern verwirklichen zu können. Vielleicht muß ich noch für einige Zeit den HTML-Terrorismus mit den Formatvorlagen kombinieren, bis endlich die Browser besser werden. Aber irgendwann wird sich das Bild ändern – dann werde ich endlich in der Lage sein, neue DTDs und Formatvorlagen zu erstellen. Und dann werde ich auch nach *gut formatierten* Sites der 3. Generation suchen und sie in der High-Five-Site vorstellen können.

Jetzt, am Ende angelangt, möchte ich noch eine E-Mail zeigen, die ich von Charles Goldfarb [13.2] erhalten habe. Goldfarb entwickelte SGML, das 1986 standardisiert wurde. Sein Interesse an den Bedürfnissen des Designers zeigt mir, daß Designer und Markup-Spezialisten hart daran arbeiten, einen Mittelweg zu finden – zum Vorteil für die Designer, Surfer und das Web ganz allgemein. Das ist in dem großen Zusammenhang nichts Besonderes, aber immerhin für mich. Die Möglichkeit, jeden in dieses globale Unternehmen, das wir Web nennen, einzubinden, ist ein großer Schritt, von dem jeder einzelne profitieren wird. Ich bin froh, diesem Unternehmen anzugehören.

Von: Charles F. Goldfarb
An: david@killersites.com
Thema: Ihr Artikel in Web Review
Datum: 17. April 1997 10:58:48 GMT
Unternehmen: Information Management Consulting

Hi,

Tim Bray, Mitstreiter bei XML, sprach mit mir über Ihren Artikel in
Web Review. Ich habe mich über den Artikel wirklich gefreut.

Obwohl ich der Vater von SGML und (deshalb) der Großvater von HTML
und XML bin, gehöre ich nicht zu den von Ihnen angeführten Extremisten. Struktur und Format gehen Hand in Hand; je detaillierter und
interessanter die Struktur, desto mehr Platz für einen kreativen Designer und seine Formatvariationen. (Fragen Sie einen Modedesigner –
sie mögen nicht ohne Grund Models mit schönen (gut definierten)
Körpern).

Was Sie als "Struktur" bezeichnen ist ebenfalls eine abstrakte Information. Als Ergebnis nach dem Layouten erhält man eine Darstellung, die notwendigerweise auch ein Format hat. Mit SGML lassen sich
Informationen aus jedem Status – abstrakt oder dargestellt – präsentieren. Die Extremisten denken darüber allerdings anders. Und beide
Zustände haben eine Struktur. Tatsächlich ist die Darstellung einer
Person bei einer anderen die Abstraktion – denken Sie an Indizieren
eines paginierten Buchs. Der HyTime-Standard, der SGML zur Darstellung von Hypertext und Multimedia verwendet, tut sich naturgemäß
schwer mit der Darstellung.

Ich bin hocherfreut darüber, wie Sie die Idee der Benutzerprofile
unterstützen. Das ist nicht nur eine Voraussetzung für intelligente
Entscheidungen hinsichtlich der Formatvorlagen, sondern kann auch
die Zugangsprobleme für Behinderte lösen. Wenn keine Farbe verfügbar
ist, ist es völlig belanglos, ob mit einem S/W-Display gearbeitet
wird oder ob der Benutzer farbenblind ist.

Schließlich glaube ich, daß Sie hinsichtlich der personengebundenen
Entscheidungsmöglichkeit bezüglich der Darstellungsart richtig
liegen. Dazu gibt es eine Analogie aus der klassischen Musik: Die
Partitur beschreibt eine Abstraktion – Noten mit relativen Längen-
werten. Der Musiker interpretiert die Partitur und stellt sie in
Echtzeit dar. Der Komponist mag vielleicht die Art (das Format) der
Darstellung durch Tempo-Angaben beeinflussen, aber der Anwender
(also der Musiker) hat das endgültige Sagen.

Willkommen in der SGML/XML-Familie (eine liberale Familie),

Charles F. Goldfarb
Informationen Management Consulting
Charles@SGMLsource.com

13.2 Willkommen in der Familie – ein Brief an mich von Charles Goldfarb, dem Entwickler von SGML, dem Großvater aller Markup Languages. (Den Web-Review-Artikel finden Sie in der Buch-Site.)

Todsünde Nummer SIEBEN

Stillstand

Wahrscheinlich ist eines der schwierigsten Dinge am Netz der Versuch, eine Seite so zu gestalten, daß sie optimal ist – denn man kann immer noch eine Kleinigkeit verbessern. Wenn Sie eine Site haben, dann wissen Sie ja, daß es dort Bereiche gibt, an denen Sie schon seit einiger Zeit nichts mehr geändert haben, und zwei Monate sind im Web sehr lange.

Wir beginnen alle mit horizontalen Linien und Leerzeilentypographie. Das gehört zum Lernvorgang. Je mehr Kontrolle wir über unsere Seiten gewinnen, desto höher hängen wir unsere Ansprüche an uns selbst und versuchen, bessere Seiten zu machen, während wir immer mehr Werkzeuge in unseren Werkzeugkasten aufnehmen. Es wird nicht einfacher – sondern die Ergebnisse verbessern sich.

Der vielleicht beste Rat, den ich für jeden Web-Designer habe, ist: in die Hände spucken und loslegen. Fangen Sie an, Pixel und Tabellen herumzuschieben, und testen Sie, was funktioniert und was nicht. Mir gelingt eine Site niemals beim ersten, zweiten oder dritten Versuch. Ich überdenke meine Seiten dauernd, stelle mitten in der Nacht fest, wie ich etwas einfacher oder sauberer hätte machen können.

Eine Web-Site ist ein Abenteuer; es ähnelt dem Surfen. Man steckt sich ein Ziel, beginnt die Reise, kommt woanders an – aber es stellt sich als interessanter heraus als das ursprüngliche Ziel. Obwohl ich mich für mehr Kontrolle über Seiten einsetze, hoffe ich doch, daß dieses Buch Ihre Kreativität erhöht hat, indem es Sie von den engen, geradlinigen Gedankenprozessen, die Ihnen durch die HTML-Programmierung aufgezwungen werden, befreit.

HTML ist nichts für Dummköpfe – man kann es nicht in einer Woche lernen. Gute Seiten zu kreieren bedeutet harte, aufreibende Arbeit und man kann sie immer noch ein bißchen besser machen. Web-Designer der dritten Generation arbeiten sich von der Pike an hoch, schwitzen über Details und verwenden jedes verfügbare Werkzeug, um ausgeglichene, schöne, kommunikative Seiten zu machen. Ich hoffe, daß nach Ihrer ersten Site der dritten Generation Menschen, die Sie nie getroffen haben, zu Besuch kommen werden, Gefallen daran finden, Ihnen Mails schicken und mit Ihnen auf eine Art in Verbindung treten werden, die Sie niemals erwartet hätten. Dann werden Sie wissen, warum sich all die Mühe lohnt.

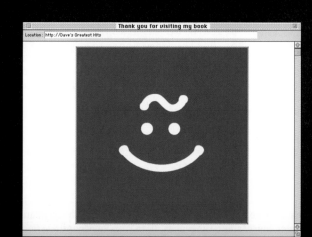

Daves Anleitung zum besseren Surfen

Weil ich darauf bestanden habe, ließ mich mein Verleger ein paar Anmerkungen über das Surfen anhängen. Obwohl es den Rahmen dieses Buchs eigentlich sprengt, möchte ich einige Vorschläge machen, die Ihre Freude am Surfen steigern werden.

Link-Farben: Pannen auf der Infobahn

Die Webplaner hatten sich entschlossen, Links mit Unterstreichungen und speziellen Farben zu kennzeichnen. Sie bestimmten, daß neue Links blau werden sollten und benutzte violett. Sie vermieden es, Rot zu verwenden. Womöglich meinten sie, daß es weltweit „Stop!" bedeutet. Auch könnten sie daran gedacht haben, daß einige Leute kein Rot sehen können und daß zu der damaligen Zeit viele Betrachter Schwarzweiß-Monitore hatten. Deshalb war auch das Unterstreichen eine gute Idee.

In Kursen über Benutzeroberflächen erfahren wir, daß die Farbe Rot eine besondere Stellung in der Entwicklung unseres visuellen Systems hat. Im Dschungel warnt Rot vor Gefahr, ist eine Warnfarbe, die schreit. Sie bedeutet nicht „Stop!", sondern „Aufgepaßt!"

Gute Gestalter nutzen diesen Mechanismus, ohne ihn dabei auszuleiern. Ein gutes Vorgehen ist z.B., neue „Hotlinks" tiefrot zu färben, benutzte, „kalte" dagegen in den Grundtext zurückweichen zu lassen [A1.1]. Rot sagt: „Hier drüben! Klick mich an!" Blau bedeutet: „War dort, hab's gemacht." Rot springt ins Auge. Blau tritt in den Hintergrund. Gehen Sie zu einem Zeitschriftenstand und testen Sie diese Behauptung für sich selbst.

Ich möchte, daß meine benutzten Links sich in den Text einfügen (aber dennoch unterscheidbar bleiben), und lasse meine neuen dafür aus der Seite herausstechen. *Heiße* rote und *kalte* blaue Links sollten eigentlich bei allen Browsern der Standard sein, doch sie sind es nicht. Um das trotzdem zu erreichen, beginnen fast alle meine Seiten mit folgendem Kopf:

```
<BODY BGCOLOR="#FFFFFF"
TEXT="#000000"
LINK="#CC0000"
ALINK="#FF3300"
VLINK="#330099">
```

Dadurch werden neue Links rot und benutzte dunkelviolett (was mir besser gefällt als dunkelblau – eine rein persönliche Vorliebe); und die „aktive" Link-Farbe kann so ziemlich alles sein, weil man sie ja doch nur sieht, während Ihre Maustaste gedrückt ist. Ich hoffe, daß Sie diese Anweisungen auch auf Ihren Seiten verwenden werden, es sei denn, Sie haben gute Gründe, es nicht zu tun. Wenn genügend Leute diese Farben auf ihren Seiten ändern, werden Browser-Hersteller dies vielleicht zur Norm machen.

Sie haben vielleicht bemerkt, daß es nicht auf einer einzigen Site in diesem Buch ein Bild mit dem üblichen blauen oder violetten Rahmen gibt. Obwohl farbige Rahmen um Bilder für neue und benutzte Verknüpfungen ein integraler Bestandteil von Sites der 1. Generation sind, sind sie so abscheulich, daß viele Leute sie schon seit jeher meiden. Sie ruinieren den Effekt der meisten Fotografien.

Probieren Sie es aus: Stellen Sie Ihre Bildumrandungen auf Null.

Ich verwende die oben genannten Link-Farben auch beim eigenen Surfen. Sie sind immer dann zu sehen, wenn der Gestalter keine anderen Farben festgelegt hat. Es ist damit viel angenehmer und man gewöhnt sich schnell daran, daß man auf rote Dinge klicken kann. Ändern Sie Ihre Browser-Einstellungen und surfen Sie wohl!

Unterstreichungen

Unterstrichene Links sind nötig, wenn Sie mit einem Schwarzweiß-Monitor surfen oder farbenblind sind. Wenn Sie Farben sehen können, sollten Sie die Unterstreichungen abstellen und auch die Besucher Ihrer Sites dazu anhalten. Wenn genügend Leute das tun, werden die Browser-Programmierer endlich damit aufhören, Unterstreichungen als Standard einzustellen. Vielleicht wäre es nicht schlecht, wenn jeder, der dieses Buch gekauft hat, ein E-Mail an *webmaster@netscape.com* und an *webmaster@microsoft.com* schickt und sie darum bittet, die Unterstreichungen von vornherein auszuschalten.

Unterstreichungen sind ein klassisches Korrekturzeichen mit der Aussage: „Hebe das durch Kursivdruck hervor." Mit Schreibmaschinen konnte man keine Kursivschrift machen, weshalb Unterstreichungen als Ersatz verwendet wurden. In der Qualitätstypographie existieren Unterstreichungen überhaupt nicht. Wenn Sie im Web Farben sehen können, dürfen Sie die Unterstreichungen getrost ausschalten und ein längeres und glücklicheres Leben ohne sie führen.

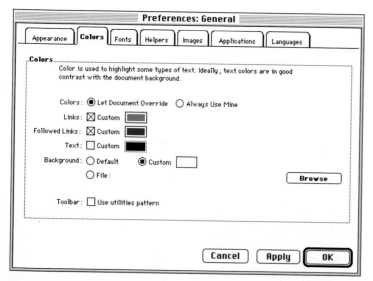

A1.1 Gutes Design beginnt bei Ihrem eigenen Browser. Machen Sie neue Links rot, benutzte lila oder blau.

Hintergrundfarben

Nehmen Sie alles außer Grau. Der beste Hintergrund zum Surfen ist entweder Weiß oder ein sehr blasser Ton einer hellen Farbe. Wenn Ihnen Weiß zu heftig ist, sollten Sie ein extrem helles Minzgrün als Hintergrundfarbe vorgeben, oder meinen neuen Favoriten: Weizen [A1.2].

Bitte beachten Sie: Ich kann Ihnen kein genaues Rezept für die Hintergrundfarbe geben, weil ich nicht genug über Ihr System weiß. Wenn Sie 256 Farben verwenden, sind Sie vielleicht nicht in der Lage, eine Farbe zu erhalten, die hell genug ist. Entscheiden Sie selbst, welche sehr helle Hintergrundfarbe Sie bevorzugen, die quasi „unsichtbar" wird, sobald Sie sich an sie gewöhnt haben. Diese Farben sollten sehr nah an Weiß sein. Wenn Sie nichts sehr Helles bekommen können, bleiben Sie bei Weiß. Wenn Sie so einen hellen Hintergrund ausprobieren, sollten Sie eine Woche aushalten, bevor Sie wieder zurückwechseln. Es dauert immer ein bißchen, sich daran zu gewöhnen, aber auf lange Sicht werden Sie damit glücklicher.

Verwenden Sie allerdings solche Farben nicht auf Ihren eigenen Sites. Eine Farbe, die nicht im Farbwürfel ist, wird von vielen Leuten vielleicht anders gesehen. Betrachten Sie zur Kontrolle Ihre Seiten immer mit 256 Farben. Meistens ist Weiß am besten.

Viele Browser-Hersteller haben endlich kapiert, daß Weiß im allgemeinen die beste Grundfarbe ist und haben damit begonnen, ihre Browser direkt ab Fabrik mit weißer Hintergrundfarbe auszuliefern. Die Datenautobahn aufzuräumen ist Dreckarbeit, aber wenn jeder seinen Müll wegschmeißt, kommen bald alle grauen Hintergründe in den Abfalleimer, wo sie hingehören.

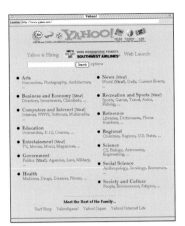
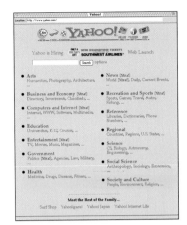

A1.2 Weniger Abstecher zur Haferschleim-Homepage: Stellen Sie Ihren Hintergrund auf ein helles Grün oder auf eine helle, neutrale „Weizenfarbe". (Preisfrage: Wieviele Todsünden finden Sie auf diesen Seiten?)

Schriften

Ich habe bereits in Kapitel 5, „Schriften darstellen", darauf hingewiesen, daß Microsoft zwei ausgezeichnete Schriften für Bildschirmanwendungen anbietet. Verdana und Georgia sind in Microsofts Typography-Site kostenlos für beide Plattformen erhältlich. Es handelt sich hier um spezielle TrueType-Schriften, die Sie als Ihre eigenen Browser-Schriften statt der Schriften Times Roman und Helvetica (Arial) benutzen sollten. Laden Sie die Schriften unter www.microsoft.com/truetype herunter.

289

Der Farbwürfel

AUF DEN FOLGENDEN SEITEN präsentiere ich Ihnen zum Nachschlagen meinen eigenen Blick auf den Farbwürfel, den ich das ganze Buch hinweg erwähnt (und detailliert in Kapitel 3 beschrieben) habe. Die meisten grafischen Darstellungen des Würfels zeigen alle 216 Farben, entweder in einer großen Tabelle ausgebreitet oder als Schnitte durch den Würfel arrangiert. Das Problem mit diesen Ansätzen ist, daß sie die vielen Farbkombinationen nicht zeigen, die möglich sind, wenn man den Würfel anders ansieht. Beide gezeigten Versionen unterscheiden sich von anderen Darstellungen dadurch, daß sie mehr als 216 Einträge haben – nämlich so viele, wie nötig sind, um alle Perspektiven zu zeigen. Viele Farben tauchen mehrfach auf, aber das ist die Intention.

Ich rate Ihnen, die zusätzliche Farbtabellenseite auszuschneiden und sie am Monitor oder sonst irgendwo auf Ihrem Schreibtisch anzubringen. Sie sollten auch die GIF-Datei mit dem Farbwürfel von der Buch-Site holen.

Übergänge zwischen gesättigten Farben

Die erste Version [A2.1] ist eine Verlaufstabelle, die die möglichen Übergänge zwischen den Hauptfarben aufzeigt – die Stufen zwischen jeder der Farben an den acht Ecken des Farbwürfels. Übergänge zwischen Primärfarben wie dem reinen Rot FF0000 und dem reinen Blau 0000FF beginnen Sie mit der einen Farbe und vermindern Sie die andere um hex 33 für jeden Schritt. Übergänge zwischen Sekundärfarben funktionieren genauso. Die schwierigsten Übergänge sind die von einer Primärfarbe zu einer Sekundärfarbe, die aus den anderen beiden Primärfarben gebildet wird. Blau zu Gelb erfordert eine Verminderung von Blau bei gleichzeitiger Steigerung von Rot und Grün.

Der aufgefaltete Würfel

Die zweite Version [A2.2] ist der aufgefaltete Würfel, damit Sie die äußeren Schichten und den inneren Kern sehen

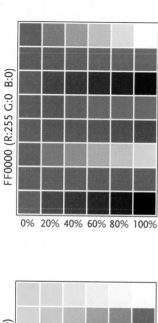

FF0000 (R:255 G:0 B:0)

0% 20% 40% 60% 80% 100%

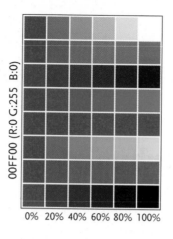

00FF00 (R:0 G:255 B:0)

0% 20% 40% 60% 80% 100%

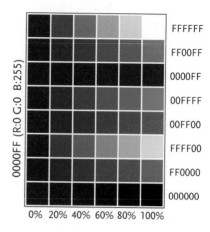

0000FF (R:0 G:0 B:255)

FFFFFF
FF00FF
0000FF
00FFFF
00FF00
FFFF00
FF0000
000000

0% 20% 40% 60% 80% 100%

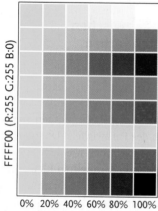

FFFF00 (R:255 G:255 B:0)

0% 20% 40% 60% 80% 100%

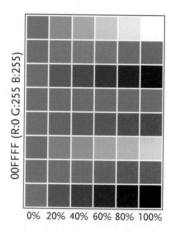

00FFFF (R:0 G:255 B:255)

0% 20% 40% 60% 80% 100%

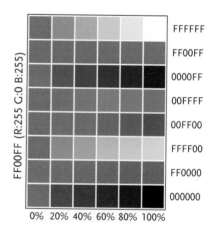

FF00FF (R:255 G:0 B:255)

FFFFFF
FF00FF
0000FF
00FFFF
00FF00
FFFF00
FF0000
000000

0% 20% 40% 60% 80% 100%

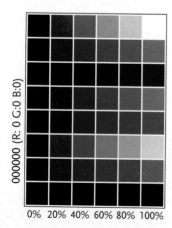

000000 (R: 0 G:0 B:0)

0% 20% 40% 60% 80% 100%

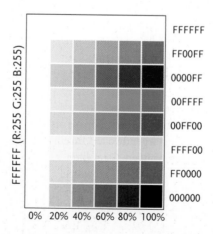

FFFFFF (R:255 G:255 B:255)

FFFFFF
FF00FF
0000FF
00FFFF
00FF00
FFFF00
FF0000
000000

0% 20% 40% 60% 80% 100%

A2.1 Dies zeigt die Übergänge zwischen den jeweiligen Farben an den acht Ecken des Farbwürfels.

können. Diese Gruppierungen können nützlich sein, wenn Sie Farben auswählen, die gut zusammenpassen sollen, oder Übergänge von einem Farbbereich in einen anderen erstellen wollen.

Die Außenseiten des Farbwürfels werden von reinen, vollen Farben dominiert. Innerhalb des Würfels sind die Farben merklich trüber. Die acht Farben im Zentrum des Würfels sind mittlere Grautöne und gedämpfte Färbungen mit wenig Unterschieden.

Hex-Tripel in RGB-Dezimal-werte umwandeln

Die Hex-Werte (hexadezimal) jeder Farbe werden auf dem Farbmuster angezeigt. Verwenden Sie die folgende Tabelle, um Hex in RGB umzurechnen. Beispiel: FF00CC, ein knalliges Rosa, lautet in der Dezimalpalette von Photoshop 255 Rot, 0 Grün, 204 Blau. 9966CC, eine blasse Pflaumenfarbe, wäre 153 Rot, 102 Grün, 204 Blau.

Hex	Dezimal
00	0
33	51
66	02
99	153
CC	204
FF	255

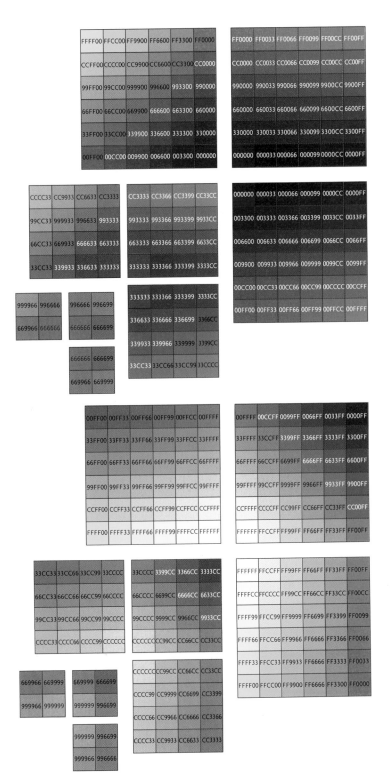

A2.2 Diese Gruppierungen können nützlich sein, wenn Sie Farben auswählen, die gut zusammenpassen sollen, oder Übergänge von einem Farbbereich in einen anderen erstellen wollen.

Bildoptimierung für das Web

WEB-DESIGNER, die über die in Kapitel 3 angesprochenen, grundlegenden Techniken hinausgehen wollen, sind bestimmt an einem automatisierten, fast industriellen Ablauf interessiert, den wir im Studio Verso entwickelt haben. Wenn Sie viele Bilder für das Web aufbereiten müssen, erspart Ihnen unser Skript viel Zeit und reduziert automatisch die Dateigrößen der Bilder, und zwar so weit wie irgend möglich. Zu dem Zeitpunkt, wo ich dieses Buch schreibe, gibt es das Skript für Macintosh-Anwender, doch sollte jetzt auch die Windows-Version verfügbar sein. Die Version wurde erst einmal als DeBabelizer-Skript kodiert; eine Photoshop-Version sollte jetzt ebenfalls vorliegen.

Mit dieser Prozedur werden die Farben in Ihrem Bild reduziert und anschließend werden eine oder zwei Versionen dieses Skripts aufgeführt, wodurch alle Farben exakt mit denen des Farbwürfels in Übereinstimmung gebracht werden. So wird in vielen Fällen ein Dithering vermieden, da eine Farbe, die nur etwas neben der entsprechenden Farbe des Farbwürfels liegt, ohne Beschädigung des Bilds an die Farbe des Farbwürfels angepaßt wird.

Das WebScrub-Skript

Zuerst sollten Sie in die Book-Site (www.killersites.com) gehen und dort in die Abteilung WebScrub (nicht überrascht sein, wenn die Abteilung inzwischen umbenannt wurde, aber wer suchet, der findet). Folgen Sie den Anweisungen für das Herunterladen und installieren Sie danach entweder das DeBabelizer-Skript oder das Apple-Skript. Hinweis: Sie müssen dafür das Programm DeBabelizer haben. Schauen Sie in der Book-Site auch nach anderen Programmen und Plattformen. Sie benötigen die Versionen „10-grit" und „5-grit".

Das Skript arbeitet gut mit Bildern, die in das GIF- oder PNG-Format umgesetzt werden sollen. Sie werden sicherlich feststellen, daß Sie bei bestimmten Fotos ein kleineres GIF als das alternative JPEG erhalten.

Diese Bilder zeigen ein GIF vor und nach der Verarbeitung mit dem Skript „10-Grit-WebScrub".

Vorher: (rechts) 34.285 Byte. Beachten Sie die „Masern" in den 8-Bit-Schriftbildern. Das ist leider typisch für Photoshop.

Nachher: (unten) 31.124 Byte, also 3 K kleiner für schnellere Ladezeiten.

1. Reduzieren (indizieren) Sie Ihr Farbbild auf eine gerade noch hinnehmbare Farbanzahl, ohne es an eine generische Palette (Web oder System) anzupassen, und vermeiden Sie Dithering, indem Sie DeBabelizer, Photoshop oder ein anderes Programm verwenden. Sie können auch spezielle Tools verwenden, wie HVS ColorGIF oder BoxTop PhotoGIF, um das Histogramm usw. zu beeinflussen (*mehr über Reduzierung finden Sie in Kapitel 3, „Bilder vorbereiten"*). Speichern Sie als Referenz eine Kopie des reduzierten Farbbilds im GIF-Format.

2. Öffnen Sie das indizierte Bild in DeBabelizer. Hier sind einige Beispiele, die zuerst mit Photoshop und dem Zusatzmodul ColorGIF indiziert wurden.

3. Starten Sie das DeBabelizer-Skript „10-grit WebScrub". Speichern Sie das Ergebnis als GIF.

4. Prüfen Sie das Bild in einem oder mehreren Web-Browsern mit einer Farbtiefe von 8-Bit oder mehr und achten Sie auf jedes Dithering oder Banding. Vergleichen Sie die Browser-Darstellung mit der „vorgeschrubbten" Referenzversion, die Sie im Schritt 1 gespeichert haben. Die Version im Browser müßte optisch akzeptabel und etwas kleiner sein.

5. Vergleichen Sie die Dateigröße mit der Referenz in Schritt 1. Je nach Bild sollte die endgültig „geschrubbte" Version 5% bis 20% kleiner als die Referenz sein. Wenn das Bild gut aussieht und die Dateigröße kleiner ist, ist Ihr Job beendet.

6. Wenn Farbverschiebungen und Banding zu sehen sind, müssen Sie das GIF aus Schritt 1 diesmal mit dem DeBabelizer-Skript „5-grit WebScrub" verarbeiten.

7. Wiederholen Sie die Schritte 4 und 5. Sollte diese Prozedur keine guten Ergebnisse bringen (kleine Dateigröße, gutes Aussehen bei allen Farbtiefen), dann muß das Bild als JPEG aufbereitet werden – starten Sie mit der Version mit der höchsten Auflösung und komprimieren Sie das Bild mit den entsprechenden JPEG-Tools.

So arbeitet das WebScrub-Skript

Das „Scrubbing" (Schrubben) besteht aus 216 Schritten. DeBabelizer sucht nach Farbwerten innerhalb von 5 oder 10 Einheiten von jedem der 216 Farbwerte des Farbwürfels. Wenn Sie z.B. die Farben 54, 109 und 201 haben, laßt das 5-grit-Skript diese Farben unangetastet, während das 10-grit-Skript sie auf die Farben 51, 102 und 204 des Farbwürfels ändert. Nicht an den Farbwürfel ange- paßte Farben werden (sofern notwendig) nur in 8-Bit-Surfumgebungen gedithert. Durch das Scrubbing wird die Anzahl ähnlicher Farben erhöht und damit auch die Effizienz einer verlustlosen Kompri- mierung (LZW). Wenn das 10-grit-Skript zu stark ist, sollten Sie mit dem 5-grit- Skript arbeiten.

Die Skripts sind auch dann nützlich, wenn Sie ein JPEG haben, das auf einem Browser in einem 256-Farben-System schlecht dargestellt wird. Starten Sie die Skripts mit einem vollfarbigen (nicht reduzierten) Bild, entfernen Sie mit dem Photoshop-Filter „Gaußscher Weich- zeichner" die Banding-Kanten und prüfen Sie, ob das Bild jetzt besser dargestellt wird.

Ein letzter Hinweis

Diese Arbeit mit Skripts ist neu für uns bei Verso. Zuerst wünschen wir uns, daß alle Anwender mehr als 256 Farben auf Ihren Systemen sehen können. Dann wünschen wir uns, daß Web-Designer genau die 256 Farben für jede Web-Seite festlegen können. Die Realität sieht so aus, daß Programme wie Photoshop zu- sammen mit diesen Skripts ein unver- zichtbares Tool für Web-Designer sind.

Es gibt noch mehr zu tun. Die Scrub- bing-Skripts beispielsweise behandeln alle drei Farben gleich, statt mehr auf das Bild oder die menschliche Aufnahmefä- higkeit einzugehen. Wahren Perfektio- nisten, die Zwischenlösungen und erwei- terte Grits erstellen wollen, stehen wir mit Rat und Tat zur Seite. Sie sollten ein Zusatzmodul schreiben mit einem Regler und/oder einer Vorschau.

Mit mehr Übung werden wir in der Lage sein, die optische Qualität und die Komprimierbarkeit von Bilder weiter zu verbessern. Neue Techniken wie die Grits und neue Tools wie Ditherbox liefern den Designern zumindest einige „Waffen" im Kampf gegen häßliche Web-Grafiken.

Stichwortverzeichnis

<BODY>-Tag 40

-Tag 67
<EM>-Tag 5
<FRAMESET>-Tag 90
<H>-Tag 5
<HR>-Tag 69
<P>-Tag 5, 67
<PRE>-Tag 75
<STRONG>-Tag 5
<Table>-Tag 5
1-Pixel-GIF 85
3D-Applikationen 272
4.0-Browser 7
8-Bit-Bilder 50

A

Absolute Zellbreite 80
Acrobat Reader 264
Adobe Multiple Master Fonts 102
Adobe Photoshop 49
Adobes Tekton und Graphite 108
afik-Designer 24
AGFAs Eaglefeather 108
AIFF 273
Algorithmus, Median-Cut 51
Aliasing 231
Alpha-Kanal 35, 267
AM 34
ames 28
Anführungszeichen 177
Animation 48
Animierte GIFs 49, 182, 216
Ankerbild 155
Anti-Aliasing 40
AU 273
Audioformate 273
Aural CSS 238
Ausblenden, CSS 252
Ausgang 20
Auszeichnung 239

B

Banner, 3. Generation 120
BBEdit 82
Bearbeiten, fotografische Bilder 191
Beatnik, Zusatzmodul 274
Begrüßungsseite 187
Bestellen, Paletten 37
Bildbearbeitung 191
Bilder
 Ausrichtung 76
 Bildausdehnung 60
 GIF 60
 JPEG 60
 kleine 61
 Offset 76
Bildoptimierung 295
Bildschirmauflösung 111
Bildunterschriften, caption 108
Blaupausen-Metapher 139
Blindes GIF 66, 86
Blitzer 43, 231
Blocksatz 76
Browser
 Formulardarstellung 173
 Offset 134
Browser 4.0 7
 Browsercheck auf verschiedenen
  Systemen 132
 CSS-Unterstützung 255
 Farbwahl 289
 Offset-Problem 77
 Schriften 289
Browser-Schriften 112
Buchstabenabstand 76
Buchstabengröße 72
Bullets 75, 124
Buttons 141

C

Cachegröße 55
Caching 55
Cascading Style Sheet 236
Cellpadding 82
Cellspacing 82
CGI-Call 204
Macintosh, Dateigröße 43
CLASS Tag HTML 250
Clients 29
Client-Side-Image-Maps 166
Coda, Programm 263
Color Cube 36
Color Lookup Table 36
  Paletten 36
Container, <P>-Tag 5
Core Style Sheets 245
CSS 236
  ausblenden 252
  em 243
  Entwickler 237
  Håkon Wium Lie 237
  kacheln 244
  Kommentare 244
  Newsgroup 237
  orthodox 238
  pragmatisch 238
  Quellen 237
  Ränder 243
  Regeln 236
  Schriftfestlegung 244
  Skript 248
CSS-1 238
CSS-2 238
CSS-Ebenenmodell 279
CSS-P 238, 252, 253
CSS-Unterstützung, Browser 255

D

D-Grafiken 23
Datei
  Ausmaß der Bildausdehnung 60
  Reduzieren der Größe 55
Dateigröße, Reduzierung 50
  verringern 156
Datenbank 275
Datenbankorientierte Sites 275
Datentypen 278
DeBabelizer 39, 51, 53, 268, 295
  Skript 295
Design 258
Design-Zeitschriften 259
Designer 7
Dex, Online-Magazin 149
Ditherbox
  Zusatzmodul 39
Dithering 38, 231
  Client 102
Dithering-Palette 37
DIV Tag HTML 252
DOM 280
Dritte Generation
  Response 31
  Besucher 31
DSSSL 280
DTD 282
Durchschuß 244
Durchsuchbarkeit, Suchmaschinen 239
Dynamische Sites 30
Dynamisches HTML 238

E

Ebenen 120
Einbetten, Kerning-Paare 105
Eingangstunnel 18
Eingangstür 16
Einzüge 74
em CSS 243

F

Fallstudie, Joe Boxer 16
FAQ, Frequently Asked Question 145, 177
Farben
  reduzieren 141
  Übergänge 291
Farbpalette, flexibel 51
Farbschlüsselverfahren, gif89a 48
Farbtiefe 35
Farbwahl, Browser 289
Farbwerte 40
Farbwürfel 36, 39, 102, 291
  aufgefaltet 291
  Hex/Dezimal 293
Flash 265
  Beispiel 228
Flash-Animationen 228
FlashPix 269
Flattersatz 76
Flexible Farbpalette 51
Format 241
Formatvorlage 236, 238, 278
  bevorzugte 245
  mehrere Selektoren 246
Formular 26, 172, 196
Formulardarstellung, Browser 173
Fotos, bearbeiten 191
Frames 90, 175
  für Hierarchien 91
  für Indizes 91
  Navigation 92
Free Stuff 18
Freie Navigation 167
Frequently Asked Questions, FAQ 177
Fusion 260

G

Glätten 40
  Hintergrundkorrektur 43
  Web Sites der
    dritten Generation 40
Gaußscher Weichzeichner 186

Gekachelte Hintergründe 119,132
Generation,Web Site 12, 13, 15
Gesättigte Farben, Übergänge 291
Geschütztes Leerzeichen 66
Geviert 74
GIF (Graphics Interchange Format)
  Bilder 60
  Interlacing 47
GIF, blind 66, 86
  animiert 49
GIF-Format 44
GIF-Kompression 44
GIF-Text 66
GIF89a
  Exportfilter 47
  Farbschlüsselverfahren 48
  Format 46
GifWizard 185
Glätten 100
  Überarbeitung einer Web-Site
  antialiasing 124
Grafische Elemente lokalisieren 212

H

Hacks 64
Halbtonvorlage 34
Håkon Wium Lie, CSS 237
Hängende Initiale 108
Hartes Return 82
Hexadezimalwerte, Farbe 40
High-Five 259
Hintergrund, gekachelt 119, 132
Hintergrundbilder, störende 146
Hintergrundfarbe 243, 289
Histogramm beeinflussen 52
Histogrammethode 52
Homepage, traditionell 18
Homepage-Modell 13
Horizontale Linien 69
  Web-Sites 132
Horizontaler Leerraum 69
HotWired 27
HTML 5
  strukturiert 238

Zukunft 279
HTML-Seiten, verknüpfen 201
HTTP-1.1-Server-Protokoll 61
Hypertext-Auszeichnungssprache 5

I

ID Tag HTML 250
Image-Map 166
Indiziert 36
Indizierte Farben 141
Info-Sites 25
Informations-Design 27
Initiale 108-109
Interlaced GIF-Format 59
Interlaced-Muster 40
Interlacing 47
Interlacing GIFS 47
Internet Explorer 3.0 245
Internet Service Provider (ISP) 29
Interpolation, Photoshop 101
Ipix, Zusatzmodul 273

J

Java 263
Java-Applets 263
Java-Tools 279
JavaScript 262
JavaScript-Rollover 230
Jimtown Store, Übung 152
Jojokatalog 91
JPEG 42, 60, 69
    Bilder 60
JPEG-Format 57
Jscript 262

K

Kacheln, CSS 244
Kapitälchen 110
    für Arme 110
Kerning 104
Kerning-Paare, Schriften 105
Kernseite 18, 162

Kleine Bilder 61
Klutz Press 22
Kodak-Photo-CD 182
Kommentare, CSS 244
Kompression 58
    JPEG 60
Kompressionsverhältnis 58

L

Ladefolge 281
Laden, auf Server 203
Ladezeit 61, 155
Layouten, visuell 65
Leerraum
    horizontal 69
    vertikal 65, 67
    zwischen Buchstaben 76
    zwischen Wörtern 76
Leerzeichen
    geschützt 66
    zwischen Sätzen 75
Leerzeile 89
LEFTMARGIN-Tag 77
Lesezeichen 21
Lightning Strike 269
Linien, horizontal 69
<LINK>-Tag 13
Linker Rank 71
Listen, eingezogen 75
Live Cams 9
Live Picture 269
LOWSRC-Argument 215
LZW-Schema 44

M

Macintosh, Dateigröße 43
Median-Cut, Algorithmen 51
Meta-Informationen 282
Meta-Tags 176
Metadaten 268
    semantisch 284
    Suchmaschinen 7
Metapher 21, 23, 139
Microsoft Internet Explorer 6

MIDI 274
MNG 269
Multiple-Master-Schrift 140

N

Navigation 220
　Frames 92
　freie 167
Navigationsbalken 187
net equity 20
Netscape 4.0 245
Neudesign
　Antialiasing 124
　Tabellen 127

O

Objekt-Modell 280
Offene Initiale 109
Offset, Browser 134
OpenType 271

P

Palette 54
　Dithering-Palette 37
　Color Lookup Table 36
　Farbwürfel 37
　indiziert 36
　verkleinern 50
PDF 264
Perl-Skript 200, 205
Pflegbarkeit 239
PhotoGIF 42
Photoshop 139, 154
　Interpolation 101
　Verkleinern, Schrift 97
Photoshop 4.0.1 42
Photoshop 4.0.1, Upgrade 53
Pixel 34
PNG 267, 280
PNG Live 268
PNG-Buchtip 267
PNG-Viewer 268
PostScript 264, 265

Preload 189
Profil 280
Programme 29
Progressive JPEGs 59

Q

QTVR 272
QuickTime VR 272

R

Rand 69
　absolut 71
　CSS 243
　links 71
　rechter 71
　relativ 71
　Tabellen 78
Rasterbilder, Halbtonvorlage 34
Real Audio Player, Zusatzmodul 273
Rechter Rand 71
Rechtsbündiger Text 84
Reduzieren
　Alle Ebenen auswählen 131
　Schrift 97
Reduzierung der Dateigröße 50
Response, wiederholter Besucher 31
Restaurant modell 14
Return, hart 82
Retuschieren, manuell 104
Rollover 226, 230, 262

S

Samsung-Projekt 226
Schachbrettmuster 40
Schlagschatten 105, 143
Schlüsselfarbe 130
Schlußseite 20
Schrift 96
　Adobe Multiple Master Fonts 102
　Bildunterschriften caption 108
　Initiale 109
　Kerning-Paare 105
　von Hauptdokument aus erstellen 98

Schriftbearbeitung, automatisiert 106
Schriften 108
   für Browser 112
Schriftfestlegung, CSS 244
Schriftgrad 244
Scrollen 88
Selektor 242
   Formatvorlage 246
Semantische Meta-Informationen 282
Separator, <P>-Tag 5
Server, laden 203
Serverskript 203
SGML 282
Shockwave 265
Site-Management Fusion 260
Sites
   datenbankorientiert 275
   der 4. Generation 282
   dritte Generation
      Web-Master/Web-Mistress 30
      Zugriff 31
   thematisch 24
Skript 281
   CSS 248
   DeBabelizer 295
   WebScrub 295
Sound 273
Spalten, mehrfach 72
Spaltenbreite 80
SPAN, Tag, HTML 251
Spezialeffekte 140
Splash Screen 16
Steg 74
Stolpersteine 21
Streaming-Datentyp 273
Strichvorlage, Vektorbilder 34
Struktur Web-Sites 16
Suchmaschinen 176, 284
   Durchsuchbarkeit 239
   Metadaten 7, 284
Surfprofil 280
Surftalk 275

T

Tabelle 78, 127
   für Text 79
   Probleme 88
   verschachtelt 84
   zentriert 194
Tabellenränder 78
Tabellenzellen, farbig 85
Tag, <Table> 5
TBWA/Chiat/Day 210
Text
   rechtsbündig 84
   zentriert 71
Textspalte, Breite 72, 80
Textwerkzeug-Dialogbox 100
Thematische Sites 24
TITLE-Tag 176
Tools 46
TOPMARGIN-Tag 77
Transparenz 48
Tricks 64
TrueDoc 271
True-Color 36
   Bilder 36
Tschichold, Jan 93
Typografie 89

U

Übergänge, gesättigte Farben 291
Überschriften 171
   Tags 65
Unscharf maskieren 191
Unschärfefilter 58
Unterstreichungen 288
Unterüberschriften 66

V

Vektororientierte Web-Site 263
Verknüpfen, HTML-Seiten 201
Verknüpfung 203
Verschachtelte Tabelle 84, 142
Vertikale Leerräume 65, 67
Verzeichnisse 200

Verzeichnisstruktur 200
Virtual Reality 272
Visitenkarte, Site 148
Visuelle Tags 5
Voice-Synthesizer 274
Volltonfarben 38
Vordergrundfarbe 243
Voreinstellungen 245
Vorspann 188
VRML 271

W

W3C-Site 245
W3C-Spezifikationen 236
WAV 273
Wavelets 269
Web, Anwender 6
Web-Design 259
Web-Masters & Web-Mistress 30
Web-Site
  Generation 12, 13, 15
  Universität 9
  horizontale Linien 132
  Struktur 16
  vektororientiert 263
WebScrub-Skript 295
Webseiten, Überblick 286
Weißraum 64, 82, 252
Wiederholter Besucher 31
Wirkliche Besucher 31
Wortabstand 76
WYSIWYG-Umgebung,
  Seitengestaltung 260

X

XML 282

Z

Zeilenabstand 244
Zeilenlänge 72
Zellbreite, absolut 80
Zentrierter Text 71
Zufallszahlengenerator 203
Zugriff 31
Zusatzmodul
  Beatnik 274
  Ditherbox 39
  Ipix 273
  Real Audio Player 273

Über den Autor

David Siegel ist Leiter von Studio Verso, einem Web-Designstudio der dritten Generation in San Francisco. Verso, bekannt für qualitativ hochwertige Web-Sites und zukunftsorientiertes Denken, hat Sites für Hewlett-Packard, Lucent, Klutz Press, Sony, Relevance, Giga und andere erstellt. Besuchen Sie doch einfach Verso (www.verso.com). David ist auch Chairman von Vertebrae, einem Beratungsunternehmen für Datenbanken und E-Commerce in San Francisco. Davids persönliche Site (www.dsiegel.com) wurde tausendfach angelinkt und belegte den zweiten Platz beim „*Cool Site of the Year*"-Wettbewerb 1995. Seine *Web Wonk Site* wird weithin als eine der besten Quellen im Web für Tips zu HTML angesehen.

David besitzt einen Undergraduate-Abschluß in Mathematik an der *University of Colorado* in Boulder, wo er bei Professor Hal Gabow Algorithmen studierte. 1985 erhielt er seinen Master-Abschluß in digitaler Typographie von Donald Knuth und Charles Bigelow in Stanford. Sein Abschlußprojekt war die Erzeugung einer Schriftart, gemalt vom Kalligrafen und Schriftgestalter Hermann Zapf, unter Verwendung eines Schrifterkennungsprogramms namens *Metafont*. 1986 arbeitete er erst für Pixar, bevor er sich selbständig machte. Er gründete eine Firma, die Macintosh-Computer bemalte, gestaltete ein paar der populärsten Schriften im Handel (Tekton, Graphite, Eaglefeather) und ist nun Vollzeit-Web-Designer.

David ist President von Verso Editions, einem Verlag in San Francisco, wo er berät, schreibt und Vorträge hält. Seit Juni 1995 gestaltet und schreibt er die „High Five"-Kolumne (www.highfive.com), die Surfer jede Woche zu den bestgestalteten Sites auf dem Web führt.

David hat Grafikdesign am *Pratt Institute* und an *The New School* in New York unterrichtet. Er ist Mitglied mehrerer W3C-Komitees zu HTML. David hat zahlreiche Zeitschriftenartikel über Schrift, Technik und das Web geschrieben. Er hält Vorträge über Web-Design, Computerpublishing und Story-Struktur. Als HTML-Terrorist mit Visitenkarte versucht David, die Designstandards auf dem Web anzuheben, und bekämpft die Technokraten bis zur letzten Kugel (*Bullet*) – die von der letzten grauen Seite geholt wird.

David hat ein Buch über Umwelt, Bevölkerungs- und Frauenthemen veröffentlicht und verleiht seinen Ansichten auf seinen Web-Sites auch weiterhin Ausdruck. Er ist überzeugter Vegetarier, leidenschaftlicher Skifahrer und schreibt in seiner Freizeit Drehbücher. Er lebt in San Francisco und träumt davon, in einem Pariser Straßencafé zu sitzen und HTML-Seiten zu schreiben, die den Planeten retten werden.

David Siegel ist erreichbar unter:
david@killersites.com

Das ist das beste Buch über Projekt-Management, das ich je gesehen
habe. Wenn ich „heit z' tag" regieren tät', wär David Siegel Pflichtlektü-
re an allen höheren Lehranstalten in meinem schönen Bayern.

Ludwig II., König von Bayern

Strategie

Marketing

Kreative

Management

Programmierung

David Siegel

Das Geheimnis
erfolgreicher
Web Sites

**Business
Budget
Manpower
Lizenzen
Design**

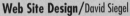

Alles, was Sie über das Internet wissen sollten

Internet – M&T magnum · Helmut Saaro

Was ist das Internet? Welche Internetdienste gibt es? Wie komme ich ins Internet und viele andere Fragen werden in diesem Titel beantwortet. Sie erfahren alles zum Thema Internet sowohl als Einsteiger als auch als fortgeschrittener Anwender, der eine Referenz benötigt. Auf der CD-ROM finden sich zahlreiche Tools zum Thema, die den Umgang mit dem Internet erleichtern und im Buch vorgestellt werden.

912 Seiten · 1 CD-ROM · ISBN 3-8272-5438-8 · DM 49,95

So funktioniert das Internet – aktualisierte Neuauflage/Preston Gralla

Auf einer visuellen Reise durch das Internet erfährt und versteht der Leser, wie die Daten fließen, um Menschen in aller Welt miteinander zu verbinden. Die komplett überarbeitete Neuauflage enthält alles Wichtige und Wissenswerte für Anwender und Einsteiger und erklärt anschaulich und leicht verständlich, wie z.B. Online-Dienste, E-Mails, das World Wide Web, Multimedia und Sicherheitsmechanismen funktionieren.

192 Seiten · ISBN 3-8272-5380-2 · DM 29,95

Internet – M&T easy · Ingo Lackerbauer

Der einfache Einstieg ins Internet: Entdecken Sie Mausklick für Mausklick die Möglichkeiten des neuen Mediums! Das Buch gibt Einblicke in alle wichtigen Themen, wie z.B. Online-Dienste (AOL, T-online, CompuServe), E-Mail, World Wide Web, Suchmaschinen und Chat. Dabei werden die wichtigsten Programme anschaulich erklärt, so daß Sie schnell und ohne Probleme die Angebote des Internets nutzen können.

ca. 320 Seiten · ISBN 3-8272-5529-5 · DM 29,95

Markt&Technik-Produkte erhalten Sie im Buchhandel, Fachhandel und Warenhaus.
Pearson Education Deutschland GmbH · Martin-Kollar-Straße 10–12 · 81829 München · Telefon (0 89) 4 60 03-0 · Fax (0 89) 4 60 03-100
Aktuelle Infos rund um die Uhr im Internet: www.mut.de

Pearson
Education